国学经典

陶庵梦忆
西湖梦寻

[明] 张岱 著
谷春侠 张立敏 注析

中州古籍出版社

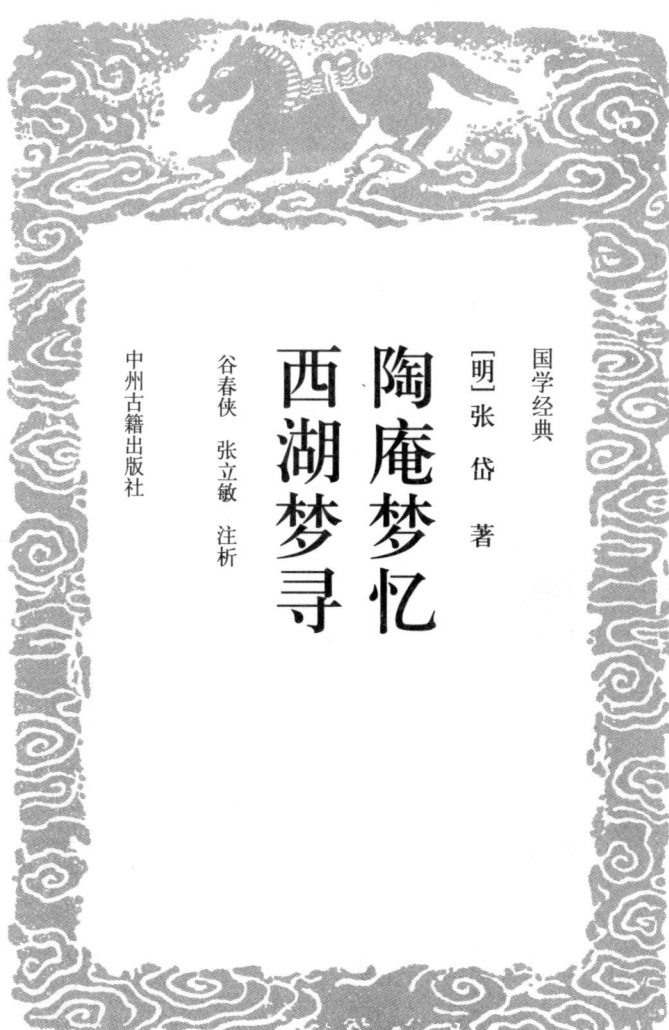

陶庵梦忆·西湖梦寻

前　言

张岱以其纯粹晶莹、深情唯美的小品文集《陶庵梦忆》《西湖梦寻》，记录了明末江浙一带的世态人情、风俗生活，表现了一位历经沧桑的文人对于旧王朝的眷恋和对明清之际传统风俗文化变迁的浩叹，引发无数文人对于江浙地域文化、晚明世俗文化的无限神思遐想。乃至于台湾著名作家龙应台以为虎丘不必去，读张岱的文章则更有韵味；耶鲁大学历史学家史景迁于明清演变研究百思不得其解之际，从《陶庵梦忆》中找到了探讨问题的原动力与新起点。

一

张岱（1597～1689）①，又名维城，字宗子，又字石公，号陶庵、蝶庵、天孙、六休，山阴（今浙江绍兴）人，长期侨居杭州。因祖籍为四川绵竹，所以诗文中常署作蜀人张岱、剑南张岱、古剑

---

① 张岱卒年依佘德余《都市文人——张岱传》，年93岁；胡益民《张岱研究》定为康熙十九年（1680），84岁；江庆柏《清代人物生卒年表》定为康熙二十四年，88岁。据张岱《琅嬛文集》卷三《修大善塔碑》，康熙二十三年尚在人间，清人商盘《越风》言其卒年93岁，可从。

陶庵老人（绵竹古属剑州）。他兴趣广泛，博学多才，是明清之际著名文学家、史学家，尤其以小品文著称，黄裳称"宗子散文第一，《梦忆》《梦寻》，天下无与抗手"（《来燕榭书跋·琅嬛文集》）。

张岱是一位从鼎食之家堕入苦寒困顿生活然而气节不改的文人，其生活经历大致以明清鼎革为界限分为截然不同的两个阶段。

明万历二十五年（1597）农历八月二十五日，张岱出生于绍兴城内状元坊祖居内。张家门第显赫，为宋朝抗金名将张浚之后。张浚六世孙①张远猷咸淳元年（1265）任绍兴知府，举家由临安迁往绍兴状元坊，遂为山阴名门望族。张岱高祖张天复（1513～1573），字复亭，号内山，又号初阳，为嘉靖二十六年（1547）进士，历官吏部主事、全楚学政、云南按察司副使等职，有《广舆考》《鸣玉堂稿》。曾祖张元忭（1538～1588），字子荩，号阳和，隆庆五年（1571）状元，历官翰林修撰、侍读，迁左谕德，有《不二斋文选》《皇明大政志》《馆阁漫录》等。祖父张汝霖（1557～1625），字肃之，号雨若，晚号砎园居士，万历二十三年（1595）进士，授清江令，调广昌，后迁兵部主事，历任山东、贵州、广西副使、参议等职。视学黔中时，得士最多，当时黔人称"三百年来无此提学"。有《易经澹窝因指》《四书荷珠录》《砎园文集》。父张耀芳（1574～1633）②，字尔韬，号大涤，精导引术，曾为鲁藩右长史，鲁王好神仙，君臣之间甚为契合。出生于这样的簪缨之家而且作为嫡长子的张岱，自幼便过着锦衣玉食的生活，先人的荣光给予他丰厚的精神滋养和天然的自信与优越感。

---

① 有著作误为四世孙。
② 崇祯五年十二月二十七日阳历为1633年2月5日。

张岱自幼聪慧过人，六岁时就能够即兴作对，被舅父陶崇道（号虎溪）比做多才的江淹。八岁时，随祖父至西湖，名士陈继儒闻其才气，当面"考试"后惊叹不已，称为小友。《快园道古·夙慧部》记载了他与陈继儒之间的"妙对"：

> 陶庵年八岁，大父携之至西湖。眉公（按：陈继儒）客于钱塘，出入跨一角鹿。一日，向大父曰："闻孙善属对，吾面考之。"指纸屏上《李白骑鲸图》，曰："太白骑鲸，采石江边捞夜月。"陶庵曰："眉公跨鹿，钱塘县里打秋风。"眉公赞叹，摩其顶曰："那得灵敏至此，吾小友也！"

张岱才华出众，又是个读书种子，"淹贯经史，博极群书，旁及诗歌古文"（祁彪佳《祁彪佳文稿·都门入里尺牍》）。作为世家子弟，按道理说似乎科考不是一件什么难事，然而他却屡屡考场失利。究其原因，与他自幼的读书内容与方法或许不无关系。他遵从祖父训诫，眼界过高，唯读古书，不喜揣摩时艺；读《四书》又从白文入手，理解文章蕴含不拘泥于一家，这种开放通达的求知方法与科举制度恪守朱熹注疏格格不入。对于科举考试而言，他有一种极其复杂的感情，既从事于兹，又时不时地进行入木三分的批判。

读书与参加科考之外，张岱过着非常奢华的生活。在五言古诗《舂米》（《张子诗秕》卷二）中，他写道：

> 余生钟鼎家，向不知稼穑。米在囷廪中，百口丛我食。婢仆数十人，殷勤伺我侧。举案进饔餐，庖人望颜色。喜则各欣然，怒则长戚戚。

竟然有数十人专门照顾生活起居，仰其鼻息，观其颜色，他哪里能料到日后生计的艰辛？在《自为墓志铭》中，张岱为我们描述了一个"玩家"的种种嗜好：

> 少为纨袴子弟，极爱繁华。好精舍，好美婢，好娈童，好鲜衣，好美食，好骏马，好华灯，好烟火，好梨园，好鼓吹，好古董，好花鸟；兼以茶淫橘虐，书蠹诗魔。

然而好景不长，崇祯十七年（1644），李自成军队攻占京师，崇祯皇帝自缢，明朝灭亡。不久，清朝定鼎北京。沧桑巨变打碎了温柔乡里的繁华生活，从此张岱随着时事的激荡起伏而日益困顿。

顺治二年（1645），清军南下，福王弘光朝覆灭，奸臣马士英前往投靠在台州监国的鲁王。张岱自告奋勇，带领数百人追杀马士英，因方国安阻挠而失败。鲁王朱以海移居绍兴后，亲临张府，授张岱职方主事。但张岱见群小得势，不久便隐居于绍兴嵊县山中。其间曾遭强征，儿子又遭绑架，他对南明小朝廷的希望丧失殆尽，内心陷入无尽的痛苦之中。他一心想报效国家，"志欲补天，而天如玑璇，炼石在手，则亦奚益哉？"（《石匮书后集》卷五十三）顺治三年（1646）六月，绍兴监国政权瓦解。"陶庵国破家亡，无所归止，披发入山，駴駴为野人。故旧见之，如毒药猛兽，愕窒不敢与接。作自挽诗，每欲引决。因《石匮书》未成，尚视息人世"（《陶庵梦忆·自序》），极度痛苦的张岱心情恍惚，几度欲死，但是史书《石匮书》尚未完成，最终他决定以隐居著述的方式保存华夏文化，以自己的坚韧静默来对待冷眼与敌意。九月，他肩挑残书与文稿，开始了三年的山中逃亡生活。

顺治六年（1649），局面稍微稳定，张岱返回绍兴城故居。只见庭院荒芜，房舍易主，于是居于卧龙山脚下的快园，后来又移居项里村。他年近古稀，还得操杵舂米；他素有洁癖，触臭味即走，如今却不得不挑粪。鲁迅说："有谁从小康人家而坠入困顿的么？我以为在这途路中，大概可以看见世人的真面目。"（《呐喊自序》）张岱以自己坚贞卓绝的品格忍受着生活的煎熬，观察着芸芸众生与纷扰尘世，进行着自我的忏悔与精神的砥砺。美国著名心理学家马斯洛认为，层级状人格提升建立在基本需要满足的前提之上，然而张岱的人格升华乃是在艰难困苦中完成的，呈现出独特感人的魅力。康熙十九年（1680），这位八十四岁老人撰成《琯朗乞巧录》一书，真诚地期盼解救众生的良药，他在《自序》中写道：

> 曾闻人言，牛女星旁有一星名琯朗，男子于冬至夜祀之，得好智慧。故作《乞巧》一编，朝夕弦诵。倘得邀惠慧星，启我愚蒙，稍窥万一，以济时艰。

他的人生境界已然超脱了一己得失，以天下苍生为念，与几百年前悲天悯人的杜甫遥相呼应。其间他完成了一部又一部著作，为后人留下无数极其宝贵的精神财富。

二

张岱涉猎领域广泛，勤于笔耕，举凡经学、史学、舆地、文字、音韵、文学、天文历法、医药诸多领域均有著作，有《石匮书》《史阙》《古今义烈传》《皇华考》《会稽县志》《奇字问》《诗韵确》《四书遇》《明〈易〉》《大易用》《昌谷集解》《历书眼》《桃源历》《陶庵肘后方》《张子文秕》《张子诗秕》《琅嬛文集》《冰山记》等三十多部，此外还有类书《夜航船》。其中，流传最广、影响最大的两部著作是《陶庵梦忆》与《西湖梦寻》。

在《陶庵梦忆·自序》中，他交代了写作动机：

  饥饿之余，好弄笔墨，因思昔人生长王、谢，颇事豪华，今日罹此果报。以笠报颅，以蒉报踵，仇簪履也；以衲报裘，以苎报绨，仇轻暖也；以藿报肉，以粝报粻，仇甘旨也；以荐报床，以石报枕，仇温柔也；以绳报枢，以瓮报牖，仇爽垲也；以烟报目，以粪报鼻，仇香艳也；以途报足，以囊报肩，仇舆从也。种种罪案，从种种果报中见之。

  鸡鸣枕上，夜气方回，因想余生平，繁华靡丽，过眼皆空，五十年来，总成一梦。今当黍熟黄粱，车旅蚁穴，当作如何消受？遥思往事，忆即书之，持向佛前，一一忏悔。不次岁月，异年谱也；不分门类，别志林也。偶拈一则，如游旧径，如见故人，城郭人民，翻用自喜，真所谓痴人前不得说梦矣。

于饥肠辘辘之际，张岱以虔诚忏悔之心，沉浸于前朝的繁华与过往云烟。孟元老《东京梦华录》、吴自牧《梦粱录》和周密《武林旧事》诸书，作于社会动乱后，通过对往昔繁盛都市景象的追忆，表达了撰写者的黍离之思。张岱之《陶庵梦忆》与这些前辈之作品同一机杼。全书共八卷，计一百二十二篇，篇篇是美丽的短章。或描叙山水园林，或写风俗民情，或记能工巧匠，或述说书演戏，兼及收藏鉴赏、饮食美味，为我们展示出一幅优美动人、热闹繁华的晚明士子生活图卷。其中，对风土人情、人物情韵，传神写状，栩栩如生；作者抒情言志，情真意切。尤其难得的是篇篇文章都是"奇情奇文，引人入胜，如在山阴道上，应接不暇"（金忠淳《〈陶庵梦忆〉跋》），"奇情壮采，议论风生，笔墨横姿，几令读者心目俱眩"（伍崇曜《〈陶庵梦忆〉跋》），文辞优美，妙趣横生，使人流连忘返，叹为观止。

《西湖梦寻》撰写于康熙五年（1666），追记旧游，描绘西湖胜景。他喜爱山水，于西湖更是情有独钟，自称"余生不辰，阔别西湖二十八载，然西湖无日不入吾梦中，而梦中之西湖，未尝一日别余也"（《西湖梦寻·自序》）。《西湖梦寻》体例上借鉴了刘侗《帝京景物略》、田汝成《西湖游览志》，共五卷，以西湖北路、西路、南路、中路、外景五门，分门记述西湖胜概。描绘每一名胜之前，冠以小序，叙述景物沿革，杂采古今诗文列于其下，使千古名家题咏一时荟萃，是一部优秀的西湖景物记和古文诗词选集。王雨谦在序中写道：

> 张陶庵盘礴西湖四十余年，水尾山头，无处不到；湖中典故，真有世居西湖之人所不能识者，而陶庵识之独详；湖中景物，真有日在西湖而不能道者，而陶庵道之独悉。今乃山川改革，陵谷变迁，无怪其惊惶骇怖，乃思梦中寻往也。

在记述杭州的人文掌故，描绘西湖胜景的同时，《西湖梦寻》还流露出张岱对西湖无尽的思念与对故国的眷恋。他在为西湖传神写照，更是为逝去的岁月留下痕迹。同《陶庵梦忆》一样，《西湖梦寻》文辞优美，感人至深：

> 余友张陶庵，笔具化工，其所记游，有郦道元之博奥，有刘同人之生辣，有袁中郎之倩丽，有王季重之诙谐，无所不有；其一种空灵晶映之气，寻其笔墨，又一无所有。为西湖传神写照，政在阿堵矣。（祁豸佳《西湖梦寻·序》）

三

张岱早年独特的经历与晚年甘于困苦、淡泊守志的人格风范，世家的影响，博学而多才的个人素质，以及以忏悔的心情撰写文章的姿态和对湖山名胜的一往情深，决定了《陶庵梦忆》和《西湖梦寻》成为深情唯美、精粹绮丽的不朽著作，远远超出了一般回忆散文和山水游记的范畴，不仅是一部晚明士人生活画面、西湖风景的存影和世俗风物的描绘，也是个人自传性的叙写和遗民家国情怀的寄托，是晚明性灵小品中的佳构，连思想深邃的历史学家也从中找到了探索历史现象的原初动力。

由于张岱明亡后以遗民身份隐居不出，在清朝丧失了户籍，所以大部分著作没有刊刻。《陶庵梦忆》与《西湖梦寻》也流传不广。咸丰二年（1852），南海伍崇曜根据仁和王文浩的八卷本重刻《陶庵梦忆》，收入《粤雅堂丛书》。民国初年《陶庵梦忆》又和《浮生六记》一起收入《雁来红丛书》。1926年北平朴社印行《陶庵梦忆》，1935年世界书局又有排印本，随后又被收入文明书局《说库》、商务印书馆《丛书集成》、艺文印书馆《百部丛书》。1949年以后，《陶庵梦忆》与《西湖梦寻》日益受到重视，单行本、合订本、影印本、校注本大量出现。如《陶庵梦忆》就有：弥松颐注，西湖书社1982年版；屠友祥校注，上海远东出版社1996年版。《西湖梦寻》有孙家遂校注，浙江文艺出版社1984年版。合订本有：马兴荣点校，上海古籍出版社1982年版；夏咸淳、程维荣校注，上海古籍出版社2001年版；马兴荣点校，中华书局2007年版。其中马兴荣点校本以《粤雅堂丛书》本为底本，参校乾隆《砚云甲编》本。

这次我们评注《陶庵梦忆》《西湖梦寻》，以中华书局马兴荣点校本为主，参校他本。对这两部优秀著作进行全本注释，文中典故与疑难文字进行疏解，文字力求准确简明。同时于篇末简要撮述篇章要旨，便于了解文章妙义。由于这次评注本出版计划乃是合订本的形式，所以为了避免重复，两书中的疑难文字一般是首次出现时出注释。其中,《陶庵梦忆》由谷春侠评注,《西湖梦寻》由张立敏评注,最后由谷春侠统一审核。张岱博学多才,文章多用典故、方言俗语,故而要准确注释,诚非易事,读者如参校他书,自然晓知其中得失与甘辛。由于个人才能有限,书中难免有所不当之处,恳请方家不惜赐教。

谷春侠　张立敏

2012 年夏于翠微

目 录

陶庵梦忆

序 ——— 21
自序 ——— 23

卷 一

钟山 ——— 27
报恩塔 ——— 30
天台牡丹 ——— 31
金乳生草花 ——— 32
日月湖 ——— 33
金山夜戏 ——— 35
筠芝亭 ——— 36
砎园 ——— 37
葑门荷宕 ——— 38
越俗扫墓 ——— 39
奔云石 ——— 40
木犹龙 ——— 42
天砚 ——— 44
吴中绝技 ——— 45
濮仲谦雕刻 ——— 46

卷 二

孔庙桧 ——— 48
孔林 ——— 50
燕子矶 ——— 52
鲁藩烟火 ——— 53

朱云崃女戏	54	不二斋	62
绍兴琴派	56	砂罐锡注	63
花石纲遗石	57	沈梅冈	65
焦山	59	岣嵝山房	66
表胜庵	60	三世藏书	67
梅花书屋	61		

卷 三

丝社	70	朱文懿家桂	83
南镇祈梦	72	逍遥楼	84
禊泉	74	天镜园	86
兰雪茶	76	包涵所	87
白洋湖	78	斗鸡社	89
阳和泉	79	栖霞	90
闵老子茶	81	湖心亭看雪	91
龙喷池	82	陈章侯	92

卷 四

不系园	94	二十四桥风月	105
秦淮河房	95	世美堂灯	107
兖州阅武	97	宁了	109
牛首山打猎	98	张氏声伎	110
杨神庙台阁	100	方物	111
雪精	101	祁止祥癖	113
严助庙	102	泰安州客店	114
乳酪	104		

卷 五

范长白 —— 116	治沅堂 —— 127
于园 —— 118	虎丘中秋夜 —— 129
诸工 —— 119	麋公 —— 130
姚简叔画 —— 120	扬州清明 —— 132
炉峰月 —— 121	金山竞渡 —— 133
湘湖 —— 123	刘晖吉女戏 —— 135
柳敬亭说书 —— 124	朱楚生 —— 136
樊江陈氏橘 —— 125	扬州瘦马 —— 137

卷 六

彭天锡串戏 —— 140	朱氏收藏 —— 151
目莲戏 —— 141	仲叔古董 —— 152
甘文台炉 —— 143	噱社 —— 154
绍兴灯景 —— 144	鲁府松棚 —— 155
韵山 —— 145	一尺雪 —— 156
天童寺僧 —— 147	菊海 —— 157
水浒牌 —— 148	曹山 —— 158
烟雨楼 —— 150	齐景公墓花樽 —— 159

卷 七

西湖香市 —— 161	山艇子 —— 167
鹿苑寺方柿 —— 163	悬杪亭 —— 168
西湖七月半 —— 164	雷殿 —— 169
及时雨 —— 165	龙山雪 —— 170

庞公池 —— 171	定海水操 —— 176
品山堂鱼宕 —— 172	阿育王寺舍利 —— 178
松花石 —— 173	过剑门 —— 179
闰中秋 —— 174	冰山记 —— 180
愚公谷 —— 175	

卷 八

龙山放灯 —— 182	蟹会 —— 191
王月生 —— 184	露兄 —— 191
张东谷好酒 —— 185	闰元宵 —— 193
楼船 —— 186	合采牌 —— 196
阮圆海戏 —— 187	瑞草溪亭 —— 197
巘花阁 —— 188	琅嬛福地 —— 199
范与兰 —— 189	

伍崇曜跋 —— 202

西湖梦寻

四库全书总目提要·西湖梦寻 —— 207
王雨谦序 —— 208
祁豸佳序 —— 210
查继佐序 —— 212
武林道隐序 —— 214
李长祥序 —— 216
自序 —— 218

卷 一
西湖总记
明圣二湖 ———————— 221
西湖北路
玉莲亭 ———————— 230
昭庆寺 ———————— 231
哇哇宕 ———————— 234
大佛头 ———————— 235
保俶塔 ———————— 237
玛瑙寺 ———————— 239
智果寺 ———————— 241
六贤祠 ———————— 242
西泠桥 ———————— 244
岳王坟 ———————— 246
紫云洞 ———————— 251

卷 二
西湖西路
玉泉寺 ———————— 253
集庆寺 ———————— 255
飞来峰 ———————— 256
冷泉亭 ———————— 259
灵隐寺 ———————— 261
北高峰 ———————— 265
韬光庵 ———————— 266
岣嵝山房 ———————— 270
青莲山房 ———————— 271
呼猿洞 ———————— 273
三生石 ———————— 274
上天竺 ———————— 276

卷 三
西湖中路
秦楼 ———————— 280
片石居 ———————— 281
十锦塘 ———————— 282
孤山 ———————— 286
关王庙 ———————— 292
苏小小墓 ———————— 294
陆宣公祠 ———————— 296
六一泉 ———————— 297

葛岭 —— 300
苏公堤 —— 302
湖心亭 —— 305
放生池 —— 307
醉白楼 —— 309
小青佛舍 —— 310

卷 四
西湖南路

柳洲亭 —— 312
灵芝寺 —— 314
钱王祠 —— 315
净慈寺 —— 320
小蓬莱 —— 322
雷峰塔 —— 324
包衙庄 —— 326
南高峰 —— 327
烟霞石屋 —— 328
高丽寺 —— 330
法相寺 —— 331
于坟 —— 333
风篁岭 —— 339
龙井 —— 341
一片云 —— 342
九溪十八涧 —— 344

卷 五
西湖外景

西溪 —— 346
虎跑泉 —— 348
凤凰山 —— 349
宋大内 —— 351
梵天寺 —— 354
胜果寺 —— 356
五云山 —— 357
云栖 —— 358
六和塔 —— 362
镇海楼 —— 364
伍公祠 —— 368
城隍庙 —— 369
火德庙 —— 372
芙蓉石 —— 373
云居庵 —— 374
施公庙 —— 377
三茅观 —— 378
紫阳庵 —— 379

陶庵梦忆

序

陶庵老人著作等身①,其自信者尤在《石匮》一书。兹编载方言巷咏、嘻笑琐屑之事,然略经点染,便成至文,读者如历山川,如睹风俗,如瞻宫阙宗庙之丽,殆与《采薇》《麦秀》同其感慨而出之以诙谐者欤②?老人少工帖括③,不欲以诸生名④。大江以南,凡黄冠⑤、剑客⑥、缁衣⑦、伶工⑧,毕聚其庐。且遭时太平⑨,海内晏安⑩,老人家龙阜,有园亭池沼之胜,木奴⑪、秫秔⑫,岁入缗以千计⑬,以故斗鸡、臂鹰、六博⑭、蹴鞠、弹琴、劈阮诸技,老人亦靡不为。今已矣。三十年来,杜门谢客,客亦渐辞老人去。间策杖入市,人有不识其姓氏者,老人辄自喜,遂更名曰蝶庵,又曰石公。其所著《石匮书》,埋之琅嬛山中。所见《梦忆》一卷,为序而藏之。

[注释]

①等身:与身高相等,形容著作之多。②《采薇》《麦秀》:《史记·伯夷列传》载周灭殷,伯夷、叔齐隐于首阳山,采薇而食,饿死前作歌曰:"登彼西山兮,采其薇兮,以暴易暴兮,不知其非兮。神农、虞、夏忽焉没兮,我安适归兮?于嗟徂兮,命之衰矣。"其歌被后人谱为琴曲,省称《采薇》。《史记·宋微子世家》载:"箕子朝周,过故殷虚,感宫室毁坏,生禾黍,箕子伤之,欲哭则不可,欲泣为其近妇人,乃作《麦秀之诗》以歌咏之。其诗曰:

'麦秀渐渐兮，禾黍油油。彼狡僮兮，不与我好兮！'"《采薇》《麦秀》之歌抒发的都是亡国之痛。③工：擅长。帖括：泛指科举应试文章。④诸生：明清时期学府的生员。⑤黄冠：道士。⑥剑客：精于剑术的人，泛指豪侠。⑦缁衣：黑衣，僧尼所穿的服装，代指僧人。⑧伶工：艺人。⑨遭时：遭遇的时势。⑩晏安：安定，安乐。⑪木奴：泛指有经济价值的果树和其他树木。⑫秾粳：粱米、粟米和稻米，泛指粮食。⑬缗（mín）：穿钱的绳子，泛指钱。⑭六博：掷彩下棋的游戏。

自　序

陶庵国破家亡，无所归止①，披发入山，駴駴为野人②。故旧见之，如毒药猛兽，愕窒不敢与接③。作自挽诗，每欲引决。因《石匮书》④未成，尚视息人世⑤。然瓶粟屡罄⑥，不能举火⑦，始知首阳二老直头饿死⑧，不食周粟，还是后人妆点语也⑨。饥饿之余，好弄笔墨，因思昔人生长王、谢⑩，颇事豪华，今日罹此果报。以笠报颅，以篑报踵⑪，仇簪履也⑫；以衲报裘⑬，以苎报绨⑭，仇轻暖也；以藿报肉⑮，以粝报粻⑯，仇甘旨也；以荐报床⑰，以石报枕，仇温柔也；以绳报枢，以瓮报牖⑱，仇爽垲也⑲；以烟报目，以粪报鼻，仇香艳也；以途报足，以囊报肩，仇舆从也⑳。种种罪案，从种种果报中见之。

鸡鸣枕上，夜气方回，因想余生平，繁华靡丽，过眼皆空，五十年来，总成一梦。今当黍熟黄粱㉑，车旅蚁穴㉒，当作如何消受㉓？遥思往事，忆即书之，持向佛前，一一忏悔。不次岁月，异年谱也；不分门类，别志林也㉔。偶拈一则，如游旧径，如见故人，城郭人民㉕，翻用自喜㉖，真所谓痴人前不得说梦矣。昔有西陵脚夫为人担酒㉗，失足破其瓮，念无所偿，痴坐伫想曰："得是梦便好！"一寒士乡试中式㉘，方赴鹿鸣宴㉙，恍然犹意非真，自啮其臂曰："莫是梦否？"一梦耳，惟恐其非梦，又惟恐其是梦，其为痴人则一也。余今大梦将寤，犹事雕虫㉚，又是一番梦呓。因叹慧业文人㉛，名心难化㉜，正如邯郸梦断㉝，漏尽钟鸣㉞，卢生遗表㉟，犹思摹拓二王㊱，以流传后世。则其名根一点㊲，坚固如佛家舍利，劫火猛烈㊳，犹烧之不失也㊴。

[注释]

①归止：归宿。②骇（hài）骇："骇"同"骇"，使人震惊的样子。③愕窒：惊愕得像要窒息一样。接：接待，交往。④《石匮书》：张岱私人撰述的明史。⑤视息：仅能目视和呼吸，谓苟活。⑥罄：空。⑦举火：生火做饭。《礼记·问丧》："水浆不入口，三日不举火，故邻里为之糜粥以饮食之。"⑧首阳二老：指伯夷和叔齐，他们是商末孤竹国君的儿子。孤竹国君生前立次子叔齐为继承人，他死后，叔齐让位给伯夷，伯夷不受，叔齐也不肯即位，都逃到周国隐居。周武王伐纣，他们前去谏阻，没有成功。商亡，他们耻食周粟，采薇充饥，最后饿死在首阳山，后世把他们当作抱节守志的典范。直头：径直。⑨妆点语：修饰、渲染过的文字。⑩王、谢：东晋时王氏和谢氏并称两大贵族，后泛指豪门世家。⑪蒉（kuì）：竹子编的筐，这里指草鞋。踵：脚后跟，泛指脚。⑫簪履：簪子和鞋。⑬衲：破衣服。裘：毛皮制成的御寒服。⑭苎：粗麻布做的衣服。绤（chī）：细葛布做的衣服。⑮藿：豆叶，嫩的时候可以吃。这里指野菜。⑯粝：糙米。粻（zhāng）：精米，细米。⑰荐：草编的垫子。⑱瓮：陶制的罐子。牖：窗户。⑲爽垲：高爽、干燥的房屋。⑳舆从：车马和随从。㉑黍熟黄粱：繁华生活如梦一般已经过去，化用了"黄粱美梦"的典故。唐沈既济《枕中记》载：年轻的卢生经过邯郸的一家客店，店主下米煮饭时，他向道士吕翁倾诉自己的贫苦。道士给他一个枕头，他躺下去睡着了，梦见自己享尽荣华富贵，还活到八十多岁，醒来才发觉原来是场梦，这时店主人煮的黄粱饭还没有熟呢。㉒车旅蚁穴：与"黍熟黄粱"意思相近，空欢喜一场，此句化用"南柯一梦"的典故。唐李公佐《南柯太守传》载儒生淳于棼醉卧大槐树下，梦游槐安国，中了状元，选为驸马，还做了三十年南柯太守，后来出征失利，被削职为民，因此惊醒。他寻找了半天，原来槐安国就是大槐树下的那个蚁穴。㉓消受：禁受，忍受。㉔志林：北宋苏轼曾撰

写的《东坡志林》，是一部按内容主旨分门别类的笔记著作。㉕城郭人民：城郭还是原来的，但人已经不是了，慨叹物是人非。典出晋陶潜《搜神后记》卷一。辽东人丁令威到灵虚山学道，后化鹤归辽来，落在城门华表柱上。有少年要射杀它，它徘徊在空中而言，叫道："有鸟有鸟丁令威，去家千年今始归。城郭如故人民非，何不学仙冢累累。"便飞走了。㉖翻：反而。用：因此。㉗西陵：钱塘江渡口，在今浙江省杭州市萧山区。㉘中式：通过了科举考试。㉙鹿鸣宴：唐代乡试发榜次日，州县长官为考中举子举行庆宴，也邀请考官参加。因宴会上唱《诗经·鹿鸣》，故名鹿鸣宴，这个传统一直延续到明清，泛指为庆贺考中举行的宴会。㉚雕虫：汉扬雄《法言·吾子》："或问：'吾子少而好赋？'曰：'然。童子雕虫篆刻。'俄而曰：'壮夫不为也。'"后人以雕虫代指写文章，如唐李贺《南园》诗之六："寻章摘句老雕虫，晓月当帘挂玉弓。"㉛慧业：佛教语，智慧的业缘。㉜名心：追求功名之心。难化：难以消散。㉝梦断：梦醒，这里仍用"黄粱美梦"的典故。㉞漏尽钟鸣：刻漏已尽，钟声响起，天要亮了。㉟遗表：临终前所写的奏表，死后上奏。㊱二王：东晋著名书法家王羲之、王献之父子。㊲名根：好名的本性。㊳劫火：佛教语。大三灾之一，坏劫时毁灭世界的大火。㊴不失：不丧失。

卷 一

钟 山①

钟山上有云气，浮浮冉冉，红紫间之，人言王气，龙蜕藏焉。高皇帝与刘诚意、徐中山、汤东瓯定寝穴②，各志其处③，藏袖中。三人合，穴遂定。门左有孙权墓，请徙④。太祖曰："孙权亦是好汉子，留他守门。"及开藏⑤，下为梁志公和尚塔⑥，真身不坏，指爪绕身数匝⑦。军士辇之⑧，不起。太祖亲礼之，许以金棺银椁⑨，庄田三百六十，奉香火，舁灵谷寺塔之⑩。今寺僧数千人，日食一庄田焉。陵寝定⑪，闭外羡⑫，人不及知。所见者，门三、飨殿一⑬、寝殿一⑭，后山苍莽而已。壬午七月⑮，朱兆宣簿太常⑯，中元祭期⑰，岱观之。飨殿深穆，暖阁去殿三尺⑱，黄龙幔幔之。列二交椅，褥以黄锦⑲，孔雀翎织正面龙，甚华重。席地以毡，走其上必去舄轻趾⑳。稍咳，内侍辄叱曰："莫惊驾！"

近阁下一座，稍前，为硕妃㉑，是成祖生母㉒。成祖生，孝慈皇后妊为己子㉓，事甚秘。再下，东西列四十六席，或坐或否。祭品极简陋。朱红木簋㉔、木壶、木酒樽，甚粗朴。簋中肉止三片，粉一铗㉕，黍数粒，东瓜汤一瓯而已。暖阁上一几，陈铜炉一、小筋瓶二、杯棬二；下一大几，陈太牢一㉖、少牢一而已㉗。他祭或不同，岱所见如是。先祭一日，太常官属开牺牲所中门㉘，导以鼓乐旗帜，牛羊自出，龙袱盖之。至宰割所，以四索缚牛蹄。太常官属至，牛正面立，太常官属朝牲揖㉙，揖未起，而牛头已入燖所㉚。燖已，舁至飨殿。次日五鼓，魏国至㉛，主祀，太常官属不随班，侍立飨殿上。祀毕，牛羊已臭腐不堪闻矣。平常日进二膳，亦魏国陪祀，日必至云。

戊寅㉜，岱寓鹫峰寺。有言孝陵上黑气一股㉝，冲入牛斗㉞，百有余日矣。岱夜起视，见之。自是流贼猖獗，处处告警。壬午，朱成国与王应华奉敕修陵，木枯三百年者尽出为薪，发根，隧其下数丈，识者为伤地脉、泄王气，今果有甲申之变㉟，则寸斩应华亦不足赎也。孝陵玉石二百八十二年，今岁清明，乃遂不得一盂麦饭㊱，思之猿咽。

[注释]

①钟山：又称紫金山，在今江苏南京。②高皇帝：明太祖朱元璋。刘诚意：诚意伯刘基，字伯温。徐中山：徐达，字天德，封魏国公，死后追封中山王。汤东瓯：汤和，字鼎臣，曾任左都督，死后被封东瓯王。以上三人都是明代的开国功臣。寝穴：建陵墓的地方。③志：记下，记载。④徙：移走，这里指迁墓。⑤开藏：开始修建墓穴。⑥志公和尚：南朝梁高僧宝志。塔：僧塔，用于收藏舍利或法器等，这里是埋葬僧人肉身的墓。⑦指爪：指甲。匝：周，圈。⑧辇：车，轿子，这里是动词，抬拉。⑨金棺银椁：金做的内棺，银做的外棺。椁，套在棺外的大棺。⑩舁（yú）：抬。灵谷寺：在南京钟山。⑪定：完成。⑫外羡：外面的墓道。"羡"通"埏"（yán），墓道。⑬飨殿：用于祭祀的殿，"飨"通"享"。⑭寝殿：陵墓的正殿。⑮壬午：明崇祯十五年，公

元1642年。⑯簿太常：太常寺主簿。⑰中元：中元节，阴历七月十五日，又称"盂兰盆节""鬼节"，是祭祀的日子。⑱去：距离。⑲褥：椅垫，坐垫。⑳去舄（xì）轻趾：脱掉鞋子，放轻脚步。㉑硕（gōng）：姓。㉒成祖：明成祖朱棣。㉓孝慈皇后：太祖朱元璋的皇后马氏，谥孝慈。㉔簋（guǐ）：祭祀时用的食器。㉕铗：同"夹"，筷子。㉖太牢：祭祀时以牛、羊、猪三牲皆备为太牢。㉗少牢：祭祀时只用羊、猪，称为少牢。㉘牺牲所：蓄养祭祀所用牲畜的地方。㉙挦：作挦。㉚燖（xún）：把肉放在汤中煮成半熟，祭礼中亚献用半熟的肉。㉛魏国：徐达的后裔徐弘基，袭封魏国公。㉜戊寅：即崇祯十一年，公元1638年。㉝孝陵：明太祖朱元璋的陵墓。㉞牛斗：指牛宿和斗宿。《晋书·张华传》载吴灭晋兴的时候，牛斗之间常有紫气。雷焕告诉尚书张华，说是宝剑之气冲上天了，后用为典故。气冲牛斗意味着要发生战乱。㉟甲申：崇祯十七年，公元1644年。这年李自成攻进北京，崇祯皇帝自缢，明朝灭亡，故称"甲申之变"。㊱麦饭：祭祀用的饭食。

[评析]

　　钟山在今江苏南京市。南京明代称为金陵，朱元璋建立明朝，在这里定都，死后葬于钟山孝陵，因此钟山被看作王气所在，是明王朝的象征。《陶庵梦忆》写于明亡之后，把《钟山》置于篇首，显然体现了作者深沉的故国之思，末句"孝陵玉石二百八十二年，今岁清明，乃遂不得一盂麦饭，思之猿咽"则直接披露了内心深处的沉痛。《陶庵梦忆》具有鲜明的以文存史的意识，旨在真实记叙晚明生活，以备后人了解查看，因此叙事精细入微。这篇短文记载了朱元璋孝陵选址的历史故实、孝陵的构造布置、祭祀的场面和过程，不但时间、地点、人物交代得清清楚楚，连陵寝布幔和坐褥上的花纹、坐席的数量、祭器的质地、祭品的种类这样的细节也毫无遗漏，体现了张岱散文的优长。本篇用语严肃，没有后面其他篇章中的轻灵之态，足见张岱对故国情感之深厚和作为文人的社会责任意识。最后一段以天象地气喻示世间形势变幻，张岱本来就崇拜神佛，因此谶纬现象和思想在他的散文中较为常见。

报恩塔[1]

中国之大古董,永乐之大窑器[2],则报恩塔是也。报恩塔成于永乐初年,非成祖开国之精神、开国之物力、开国之功令[3],其胆智才略足以吞吐此塔者,不能成焉。塔上下金刚佛像千百亿金身[4]。一金身,琉璃砖十数块凑砌成之,其衣褶不爽分[5],其面目不爽毫[6],其须眉不爽忽[7],斗笋合缝[8],信属鬼工[9]。闻烧成时,具三塔相,成其一,埋其二,编号识之。今塔上损砖一块,以字号报工部,发一砖补之,如生成焉。夜必灯,岁费油若干斛。天日高霁[10],霏霏霭霭[11],摇摇曳曳,有光怪出其上,如香烟燎绕,半日方散。永乐时,海外夷蛮重译至者百有余国[12],见报恩塔必顶礼赞叹而去[13],谓四大部洲所无也[14]。

[注释]

①报恩塔:在南京,是明成祖朱棣为其生母而建。②永乐:明成祖朱棣年号。窑器:陶瓷器。③功令:法令。④金身:装金的佛像。⑤爽:差错。分:量词,十分为一寸。⑥毫:非常纤细的毛,这里是量词,一百毫等于一分。⑦忽:计量单位,一百忽等于一毫。⑧斗:建筑上用的垫在拱柱之间的方形木块。笋:通"榫",榫头。⑨信:果真,确实。⑩霁(jì):天晴。⑪霏霏:浓密。霭霭:浓烈。⑫夷蛮:对东方、南方各民族的称呼。重译:译使。⑬顶礼:双膝下跪,两手伏地,用头顶在尊者的脚上,是佛教的最高礼节。⑭四大部洲:古印度传说宇宙有四大洲:东方为胜身洲,南方为瞻部洲,西方为牛货洲,北方为俱卢洲,是人类所居。此借指域外各国。

[评析]

报恩塔是明成祖朱棣为报母亲的生养之恩而建。太祖朱元璋和成祖朱棣父子是明初两位最有建树的皇帝,《报恩塔》紧接《钟山》之后，同样体现了张岱热爱故国、怀念故国的深厚情感。文中对成祖的大加赞誉，对塔的构造、工艺和晴日里塔周围特异风光的描写，以及游客的叹赏，都体现了张岱对故国的自豪感。

天台牡丹①

天台多牡丹，大如拱把②，其常也③。某村中有鹅黄牡丹，一株三干，其大如小斗，植五圣祠前④。枝叶离披⑤，错出檐甃之上⑥，三间满焉。花时数十朵，鹅子、黄鹂、松花、蒸栗，萼楼穰吐⑦，淋漓簇沓⑧。土人于其外搭棚演戏四五台，婆娑乐神⑨。有侵花至漂发者⑩，立致奇祟⑪。土人戒勿犯，故花得蔽芾而寿⑫。

[注释]

①天台：今浙江天台。②拱把：直径相当于两手合围。③常：平常的状态。④五圣：江南所供奉的一种妖神，俗称五郎神，似山鬼花妖一类。⑤离披：繁盛。⑥檐甃（zhòu）：屋檐的砖瓦。⑦萼楼穰吐：从茎干上长出的花萼层层叠叠。萼，花萼。楼，层层叠叠。穰，茎。吐，生长。⑧簇：丛生，聚集。沓：纷多，重叠。⑨婆娑：优美的舞姿。⑩侵：冒犯，毁坏。漂发：意为触动伤及毫发。⑪奇祟：怪异的灾祸。⑫蔽芾：茂盛的样子。寿：指花开得长远，直到自然枯萎。

[评析]

本文短小精悍。用简短的一百四十多个字，生动地写出了天台某地牡丹的繁盛，"萼楼穰吐，淋漓簇沓"八字可谓传神。花与妖神相结合，百姓借此娱乐，花则因而免去了被攀折的厄运，都富有民俗奇趣。

金乳生草花

金乳生喜莳草花①。住宅前有空地，小河界之②。乳生濒河构小轩三间，纵其趾于北③，不方而长，设竹篱经其左。北临街，筑土墙，墙内砌花栏护其趾。再前，又砌石花栏，长丈余而稍狭。栏前以螺山石垒山披数折，有画意。草木百余本，错杂莳之，浓淡疏密，俱有情致。春以罂粟、虞美人为主，而山兰、素馨、决明佐之④。春老以芍药为主⑤，而西番莲、土萱、紫兰、山矾佐之。夏以洛阳花、建兰为主，而蜀葵、乌斯菊、望江南、茉莉、杜若、珍珠兰佐之。秋以菊为主，而剪秋纱、秋葵、僧鞋菊、万寿芙蓉、老少年、秋海棠、雁来红、矮鸡冠佐之。冬以水仙为主，而长春⑥佐之。其木本如紫白丁香、绿萼玉楪蜡梅、西府滇茶、日丹白梨花，种之墙头屋角，以遮烈日。乳生弱质多病，早起，不盥不栉，蒲伏阶下⑦，捕菊虎，芟地蚕⑧，花根叶底，虽千百本⑨，一日必一周之⑩。癃头者火蚁⑪，瘠枝者黑蚰⑫，伤根者蚯蚓、蜒蚰，贼叶者象干、毛猬。火蚁，以鲞骨、鳖甲置旁引出弃之。黑蚰，以麻裹筯头捋出之。蜒蚰，以夜静持灯灭杀之。蚯蚓，以石灰水灌河水解之。毛猬，以马粪水杀之。象干虫，磨铁钱穴搜之。事必亲历，虽冰龟其手⑬，日焦其额，不顾也。青帝喜其勤⑭，近产芝三本⑮，以祥瑞之。

[注释]

①莳（shí）：种植。②界：靠近，连接。③趾：地基。④佐：次要，处于陪同地位的。⑤春老：晚春。⑥长春：一名金盏草，茎上开花。⑦蒲伏：即匍匐，在地上趴着前进。⑧芟（shān）：消灭，清除。⑨本：量词，棵，株。⑩一周：进行一遍。⑪癃（lóng）头：毁坏最上面的。⑫瘠枝：使枝干受损。

⑬皲：通"皲"，皮肤因寒冷或干燥而裂开。⑭青帝：位于东方的司春之神，又称苍帝、木帝，古代神话中的五天帝之一。⑮芝：灵芝。

[评析]

张岱喜欢那些有特别嗜好的人，认为这样的人值得敬重。文中的金乳生是一个名副其实的护花使者，他构造的花园别具匠心，四季种植的花木品种繁多，不断更替而主次分明，张岱不厌其烦地罗列园中的一大堆花名，是想极力写出金乳生对花草的痴爱。金乳生为花草除虫害之行为，张岱的描写更是不遗余力，"弱质多病，早起，不盥不栉，蒲伏阶下"，"虽千百本，一日必一周之"，"事必亲历，虽冰龟其手，日焦其额，不顾也"等句子，使人物形象尤为可爱，令人不禁为金乳生对花草的一片痴心而感动。末尾说东方司春之神青帝以灵芝作为对金乳生的奖赏，实际表露的是张岱个人对金乳生的欣赏和赞扬。

日月湖

宁波府城内，近南门，有日月湖。日湖圆，略小，故日之①；月湖长，方广，故月之。二湖连络如环，中亘一堤②，小桥纽之③。

日湖有贺少监祠④。季真朝服拖绅⑤，绝无黄冠气象⑥。祠中勒唐玄宗《饯行》诗以荣之⑦。季真乞鉴湖归老，年八十余矣。其《回乡》诗曰："幼小离家老大回，乡音无改鬓毛衰。儿孙相见不相识，笑问客从何处来？"八十归老，不为早矣，乃时人称为急流勇退，今古传之。季真曾谒一卖药王老⑧，求冲举之术⑨，持一珠贻之⑩。王老见卖饼者过，取珠易饼⑪。季真口不敢言，甚懊惜之。王老曰："悭吝未除，术何由得！"乃还其珠而去。

则季真直一富贵利禄中人耳⑫。《唐书》入之《隐逸传》⑬，亦不伦甚矣⑭。

月湖一泓汪洋，明瑟可爱⑮，直抵南城。城下密密植桃柳，四围湖岸，亦间植名花果木以萦带之⑯。湖中栉比者皆士夫园亭⑰，台榭倾圮⑱，而松石苍老。石上凌霄藤有斗大者，率百年以上物也⑲。四明缙绅⑳，田宅及其子㉑，园亭及其身。平泉木石，多暮楚朝秦㉒，故园亭亦聊且为之，如传舍衙署焉㉓。屠赤水娑罗馆亦仅存娑罗而已㉔。所称"雪浪"等石，在某氏园久矣。

清明日，二湖游船甚盛，但桥小船不能大。城墙下趾稍广，桃柳烂漫，游人席地坐，亦饮亦歌，声存西湖一曲。

[注释]

①日之：用"日"给它命名。②亘：横贯。③纽：连接。④贺少监：唐代著名诗人贺知章，字季真。⑤朝服：君臣朝会或举行隆重典礼时穿的礼服。绅：士大夫系在腰间一头下垂的宽带子。⑥黄冠：道士。气象：气度。⑦勒：雕刻。唐玄宗：即李隆基，又称唐明皇。⑧谒：拜访。⑨冲举之术：飞升成仙的法术。⑩贻：赠送，给予。⑪易：换。⑫直：只不过。⑬《唐书》：指北宋欧阳修修撰的《新唐书》，贺知章传在卷一百九十六，列传第一百二十一《隐逸》。后晋刘昫《旧唐书》中，贺知章列入文苑传。⑭不伦：不相类，不合适。⑮明瑟：晶莹纯净。⑯间植：夹杂着种植。萦带：环绕。⑰栉比：像梳篦齿一样密密地排列。⑱倾圮（pǐ）：倒塌。⑲率：大概。⑳四明：指浙江宁波，因境内有四明山而得名。缙绅：缙指把笏板插在绅带间，缙绅借指士大夫。㉑及：给予。㉒暮楚朝秦：晚上属于楚国，早上属于秦国，这里指泉石等不断地更换主人。㉓传舍：供行人休息、住宿的地方。衙署：衙门官署。㉔屠赤水：明代文人屠隆，字长卿，号赤水、鸿苞居士，宁波人。

[评析]

此文是对宁波府城南门内日月湖的描写。先总说二湖的所在和命名缘由，然后分叙二湖的景象，但描写的方法不同。日湖突出重点,只写了贺知章祠一处,并用叙议结合的手法,从祠堂引出贺知章的《回乡》诗和流传的学仙未成的故事,引发对贺知章的品评议论,认为他未能放弃物质诱惑,列入《隐逸传》不合适,挑战正史,大胆而新颖。月湖,花木的描写一概而过,突出的是鳞次栉比的士大夫园亭。园亭众多,当然有精美可观、令人心旷神怡之处,然而张岱眼中只有断壁残垣,字里行间渗透着兴亡和虚无之感。

金山夜戏①

崇祯二年中秋后一日②,余道镇江往兖。日晡③,至北固④,舣舟江口⑤。月光倒囊入水,江涛吞吐,露气吸之,噀天为白⑥。余大惊喜。移舟过金山寺,已二鼓矣。经龙王堂,入大殿,皆漆静。林下漏月光,疏疏如残雪。余呼小傒携戏具⑦,盛张灯火大殿中,唱韩蕲王金山及长江大战诸剧⑧。锣鼓喧阗⑨,一寺人皆起看。有老僧以手背采眼翳⑩,翕然张口,呵欠与笑嚏俱至。徐定睛,视为何许人,以何事何时至,皆不敢问。剧完,将曙,解缆过江。山僧至山脚,目送久之,不知是人、是怪、是鬼。

[注释]

①金山:在江苏镇江西北。②崇祯二年:公元1629年。③日晡:即日铺,日头到了申时就该吃饭了。作为时刻名即申时,下午三点到五点。④北固:北固山。⑤舣(yǐ)舟:船靠岸。⑥噀(xùn):含在口中而喷出。⑦小傒:年幼的男仆。⑧韩蕲王:南宋抗金名将韩世忠,死后追封蕲王。⑨喧阗:喧闹。⑩采:揉。翳:眼病,眼中长的白斑。

[评析]

此文写的是在金山寺夜晚亲自导演的几出戏,而全文体现出来的也是戏剧的喜剧色彩。因为月光太美导致张岱灵心一动,兴致突发,决定在万籁俱寂的夜晚,在灯火通明的佛寺大殿搬演抗金名剧,此举令寺中僧人大为吃惊。张岱巧妙抓住了一位老僧揉眼张嘴,打着哈欠又笑出眼泪,又畏惧不敢过问的神态行为,使人真切体会到僧人又惊又喜又惧的复杂情绪。末尾对山僧送客"不知是人、是怪、是鬼"的心理推测,令人忍俊不禁。

筠芝亭①

筠芝亭,浑朴一亭耳②。然而亭之事尽,筠芝亭一山之事亦尽。吾家后此亭而亭者③,不及筠芝亭;后此亭而楼者、阁者、斋者,亦不及。总之,多一楼,亭中多一楼之碍;多一墙,亭中多一墙之碍。太仆公造此亭成④,亭之外更不增一椽一瓦⑤,亭之内亦不设一槛一扉⑥,此其意有在也。亭前后,太仆公手植树皆合抱,清樾轻岚⑦,滃滃翳翳⑧,如在秋水。亭前石台,躐取亭中之景物而先得之⑨,升高眺远,眼界光明。敬亭诸山,箕踞麓下⑩;溪壑萦回,水出松叶之上。台下右旋,曲磴三折,老松偻背而立,顶垂一干,倒下如小幢⑪,小枝盘郁⑫,曲出辅之,旋盖如曲柄葆羽⑬。癸丑以前⑭,不垣不台⑮,松意尤畅⑯。

[注释]

①筠:竹子。芝:灵芝。②浑朴:质朴。③后此亭而亭:在筠芝亭之后建的亭子。④太仆公:张岱的高祖张天复,嘉靖二十六年进士,官至太仆寺卿。⑤不增一椽一瓦:不增加其他任何建筑。椽,椽子。瓦,砖瓦。⑥槛(jiàn):栏杆。扉:门扇。⑦清樾轻岚:清凉的树荫,轻飘飘的雾气。⑧滃滃翳翳:云气升腾,晦暗不明。⑨躐:踩踏。⑩箕踞:随便叉开两腿坐下,形似簸箕,是一种不礼貌的坐姿。这里形容诸山坐落之态。⑪小幢:刻有佛经的石柱形小塔。⑫盘郁:盘曲美盛的样子。⑬旋盖:盘旋生长像盖子形。曲柄:弯

曲的手柄。葆羽：仪仗中用鸟羽装饰的华盖。⑭癸丑：万历四十一年，公元1613年。⑮垣：围墙。台：亭台。不垣不台指没有什么建筑物。⑯松意：看松的心情。

[评析]

张岱的家族自高祖张天复开始显盛，筠芝亭是张天复建造的，张岱特意描写它旨在怀念先祖。张天复一世清高，做官清廉，生活节俭，张岱笔下的筠芝亭自然、古朴、宁静、高敞，与张天复的气质十分相合。张岱对高祖充满了崇拜，认为后世增加的亭台等建筑都缺乏韵味，联系生活时代，张天复乃嘉靖年间中进士，生活在明代的鼎盛期，在某种意义上讲，亭台只是一个表象，张岱在此处流露的也是对明朝盛世的向往与留恋。

砎　园

砎园，水盘据之，而得水之用，又安顿之若无水者①。寿花堂，界以堤，以小眉山，以天问台，以竹径，则曲而长，则水之。内宅，隔以霞爽轩，以酣漱，以长廊，以小曲桥，以东篱，则深而邃，则水之。临池，截以鲈香亭②、梅花禅，则静而远，则水之。缘城③，护以贞六居，以无漏庵，以菜园，以邻居小户，则阔而安④，则水之用尽。而水之意色，指归乎庞公池之水⑤。庞公池，人弃我取，一意向园，目不他瞩⑥，肠不他回⑦，口不他诺，龙山蠖蜿，三折就之⑧，而水不之顾⑨。人称砎园能用水，而卒得水力焉。大父在日⑩，园极华缛⑪。有二老盘旋其中，一老曰："竟是蓬莱阆苑了也！"⑫一老咈之曰⑬："个边那有这样！"

[注释]

①安顿：安置，设计。②截：截开，分开。③缘：靠近。④阒：幽静。⑤指归：主旨，意向，这里当指来源。⑥目不他瞩：眼睛不向别的地方看，这里是拟人用法。⑦肠不他回：不向其他的地方转曲。指像肠一样盘曲。⑧就：主动俯就。⑨顾：回头看。⑩大父：祖父，即张汝霖，字肃之，号雨若，又号砎园居士。⑪华缛：华美富丽。⑫蓬莱阆苑：传说中神仙居住的地方。⑬咈（fú）：否定。

[评析]

筠芝亭是高祖所建，而砎园是其祖父的杰作，所以《砎园》篇紧接《筠芝亭》之后，体现了张岱在篇章次序上的用心。砎园的构造十分精巧，张岱用了一系列的排比、对仗手法，以水流为线索，把砎园的亭台楼阁串联到一起。文中所列都是各处的名称，没有描绘渲染园中的华丽装饰，而末尾两位见多识广的老年游客的两句对话，足以显现其仙境不及的盛况，可谓用笔巧妙。

葑门荷宕①

天启壬戌六月二十四日②，偶至苏州，见士女倾城而出③，毕集于葑门外之荷花宕④。楼船画舫至鱼艓小艇⑤，雇觅一空⑥。远方游客，有持数万钱无所得舟，蚁旋岸上者⑦。余移舟往观，一无所见。宕中以大船为经，小船为纬，游冶子弟，轻舟鼓吹，往来如梭。舟中丽人皆倩妆淡服，摩肩簇舄，汗透重纱。舟楫之胜以挤⑧，鼓吹之胜以集，男女之胜以溷⑨，歊暑燀烁⑩，靡沸终日而已。荷花宕经岁无人迹，是日，士女以鞋靸不至为耻⑪。袁石公曰⑫："其男女之杂，灿烂之景，不可名状。大约露帏则千花竞笑⑬，举袂则乱云出峡⑭，挥扇则星流月映⑮，闻歌则雷辊涛趋⑯。"盖恨虎丘中秋夜之模糊躲闪，特至是日而明白昭著之也。

[注释]

①荇门：在苏州城东。宕：水塘。②天启壬戌：即天启二年，公元1622年。③倾城：全城，满城。④毕集：全部聚集起来。⑤楼船：有楼饰的多层大游船。画舫：装饰华美的游船。鱼艖（chā）：捕鱼用的小船。⑥雇觅：花钱寻找。⑦蚁旋：像蚂蚁那样来回转，形容焦急的样子。⑧胜：同"盛"，多。⑨溷（hùn）：混杂。⑩歊（xiāo）暑燂（xún）烁：酷热的盛暑。歊、燂、烁都有热的意思。⑪靸（sǎ）：古代小孩子穿的前帮深，无后帮的鞋子，也指与之类似的拖鞋。⑫袁石公：明代著名文人袁宏道，字中郎，号石公，湖北公安人。⑬露帏：帷幕掀开。千花竞笑：比喻美女众多，笑声不断。⑭举袂：抬起袖子。乱云出峡：比喻挥动的衣袖之多，五颜六色，像峡谷中升起的云彩一样。⑮星流月映：比喻众人挥动扇子像流星飞逝，像月亮的倒影。⑯雷辊（gǔn）涛趋：雷声轰鸣，波涛涌进，形容歌声非常响亮。

[评析]

此文写苏州六月市民竞游荷花宕的风俗，突出的是船多、人多、歌盛。文中有很多四字句、六字句和排比、对偶句，也用了一些贴切的夸张和比喻，如"露帏则千花竞笑，举袂则乱云出峡，挥扇则星流月映，闻歌则雷辊涛趋"，深受骈文风格的影响，但文辞清丽，朗朗上口。

越俗扫墓①

越俗扫墓，男女袨服靓妆②，画船箫鼓③，如杭州人游湖，厚人薄鬼，率以为常。二十年前，中人之家尚用平水屋帻船④，男女分两截坐，不坐船，不鼓吹。先辈谑之曰："以结上文两节之意。"⑤后渐华靡，虽监门小户⑥，男女必用两坐船，必巾，必鼓吹，必欢呼畅饮。下午必就其路之所近，游庵堂寺院及士夫家花园。鼓吹近城,必吹《海东青》《独行千里》,锣鼓错杂。酒徒沾醉,必岸帻嚣嚎⑦,唱无字曲,或舟中攘臂⑧,与侪列厮打⑨。自二月朔至夏至,填城溢国,日日如之。乙酉方兵⑩,划江而守,虽鱼艖菱舠⑪,收拾略尽。坟垅数十里而遥,子孙数人挑鱼肉楮钱⑫,徒步往返之,妇女不得出城者三岁矣。萧索凄凉,亦物极必反之一。

[注释]

①越:古国名,春秋时定都会稽,此处专指绍兴一带。②袨(xuàn)服:华美艳丽的衣服。③箫鼓:箫和鼓,泛指乐器。④中人之家:中等富裕的人家。平水:绍兴城南有平水溪,溪边有集市。屋帻:屋是"幄"的古字,屋帻指帐篷。⑤谑:戏谑,开玩笑。以结上文两节之意:见宋朱熹《四书集注》中《孟子·梁惠王上》"王亦曰仁义而已矣,何必曰利"的注解。⑥监门:守门的小吏,这里泛指低级官吏之家。⑦岸帻:扯起头巾,露出额头,形容态度洒脱或不拘小节,这里指人醉酒后的狂放行为。汉孔融《与韦端书》:"闲僻疾动,不得复与足下岸帻广坐,举杯相于,以为邑邑。"⑧攘臂:捋起衣袖,露出胳膊。⑨侪(chái)列:同辈或同类的人。⑩乙酉:清顺治二年,公元1645年。⑪菱舠(dāo):采菱的小船。⑫楮(chǔ)钱:祭祀时烧的纸钱。

[评析]

此文是张岱对家乡扫墓风俗的写实,突出了"厚人薄鬼"的风俗特色。文中没有一字涉及扫墓时的涕泪哀伤,而着意于扫墓之后的游乐,不但欢畅放肆,还绵延数月。妙的是,写到高潮,突然笔锋一转,叙说战乱之后的凄凉残败情形,并以"物极必反"作结语,巨大的反差足使读者达到内心震撼的效果。

奔云石

南屏石①,无出"奔云"右者②。"奔云"得其情,未得其理。石如滇茶一朵③,风雨落之,半入泥土,花瓣棱棱④,三四层折。人走其中,如蝶入花心,无须不缀也。黄寓庸先生读书其中⑤,四方弟子千余人,门如市。余幼从大父访先生。先生面鬓黑,多髭须,毛颊,河目海口,眉棱鼻梁,张口多笑。交际酬酢,八面应之。耳聆客言,目睹来牍,手书回札,口嘱侨奴,杂沓于前,未尝少错。客至,无贵贱,便肉、便饭食之,夜即与同榻。余一书记往⑥,颇秽恶,先生寝食之不异也,余深服之。

丙寅至武林⑦,亭榭倾圮,堂中寀先生遗蜕⑧,不胜人琴之感⑨。余见奔云黝润⑩,色泽不减,谓客曰:"愿假此一室⑪,以石礨门⑫,坐卧其下,可十年不出也。"客曰:"有盗。"余曰:"布衣褐被,身外长物则瓶粟与残书数本而已⑬。王弇州不曰⑭'盗亦有道也'哉?"

[注释]

①南屏:南屏山,在杭州西湖南岸,南屏晚钟为西湖名胜之一。②无出"奔云"右者:古代以右为尊,这句话是说南屏山的奇石没有比奔云石更好的了。③滇茶:产自云南的茶花。④棱棱:重叠的样子。⑤黄寓庸:名汝亨,字贞父,号寓庸居士,杭州人。万历进士,官至江西学宪。擅长书法,勤于著述。⑥书记:掌管公文、书信的人。⑦丙寅:天启六年,公元1626年。武林:即杭州,因武林山而得名。⑧寀(zhūn):埋葬。清蒲松龄《聊斋志异·罗刹海市》:"岁后阿姑寀窆,当往临穴,尽妇职。"遗蜕:遗体。⑨人琴之感:对死者的哀伤思念之情。典出《世说新语·伤逝》:"王子猷、子敬俱病,而子敬先亡。子猷问左右何以都不闻消息?此已丧矣。语时了不悲。便索舆来奔丧,都不哭。子敬素好琴,便径入坐灵床上,取子敬琴弹,弦既不调,掷地云:'子敬子敬,人琴俱亡。'因恸绝良久。月余亦卒。"⑩黝润:黑色又富有光泽。⑪假:借,租赁。⑫礨:同"磊",堆砌。⑬长物:东西,什物。⑭王弇(yān)州:明代王世贞,字符美,号凤洲,又号弇州山人,江苏太仓人。嘉靖二十六年进士,历任刑部主事、南京刑部尚书、浙江右参政等职,以诗文名世。

[评析]

文中追忆了幼年交往的一位尊长——黄先生。先以奇妙不俗的奔云石开篇，用来暗示和烘衬这里有一位非凡脱俗的达人。黄先生相貌的描写别具特色，"河目海口"等凸显了他的圣贤气象。以上多用散句，而接下来描述黄先生和蔼可亲的形象，不厌其烦、有条不紊的交际行为则多用四字句，之后又用散句，使全文富有节奏感，圆融和谐。追忆幼年时光之后，笔锋突然转到几十年后，张岱在乱后来这里隐居，物是人非之感油然而生，但正是这种物是人非之感，催生了原为浪荡公子的张岱对人生的彻底感悟，从对暴乱和盗贼的无所畏惧，可以洞察其内心的淡定与从容。

木犹龙

木龙出辽海[1]，为风涛潄击，形如巨浪跳蹴[2]，遍体多着波纹，常开平王得之辽东[3]，辇至京[4]。开平第毁，谓木龙炭矣。及发瓦砾[5]，见木龙埋入地数尺，火不及，惊异之，遂呼为龙。不知何缘出易于市[6]，先君子以犀觥十七只售之[7]，进鲁献王[8]，误书"木龙"犯讳，峻辞之[9]，遂留长史署中。先君子弃世[10]，余载归，传为世宝。丁丑诗社[11]，恳名公，人赐之名，并赋小言咏之[12]。周墨农字以"木犹龙"[13]，倪鸿宝字以"木寓龙"[14]，祁世培字以"海槎"[15]，王士美字以"槎浪"[16]，张毅儒字以"陆槎"[17]，诗遂盈帙[18]。木龙体肥痴，重千余斤，自辽之京、之兖、之济，由陆。济之杭，由水。杭之江、之萧山、之山阴、之余舍，水陆错。前后费至百金，所易价不与焉[19]。呜呼，木龙可谓遇矣[20]！余磨其龙脑尺木[21]，勒铭志之，曰："夜壑风雷，骞槎化石㉒;海立山崩,烟云灭没;谓有龙焉,呼之或出。"又曰:"扰龙张子㉓,尺木书铭;何以似之?秋涛夏云。"

[注释]

①木龙:即木犹龙,一种化石。②跳踯:跳跃。③常开平王:常遇春,字伯仁,安徽怀远人。明代开国功臣,死后追封开平王。④京:这里指南京。⑤发:挖掘。⑥出易:出卖,交易。⑦先君子:已去世的父亲。张岱的父亲名张耀芳,字尔弢,号大涤,曾在鲁王府任右长史多年。犀觥:犀牛角做的饮酒器。觥的形制是腹椭圆形或方形,底为圈足或四足,有流和把手,盖为兽头形或象头形的。售:买,这里是交换。⑧鲁献王:"献"当作"宪",即第十代鲁王朱寿鋐,万历二十八年封,崇祯九年卒,谥号宪。⑨峻辞:严辞拒绝。⑩弃世:去世。⑪丁丑:崇祯十年,公元 1637 年。⑫小言:简短的诗词。⑬周墨农:字又龙,号墨农,张岱的好友。字:取名。⑭倪鸿宝:名元璐,字汝玉,号鸿宝,浙江上虞人,官至尚书,以书画名于世。⑮祁世培:名彪佳,字虎子,又字幼文、弘吉,号世培,别号远山堂主人,绍兴人,著名戏曲家。⑯王士美:名业洵,字士美,浙江余姚人。⑰张毅儒:张岱的族弟张弘,排行第八,善诗文。⑱盈帙:满卷。⑲与:抵得上。⑳遇:受到赏识,礼遇。㉑尺木:龙头上面的如博山形的东西。唐代段成式《酉阳杂俎·鳞介篇》:龙头上有一物,如博山形,名尺木。龙无尺木,不能升天。㉒骞槎:汉代张骞曾出使西域,传说寻求到了河源,后人附会说他使用了槎,槎是通往天河的工具。见宋陈元靓《岁时广记》引《荆楚岁时记》:"汉武帝令张骞使大夏,寻河源,乘槎经月而去,至一处,见城郭如官府,室内有一女织。又见一丈夫,牵牛饮河。骞问曰:'此是何处?'答曰:'可问严君平。'织女取支机石与骞还。后至蜀问君平,君平曰:'某年月日,客星犯牛女。'所得支机石,为东方朔所识。"㉓张子:作者的自称。

[评析]

木犹龙本是自然的产物,一根木头罢了,幸运的是形态奇特,得到了众人的赏爱。但木犹龙的命运并非一帆风顺,其中交替着幸与不幸。在辽东被发现,千里迢迢运到开平王常遇春府上,谁知好景不长,常家衰落,好在免于焚烧之祸。被张岱父亲买去,原本进献给鲁王，有了屹立王府的机缘，谁知天不作美，因小小失误被拒在王府门外。在长史府中若干年后，张岱竭力将之运回绍兴，木犹龙不但结束了颠簸的生活，还拥有了诸多淑士所赐雅名，可谓遇到了贤主人。张岱记叙了木犹龙的遭遇，表面看语气平淡，其实也有一定的寄托在其中，"木龙可谓遇矣"一句与张岱一生未遇形成了对比，渗透着一丝悲凉。

天 砚

少年视砚，不得砚丑①。徽州汪砚伯至，以古款废砚②，立得重价，越中藏石俱尽。阅砚多，砚理出③。曾托友人秦一生为余觅石，遍城中无有。山阴狱中大盗出一石，璞耳④，索银二斤。余适往武林，一生造次不能辨⑤，持示燕客⑥。燕客指石中白眼曰："黄牙臭口，堪留支桌。"赚一生还盗⑦。燕客夜以三十金攫去⑧。命砚伯制一天砚，上五小星一大星，谱曰"五星拱月"。燕客恐一生见，铲去大小二星，止留三小星。一生知之，大懊恨，向余言。余笑曰："犹子比儿。"⑨亟往索看。燕客捧出，赤比马肝，酥润如玉，背隐白丝类玛瑙，指螺细篆⑩，面三星坟起如弩眼⑪，着墨无声而墨沉烟起，一生痴瘛⑫，口张而不能翕⑬。燕客属余铭⑭，铭曰："女娲炼天，不分玉石；鳌血芦灰⑮，烹霞铸日；星河溷扰，参横箕翕⑯。"

[注释]

①得：明白，知道。丑：丑相，缺点。②古款：古人的落款。废砚：废弃的砚台。③砚理：鉴别砚台的依据。④璞：未雕琢的玉。⑤造次：仓促，匆忙。⑥燕客：张岱的堂弟张萼，生性豪奢，号燕客。⑦赚：哄骗。⑧攫：获取。⑨犹子比儿：犹子，侄子。侄子在姑姑、伯父、叔父面前，和他们的儿子

是一样的。这里是说砚台在谁手里都一样，都会受到珍惜爱护。典出《千字文》："诸姑伯叔，犹子比儿。"⑩指螺：螺旋形的指纹。细篆：细小的篆书。⑪坟起：凸起，隆起。弩眼：突起的眼睛。⑫痴瘛（chì）：痴傻的样子。瘛，筋脉痉挛。⑬翕：合上。⑭属：嘱托，嘱咐。⑮鳌血芦灰：女娲折断鳌的四足来支撑四方，用芦灰来堵洪水。⑯参横箕翕：参、箕是星宿名，这里指砚上的小星聚合排列。

[评析]

本文以砚石为中心，叙述了发生在张岱、友人秦一生和堂弟燕客之间的趣事。因为懂砚的行家到了绍兴提升了砚台的行价，本地珍贵石头被抢购一空。张岱托秦一生买石头，正寻不到的时候，大盗提供了一块，不一般的来源使这块石头颇具传奇色彩。不巧的是张岱到了杭州去，秦一生不懂行，又恰好来问诡计多端的燕客，于是上当了。燕客为了瞒着秦一生，在砚台上做了一番手脚，不过最终还是被发觉了。曲折的情节使这篇小文看上去更像一篇小小说，而张岱的从容大度，秦一生的幼稚懦弱，燕客的豪横狡诈又多才尚雅，都在情节叙述中准确生动地表现了出来。从此文可见张岱创作技艺的高超和多样性。

吴中绝技①

吴中绝技：陆子冈之治玉②，鲍天成之治犀，周柱之治嵌镶，赵良璧之治梳，朱碧山之治金银，马勋、荷叶李之治扇，张寄修之治琴，范昆白之治三弦子③，俱可上下百年保无敌手④。但其良工苦心，亦技艺之能事。至其厚薄深浅，浓淡疏密，适与后世赏鉴家之心力⑤、目力针芥相投⑥，是岂工匠之所能办乎？盖技也而进乎道矣。

[注释]

①吴中：今江苏吴县，泛指苏州一带。②治：整理，雕刻，做。③三弦子：弦乐器，形制为木筒两端蒙着蛇皮，上有长柄，弦三根。④保：保证。⑤适：正好，恰好。⑥针芥相投：性情契合，合得来。《三国志·吴志·虞翻传》云："虞翻字仲翔，会稽余姚人也。"裴松之注引三国吴韦昭《吴书》："虎魄不取腐芥，磁石不受曲针。"磁石引针，琥珀拾芥，故以"针芥相投"比喻相互契合。

[评析]

张岱精通多种艺术，因此他对各类良工都十分关注，既欣赏他们的精湛技艺，又懂得技艺蕴藏的内在道理。文中提到了苏州擅长雕刻玉石，锻造金银器，制作扇子、梳子、乐器等各种艺人的名字，并把他们在技艺中倾入的心力与鉴赏家相联系，认为二者本质相通，确为的论。这种本质张岱总结为"技也而进乎道"，也就是把技艺精进的因素归结于个人心灵境界的提升，可见明显受到了《庄子·养生主》中"庖丁解牛"一节的影响。

濮仲谦雕刻

南京濮仲谦，古貌古心①，粥粥若无能者②，然其技艺之巧，夺天工焉。其竹器，一帚、一刷，竹寸耳，勾勒数刀，价以两计。然其所以自喜者，又必用竹之盘根错节，以不事刀斧为奇，则是经其手略刮磨之③，而遂得重价，真不可解也④。仲谦名噪甚⑤，得其一款⑥，物辄腾贵。三山街润泽于仲谦之手者数十人焉⑦，而仲谦赤贫自如也。于友人座间见有佳竹、佳犀，辄自为之。意偶不属⑧，虽势劫之⑨、利啖之⑩，终不可得。

[注释]

①古貌古心：古朴敦厚的外貌和思想。唐韩愈《孟生》诗："孟生江海士，古貌又古心。"②粥粥：柔弱无能的样子。《礼记·儒行》："其难进而易退也，粥粥若无能也。"③略：稍微。④解：理解。⑤名噪：名声很广，名气很大。⑥款：器物上铸刻的文字或书画上的题名。⑦润泽：受到恩惠。⑧不属：不及，不中。⑨劫：威逼，胁迫。《汉书·高帝纪上》："愿君召诸亡在外者，可得数百人，因以劫众，众不敢不听。"颜师古注："劫，谓威胁之。"⑩啖：利诱，引诱。《新唐书·元载传》："乃复结中人董秀，厚啖以金，使刺取密旨，帝有所属，必先知之。"

[评析]

在上篇《吴中绝技》中，张岱将许多精良的技师姓名罗列在一起，且其他方面未涉及，此篇则不同，单论濮仲谦，这当然是因为这位技工有不同凡响之处。在平常人眼中，濮仲谦的外貌和气质实在不出奇，"古貌古心，粥粥若无能者"，甚至比不上普通人，张岱作此语是一个非常好的铺垫，与高超的技能形成反衬，让人马上对这位技工产生浓厚兴趣。后文突出的是濮仲谦的个性，名气极大，所雕刻的物件价格昂贵，教会的徒弟有几十人，而他自己仍然一贫如洗，这其实是在透露濮仲谦有自己的艺术标准，不肯轻易雕刻的事实。末尾二句，见友人家中有良材，就自愿动手，而权势和钱财不能威吓和利诱，更突出了濮仲谦忠于雕刻艺术、不为名利所动的君子情操。张岱将之列为单篇叙述，确有价值。

卷 二

孔庙桧①

己巳②,至曲阜谒孔庙,买门者门以入③。宫墙上有楼耸出,匾曰"梁山伯祝英台读书处",骇异之。进仪门④,看孔子手植桧。桧历周、秦、汉、晋几千年,至晋怀帝永嘉三年而枯⑤。枯三百有九年,子孙守之不毁,至隋恭帝义宁元年复生⑥。生五十一年,至唐高宗乾封三年再枯⑦。枯三百七十有四年,至宋仁宗康定元年再荣⑧。至金宣宗贞祐三年罹于兵火⑨,枝叶俱焚,仅存其干,高二丈有奇⑩。后八十一年,元世祖三十一年再发⑪。至洪武二十二年己巳⑫,发数枝,蓊郁;后十余年又落。摩其干,滑泽坚润,纹皆左纽⑬,扣之作金石声。孔氏子孙恒视其荣枯⑭,以占世运焉。再进一大亭,卧一碑,书"杏坛"二字,党英笔也⑮。亭界一桥,洙、泗水汇此⑯。过桥,入大殿,殿壮丽,宣圣及四配⑰、十哲俱塑像冕旒⑱。案上列铜鼎三、一牺⑲、一象、一辟邪⑳,款制遒古,浑身翡翠,以钉钉案上。阶下竖历代帝王碑记，独元碑高大，用风磨铜巅屃㉑，高丈余。左殿三楹，规模略小，为孔氏家庙。东西两壁，用小木匾书历代帝王祭文。西壁之隅，高皇帝殿焉。庙中凡明朝封号，俱置不用，总以见其大也。孔家人曰："天下只三家人家：我家与江西张㉒、凤阳朱而已㉓。江西张，道士气；凤阳朱，暴发人家，小家气。"

[注释]

①孔庙：在山东曲阜境内，是孔子故居所在，孔子被奉为圣人而不断得到加封，此地就建成庙宇来祭祀供奉。②己巳：崇祯二年，公元1629年。③买：买通。门者：守门的人。门以入：从门进去。④仪门：官署、宅第大门内的第二道正门。⑤晋怀帝：司马炽，字丰度，西晋第三代皇帝，司马炎第二十五子，公元307至313年在位。永嘉三年：公元309年。⑥隋恭帝：隋炀帝的孙儿杨侑，李渊入长安后先拥立他为帝，在位仅仅半年，武德二年去世，年仅15岁。义宁元年：公元617年。⑦唐高宗：唐太宗李世民之子，名李治，字为善。乾封三年：公元668年。⑧宋仁宗康定元年：公元1040年。⑨金宣宗贞祐三年：公元1215年。⑩有奇：有余。⑪元世祖三十一年：即至元三十一年，公元1294年。⑫洪武二十二年：公元1389年。⑬纹：树干上的纹理。左纽：向左扭转。"纽"同"扭"。⑭恒：经常，常常。⑮党英：即金代文学家、书法家党怀英，字世杰，号竹溪，官至翰林承旨。⑯洙、泗水：洙水和泗水。二水自山东省泗水县北合流而下，至曲阜北又分为二，洙水在北，泗水在南，孔子在二水之间聚徒讲学。《礼记·檀弓上》："吾与汝事夫子于洙泗之间。""洙泗"也常代称孔子及儒家。⑰宣圣：汉平帝元始元年谥孔子为褒成宣公，其后历代皆尊孔子为圣人，所以常称孔子为宣圣。四配：配祀孔庙的四名圣贤，即复圣颜渊、宗圣曾参、述圣子思、亚圣孟轲。颜渊、子思居东，曾参和孟轲居西。⑱十哲：孔子门下最优秀的十位学生，即颜渊、闵子骞、冉伯牛、仲弓、宰我、子贡、冉有、季路、子游、子夏。冕：士大夫以上戴的礼帽。旒（liú）：同"瑬"，冕冠前后悬垂的玉串。⑲牲：古代祭祀用的纯色牲畜。⑳辟邪：传说中的神兽，似鹿而尾巴长，头上有两只角。㉑风磨：利用风力转动的磨。清王士禛《池北偶谈·谈异四·风磨风扇》："西域哈烈、撒马儿罕诸国，多风磨。其制：筑垣墙为屋，高处四面开门，门外设屏墙迎风。室

中立木为表,木上用围置板乘风,下置磨石,风来随表旋动,不拘东南西北,俱能运转。"赑屃(bì xì):蠵龟的别名。旧时石碑下的石座都雕成赑屃状,取其力大能负重之义。㉒江西张:汉代张道陵创建了天师道,天师之位传内不传外,一直由其子嗣继承,传承数千年,成为与山东孔府齐名的大家族。㉓凤阳朱:朱元璋是安徽凤阳人,所以凤阳朱即指朱元璋一族。

[评析]

张岱的父亲在鲁王府任长史期间,张岱曾去省亲,乘机游览鲁地名胜古迹,本文即作于这个时期。孔子被奉为千古圣人,山东曲阜是孔子故里,孔庙是祭祀孔子的地方,当然不能错过。一般写孔庙,着重描绘的当是大殿,孔子和其他哲人的塑像,渲染庄严肃穆的氛围,但张岱对这些都一带而过,印象最深、着墨最多、最先下笔的竟是孔庙前的桧树,对其几千年的荣枯进行了详细记载,欣赏角度与众不同,体现了张岱对国家兴亡和命运浮沉的敏感。

孔　林[①]

曲阜出北门五里许,为孔林。紫金城城之,门以楼[②],楼上见小山一点,正对东南者,峄山也[③]。折而西,有石虎、石羊三四,在榛莽中。过一桥,二水汇,泗水也。享殿后有子贡手植楷[④]。楷大小千余本,鲁人取为材、为棋枰。享殿正对伯鱼墓[⑤],圣人葬其子得中气[⑥]。由伯鱼墓折而右,为宣圣墓[⑦]。去数丈,案一小山[⑧],小山之南为子思墓[⑨]。数百武之内[⑩],父、子、孙三墓在焉。谯周云[⑪]:"孔子死后,鲁人就冢次而居者百有余家[⑫],曰'孔里'。"《孔丛子》曰[⑬]:"夫子墓茔方一里,在鲁城北六里泗水上。"诸孔氏封五十余所[⑭],人名昭穆[⑮],不可复识[⑯]。

有碑铭三,兽碣俱在[⑰]。《皇览》曰[⑱]:"弟子各以四方奇木来植,故多异树不能名。一里之中未尝产棘木、荆草。"紫金城外,环而墓者数千家,三千二百余年,子孙列葬不他徙,此古帝王所不能比隆也[19]。宣圣墓右有小屋三间,匾曰"子贡庐墓处"。盖自兖州至曲阜道上,时官以木坊表识[20],有曰"齐人归讙处"[21],有曰"子在川上处"[22],尚有义理[23];至泰山顶上,乃勒石曰"孔子小天下处"[24],则不觉失笑矣。

[注释]

①孔林:孔家的墓地,是世界上最大的家族墓葬群,因墓碑太多,矗立成林,称孔林。②门以楼:城门上建有门楼。③峄山:邹山,又名邹峄山、邾峄山,在山东邹县东南。④子贡:姓端木,名赐,孔子的得意门生,擅长辞令。楷(jiē):又名黄连木,一种落叶乔木,枝干质地坚硬。⑤伯鱼:名鲤,孔子的儿子。⑥中气:中和之气。孔子葬孔鲤是根据自家当时的经济条件和社会地位量力而行的,不奢不简,所以称得"中和之气"。⑦宣圣墓:孔子墓。⑧案:界限。⑨子思:名伋,孔子的孙子。⑩武:步。⑪谯周:字允南,蜀人。三国时任蜀汉学官、光禄大夫,后入晋。⑫就:按照。冢次:长幼。冢,长子。⑬《孔丛子》:主要记叙孔子及子思、子上等人的言行。旧题孔鲋撰,目前多把它当作伪书。⑭封:坟墓。《后汉书·东夷传·高句骊》:"金银财币尽于厚葬,积石为封,亦种松柏。"⑮昭穆:墓地葬位的排列次序,以始祖居中,相递为昭穆,如父为昭,子为穆,孙为昭,曾孙为穆。次序是左为昭,右为穆。⑯识:识别。⑰兽碣:以兽形作装饰的碑碣。⑱《皇览》:魏刘劭、王象等人编撰的类书,供文帝曹丕阅览,故名《皇览》,今存辑本。⑲比隆:同等兴盛。《史记·刘敬叔孙通列传》:"娄敬说曰:'陛下都洛阳,岂欲与周室比隆哉?'"⑳木坊:木牌坊。㉑齐人归讙:《左传·定公十年》载定公与齐侯会于夹谷,孔子为相,使齐人归郓、讙、龟阴之地。㉒子在川上:见《论语·子罕》:"子在川上曰:'逝者如斯夫!不舍昼夜。'"㉓义理:道理。㉔孔子小天下:见《孟子·尽心上》:"孔子登东山而小鲁,登泰山而小天下。"

[评析]

晚明思想活跃,自由风气盛行,尤其江南地区,张岱自幼生活在绍兴，过着奢华清闲的生活，自然浸润非浅。与前篇《孔庙桧》一样，张岱行文中不见深沉庄严的感慨和道学气，在感觉上，游孔庙和孔家墓地似乎和平时游览其他地方没有太大区别，特别是文末讥笑泰山上"孔子小天下处"的刻石，让人体会到晚明士人带有叛逆意味的自由行为和思想。本文的另一写作特点是引用了谯周之言和《孔丛子》《皇览》这些典籍，将文献记载和实物相结合，体现了张岱博学和求实的精神。

燕子矶[①]

燕子矶，余三过之。水势湁潗[②]，舟人至此，捷捽抒取[③]，钩挽铁缆，蚁附而上[④]。篷窗中见石骨棱层，撑拒水际，不喜而怖，不识岸上有如许境界[⑤]。戊寅到京后[⑥]，同吕吉士出观音门[⑦]，游燕子矶。方晓佛地仙都，当面蹉过之矣[⑧]。登关王殿，吴头楚尾[⑨]，是侯用武之地，灵爽赫赫[⑩]，须眉戟起[⑪]。缘山走矶上[⑫]，坐亭子，看江水潋洌[⑬]，舟下如箭。折而南，走观音阁，度索上之[⑭]。阁旁僧院，有峭壁千寻[⑮]，碚礌如铁[⑯]；大枫数株，翳以他树，森森冷绿；小楼痴对，便可十年面壁。今僧寮佛阁[⑰]，故故背之，其心何忍？是年，余归浙，闵老子、王月生送至矶，饮石壁下。

[注释]

①燕子矶：在南京直渎山，远望如燕子展翅，故有此名。②湁潗（chì jí）：波浪翻腾的样子。③捷：迅速，敏疾。捽（zuó）：揪住，抓住。④蚁附：像蚂蚁一样趋集。⑤如许：像这样，这么多。境界：境况，情景。⑥戊寅：崇祯十一年，公元1638年。⑦吉士：明清时庶吉士的简称。⑧蹉过：错失，错过。⑨吴头楚尾：古代豫章位于楚地下游，吴地上游，如衔接首尾，故称

"楚尾吴头"，亦泛指长江中下游一带地方。太平天国宋溶生《建天京于金陵论》："金陵乃名胜之区，王气之钟也，倚钟阜，瞰长江，接天阙，枕后湖，龙蟠虎踞，楚尾吴头……其美利有不可胜言者。"⑩灵爽：神明的精气。赫赫：显赫盛大。⑪戟：合戈、矛为一体的古代兵器，可横击，可直刺。⑫缘：沿着。⑬潎（pì）洌：水流轻急。⑭度索：走绳索。⑮寻：长度单位，一寻相当于八尺。⑯硊礌（bèi lěi）：堆积的大石头。⑰僧寮（liáo）：僧舍。

[评析]

本文以时间为线索，采取移步换景的写作手法，描述了燕子矶汹涌湍急的水势和岸上的神佛庙宇，同时将自身经历穿插其间，十分自然。本文多采用三字至六字这样的短句，用词精巧，简洁明快，毫无拖沓之感。

鲁藩烟火①

兖州鲁藩烟火妙天下。烟火必张灯，鲁藩之灯，灯其殿②、灯其壁、灯其楹柱、灯其屏、灯其座、灯其宫扇伞盖。诸王公子、宫娥僚属、队舞乐工，尽收为灯中景物。及放烟火，灯中景物又收为烟火中景物。天下之看灯者，看灯灯外；看烟火者，看烟火烟火外。未有身入灯中、光中、影中、烟中、火中，闪烁变幻，不知其为王宫内之烟火，亦不知其为烟火内之王宫也。

殿前搭木架数层，上放"黄蜂出窠""撒花盖顶""天花喷礴"。四旁珍珠帘八架，架高二丈许，每一帘嵌孝、悌、忠、信、礼、义、廉、耻一大字。每字高丈许，晶映高明。下以五色火漆塑狮、象、橐驼之属百余头，上骑百蛮③，手中持象牙、犀角、珊瑚、玉斗诸器，器中实"千丈菊""千丈梨"诸火器④，兽足蹑以车轮⑤，腹内藏人。旋转其下，百蛮手中瓶花徐发，雁雁行行，且阵且走⑥。移时，百兽口出火，尻亦出火⑦，纵横践踏⑧。端门内外⑨，烟焰蔽天，月不得明，露不得下。看者耳目攫夺，屡欲狂易⑩，恒内手持之⑪。

昔者有一苏州人，自夸其州中灯事之盛，曰："苏州此时有烟火，亦无处放，放亦不得上。"众曰："何也？"曰："此时天上被烟火挤住，无空隙处耳！"人笑其诞。于鲁府观之，殆不诬也。

[注释]

①鲁藩：鲁王的封地，朱元璋第十子朱檀封鲁王，后代袭封。②灯：张灯、点灯，作动词。③百蛮：古代南方少数民族的总称，后也泛称其他少数民族。《诗经·韩奕》："以先祖受命，因时百蛮。"④实：填塞。火器：放烟火的器具。⑤蹑：踩着。⑥且阵且走：一边列队一边跑。⑦尻：臀部。⑧践踏：踩踏。⑨端门：宫殿的正南门。⑩狂易：精神失常。清袁枚《新齐谐·鬼弄人》："沈大喜，持锄掘丈余，卒无有，竟一怒而得狂易之疾。"⑪内手："内"为"纳"的古字，纳手即敛手。

[评析]

此文描写的是张岱在鲁王府所见张灯盛况。张岱喜欢重叠某字词来增加语句的节奏和美感，这篇小文中有几处都体现了这一特点，如："鲁藩之灯，灯其殿、灯其壁、灯其楹柱、灯其屏、灯其座、灯其宫扇伞盖。""天下之看灯者，看灯灯外；看烟火者，看烟火烟火外。""未有身入灯中、光中、影中、烟中、火中。"连用"灯""烟火""中"这些字词，让人自然产生四周灯火通明的联想和眼花缭乱的感觉。

朱云崃女戏

朱云崃教女戏，非教戏也。未教戏先教琴，先教琵琶，先教提琴、弦子、萧、管，鼓吹歌舞，借戏为之，其实不专为戏也。郭汾阳①、杨越公②、王司徒女乐③，当日未必有此。丝竹错杂④，檀板清讴⑤，入妙腠理⑥，唱完以曲白终之⑦，反觉多事矣。

西施歌舞，对舞者五人，长袖缓带⑧，绕身若环，曾挠摩地⑨，扶旋猗那⑩，弱如秋药⑪。女官内侍，执扇葆璇盖⑫、金莲宝炬、纨扇宫灯二十余人，光焰荧煌，锦绣纷叠，见者错愕。云老好胜，遇得意处，辄盱目视客⑬；得一赞语，辄走戏房，与诸姬道之，佹出佹入⑭，颇极劳顿。且闻云老多疑忌，诸姬曲房密户，重重封锁，夜犹躬自巡历，诸姬心憎之。有当御者，辄遁去，互相藏闪，只在曲房，无可觅处，必叱咤而罢。殷殷防护，日夜为劳，是无知老贼自讨苦吃者也，堪为老年好色之戒。

[注释]

①郭汾阳：中唐名将郭子仪，祖籍山西汾阳，安史之乱爆发，郭子仪率军平定了洛阳和西安两京，以首功封汾阳郡王。②杨越公：杨素，字处道，陕西弘农人，隋代著名文学家、军事家，封越国公。③王司徒：王允，字子师，山西祁县人，汉献帝初年任司徒、尚书令等职务，是朝中重臣。当时奸臣董卓大权在握，王允利用貂蝉成功策划了美人计，除掉了董卓。④错杂：交错混杂。⑤檀板：檀木制的拍板。清讴：清凉的歌声。⑥腠理：皮下肌肉之间的空隙和皮肤、肌肉的纹理，是渗泄和气血流通灌注之处。这里形容奏乐和演唱技法高超。⑦白：戏曲中只说不唱的部分。⑧缓带：宽松的衣带。⑨曾挠：曾，通"层"，重叠。挠，缠绕。《楚辞·远游》："雌蜺便娟以增挠兮，鸾鸟轩翥而翔飞。"⑩猗那：柔美。⑪秋药：秋日的白芷。芷是一种香草。⑫葆：由鸟羽装饰的仪仗。盖：遮阳或避雨的用具，这里指仪仗队中的伞盖。⑬盱（xū）目：瞪着眼睛看。⑭佹（guǐ）：时而。

[评析]

此文中心人物朱云崃是一个非常有趣的人物。他精通戏剧而且善于训练、培养艺人，与众不同的是他在教戏之前先教乐器演奏，有利于艺人综合素质的提高，故表演水平达到令人惊愕的程度。朱云崃显然是痴迷于戏剧的，喜欢听人称赞，不断传话，不辞辛劳，乐此不疲，这是他个性中最突出的一点，张岱使用"盱目视客""佹出佹入"等词使人物个性显现无遗，可敬可爱。富有意趣的是，张岱并未就此搁笔，还写出了朱云崃令人惊讶、令人捧腹的另一面——整天猜忌自己的一大群侍妾，不但锁进深深庭院，还亲自巡逻，日夜不安，故末句的议论抨击，实在精辟入理。此文体现了张岱描写人物善于褒贬并举的特色，如此，人物才显得更加真实鲜活。

绍兴琴派

丙辰①，学琴于王侣鹅。绍兴存王明泉派者推侣鹅，学《渔樵回答》《列子御风》《碧玉调》《水龙吟》《捣衣环佩声》等曲。戊午②，学琴于王本吾，半年得二十余曲：《雁落平沙》《山居吟》《静观吟》《清夜坐钟》《乌夜咏》《汉宫秋》《高山流水》《梅花弄》《淳化引》《沧江夜雨》《庄周梦》，又《胡笳十八拍》《普庵咒》等小曲十余种③。王本吾指法圆静④，微带油腔⑤。余得其法，练熟还生，以涩勒出之⑥，遂称合作。同学者，范与兰、尹尔韬、何紫翔、王士美、燕客、平子。与兰、士美、燕客、平子俱不成，紫翔得本吾之八九而微嫩，尔韬得本吾之八九而微迂。余曾与本吾、紫翔、尔韬取琴四张弹之，如出一手，听者駴服⑦。后本吾而来越者，有张慎行、何明台，结实有余而萧散不足⑧，无出本吾上者。

[注释]

①丙辰：万历四十四年，公元1616年。②戊午：万历四十六年，公元

1618 年。③小曲：乐曲体裁之一，与有许多"遍数"的大曲对言。④指法：弹奏乐器时手指动作的方法。⑤油腔：腔调浮滑。⑥涩：不熟练，不流畅。勒：强制。⑦骇服：惊佩，惊服。⑧结实：牢固、健壮，这里指弹奏的力度很到位。

[评析]

　　本文是张岱对自己学琴经历的描述，因此采用写实的手法，文字平白，基本没有修饰，但其中仍有耐人寻味的字眼，如"王本吾指法圆静，微带油腔"，"紫翔得本吾之八九而微嫩，尔韬得本吾之八九而微迂"，这几句中的"圆静""微带油腔""微嫩""微迂"以及后文"结实有余而萧散不足"，都体现了张岱对琴理细微精准的审美感受。

花石纲遗石①

　　越中无佳石。董文简斋中一石②，磊块正骨③，窑咤数孔④，疏爽明易，不作云谲波诡⑤，朱勔花石纲所遗⑥，陆放翁家物也⑦。文简竖之庭除⑧，石后种剔牙松一株，辟呷负剑⑨，与石意相得。文简轩其北，名"独石轩"，石之轩独之无异也。石簣先生读书其中⑩，勒铭志之。大江以南花石纲遗石，以吴门徐清之家一石为石祖。石高丈五，朱勔移舟中，石盘沉太湖底，觅不得，遂不果行。后归乌程董氏⑪，载至中流，船复覆。董氏破资募善入水者取之。先得其盘，诧异之，又溺水取石⑫，石亦旋起。时人比之延津剑焉⑬。后数十年，遂为徐氏有。再传至清之，以三百金竖之。石连底高二丈许，变幻百出，无可名状。大约如吴无奇游黄山⑭，见一怪石，辄瞋目叫曰："岂有此理！岂有此理！"

[注释]

①花石纲：北宋末年徽宗为修建艮岳，在江南广搜花木奇石，从苏州运到汴京。运石船十艘一组，称作一纲，故有花石纲之名。②董文简：名圮，字文玉，绍兴人，弘治十八年进士，历任刑部主事等职，谥文简。③磊块：俊伟奇特的样子。正骨：正直刚毅的气质。④窋（zhú）：中空。⑤云谲波诡：像云彩和波浪一样变化多端，千姿百态。⑥朱勔（miǎn）：苏州人，佞臣。为逢迎宋徽宗，全力搜求珍奇花石，劳民伤财。⑦陆放翁：即南宋著名诗人陆游，字务观，号放翁，绍兴人。⑧庭除：庭前的台阶。⑨辟咡（èr）：交谈时侧着头，以防口气触及对方，表示尊敬。《礼记·曲礼上》："负剑辟咡诏之，则掩口而对。"⑩石篑先生：明代绍兴文人陶望龄，字周望，号石篑，曾任翰林侍讲、国子监祭酒等职。⑪乌程：县名，属湖州。⑫溺水：入水，泡在水里。⑬延津剑：指龙泉和太阿两剑。延津是古代津渡名，晋时属闽地延平县。据《晋书·张华传》载，丰城令雷焕根据冲入斗牛的紫气所在，得龙泉、太阿两剑，其一给了张华。张华被诛，剑不知去向。雷焕死后，他的儿子带着剑经过延平津，剑忽然堕水，只见两条龙缠在一起，波浪惊沸，剑从此亡去。延津剑即指神剑、宝剑。⑭吴无奇：名士奇，安徽歙县人，万历二十年进士，官至太常寺卿，因不肯趋附魏忠贤，主动致仕。

[评析]

石头比不得金银贵重，但其天然的观赏性却非金银可比。文人和富家往往对奇石情有独钟，因此留有太多佳话。北宋徽宗肯定没有想到命人在江南搜罗奇石之举，在几百年后还能引发这么多离奇有趣的故事。在本文中，越地的石头未沾王气，都比不上花石纲的遗石，吴越许多士大夫更是以遗石为骄傲，树立庭中，修建亭阁，以示风雅。有人为了如愿以偿，竟不惜破费重金。张岱通过列举实例，展现了晚明富家爱石、玩石的浓郁风气。

焦　山①

仲叔守瓜州②，余借住于园，无事辄登金山寺③。风月清爽，二鼓，犹上妙高台，长江之险，遂同沟浍④。一日，放舟焦山，山更纡谲可喜⑤。江曲涡山下⑥，水望澄明，渊无潜甲⑦。海猪、海马，投饭起食，驯扰若豢鱼⑧。看水晶殿，寻瘗鹤铭⑨，山无人杂，静若太古⑩。回首瓜州烟火城中，真如隔世。饭饱睡足，新浴而出，走拜焦处士祠⑪。见其轩冕黼黻⑫，夫人列坐，陪臣四，女官四，羽葆云罕⑬，俨然王者⑭。盖土人奉为土谷⑮，以王礼祀之。是犹以杜十姨配伍髭须⑯，千古不能正其非也。处士有灵，不知走向何所？

[注释]

①焦山：又名浮玉山，在江苏镇江东北江中，与金山相对，因东汉隐士焦先居此而得名。②仲叔：张岱的二叔张联芳。瓜州：在江苏邗江县南部，与镇江隔江相对，又称瓜埠洲。③金山寺：在金山上，东晋时建造，原名泽心寺、龙游寺，是古代名刹。④沟浍：田间的水渠。⑤纡谲：曲折。⑥曲涡：盘旋，回环。⑦渊：深潭。甲：带有甲壳的水生动物。⑧驯扰：顺服，驯伏。祢衡《鹦鹉赋》："矧禽鸟之微物，能驯扰以安处。"豢（huàn）：饲养。⑨瘗（yì）：埋葬。⑩太古：上古，远古。⑪焦处士：即东汉隐士焦先。⑫轩冕：士大夫以上官员的车乘和冕服。晋陶潜《感士不遇赋》："既轩冕之非荣，岂缊袍之为耻。"黼黻（fǔ fú）：礼服上所绣的精美花纹。⑬云罕：旌旗。⑭俨然：严肃庄重的样子。⑮土人：当地人。土谷：土地神和五谷神。⑯杜十姨：唐代著名诗人杜甫曾任右拾遗，故人称杜拾遗。俗人不知其故，将杜甫庙宇讹称杜十姨庙，并将神像改成妇女，令人啼笑皆非。伍髭须：世俗对伍子胥的讹称，与杜甫庙的遭遇类似。

[评析]

本文是张岱到瓜州看望二叔时所作，记叙了自己在那里的游览经历。主要去处有两个：一是金山寺，经常登览，特别是在风月清爽的夜晚，登高俯瞰长江，见壮阔化为细小，内心极为满足。二是焦山，山曲水明，比金山似更有韵味。张岱为人淡泊，因此焦山众多古迹之中，最仰慕焦处士祠堂。本来十分郑重，事前沐浴，打算顶礼膜拜，但是到了祠堂，大失所望，本地人不知处士真面目，竟然滥加冠冕，令张岱啼笑皆非。张岱游记中，每遇祠堂或造像，常常质疑其合理性，对民间讹传予以批判，体现了文史家务实求真的精神。

表胜庵

炉峰石屋，为一金和尚结茅守土之地①，后住锡柯桥融光寺。大父造表胜庵成，迎和尚还山住持。命余作启，启曰："伏以丛林表胜②，惭给孤之大地布金；天瓦安禅③，冀宝掌自五天飞锡④。重来石塔，戒长老特为东坡；悬契松枝，万回师却逢西向。去无作相，住亦随缘。伏惟九里山之精蓝，实是一金师之初地⑤。偶听柯亭之竹笛，留滞人间；久虚石屋之烟霞，应超尘外。譬之孤天之鹤，尚眷旧枝；想彼弥空之云，亦归故岫⑥。况兹胜域，宜兆异人，了住山之夙因⑦，立开堂之新范⑧。护门容虎，洗钵归龙。茗得先春，仍是寒泉风味；香来破腊，依然茅屋梅花。半月岩似与人猜，请大师试为标指；一片石正堪对语，听生公说到点头⑨。敬藉山灵⑩，愿同石隐。倘静念结远公之社⑪，定不攒眉⑫；若居心如康乐之流⑬，自难开口。立返山中之驾，看回湖上之船，仰望慈悲，俯从大众。"

[注释]

①结茅：建造简陋的茅草房屋。守土：居住。②丛林：佛教徒聚集之地，泛指寺庙。③安禅：佛教用语，打坐，入定。④五天：即五天竺，指古印度。古印度有东天竺、南天竺、西天竺、北天竺、中天竺五区。飞锡：指僧人游方，出自僧人执锡杖飞空中的传说，《释氏要览》卷下载："今僧游行，嘉称飞锡。此因高僧隐峰游五台，出淮西，掷锡飞空而往也。若西天得道僧，往来多是飞锡。"⑤初地：寺庙。⑥岫：峰峦。⑦了：了结，实现。夙因：前世的因缘。⑧开堂：佛教语，开坛说法。新范：新的规范。⑨"一片石"二句：语出晋无名氏《莲社高贤传·道生法师》："师被摈，南还，入虎丘山，聚石为徒。讲《涅盘经》，至阐提处，则说有佛性，且曰：'如我所说，契佛心否？'群石皆为点头，旬日学众云集。"⑩藉：凭借，依托。⑪远公之社：东晋元兴元年，高僧慧远与信徒一百多人在庐山结白莲社，倡导净土法门。⑫攒眉：皱眉，表示不快或痛苦。⑬居心：存心。康乐：谢灵运，出生于会稽望族，曾任太尉参军等，袭封康乐公。谢灵运风流倜傥，好游山水。

[评析]

张岱的祖父建造表胜庵，想让释一金回来住持，命张岱作文以请。张岱按照作文习惯，也是为了表示庄重，用了"启"这种文体。全文由很多对仗工稳的骈句组成，连连用典，用语繁丽，语气谨慎敬重，体现了张岱深厚的文笔功力。

梅花书屋

陔萼楼后老屋倾圮，余筑基四尺，造书屋一大间。旁广耳室如纱橱①，设卧榻。前后空地，后墙坛其趾②，西瓜瓤大牡丹三株，花出墙上，岁满三百余朵。坛前西府二树，花时积三尺香雪③。前四壁稍高，对面砌石台，插太湖石数峰。西溪梅骨古劲,滇茶数茎,妩媚其旁。梅根种西番莲,缠绕如缨络④。窗外竹棚,密宝襄盖之。阶下翠草深三尺,秋海棠疏疏杂入。前后明窗,宝襄西府,渐作绿暗。余坐卧其中,非高流佳客,不得辄入。慕倪迂"清閟"⑤,又以"云林秘阁"名之。

[注释]

①广:增广。耳室:堂屋两旁的小房间。纱橱:蒙有纱布或钉有铁纱的储食橱。②坛:建坛,设坛。③香雪:白色的花。宋苏轼《月夜与客饮杏花下》:"花间置酒清香发,争挽长条落香雪。"④缨络:用珠玉串成的饰物,多戴在颈上。⑤倪迂:元代著名诗人、书画家倪瓒,号云林,无锡人。倪瓒有洁癖,不与俗人往来,所居名清閟阁,凡人不得入。

[评析]

这是张岱为自己的书斋梅花书屋所作的一篇短文。文中先介绍了书斋的构建缘由、占地面积、内部构造。张岱藏书甚富,文中并未提及,他想要炫耀的是书斋前后精雅的花草树石,这也是本文描写的主体。然后从后墙牡丹到坛前花树,从西溪梅花到阶下秋海棠,甚至梅树下、竹棚上,都精心设计,书斋因此有明有暗,充满雅趣。这样高雅的地方,张岱是不许俗人进来的,他自己也说,这是受了元代著名大画家、以清高闻名的倪瓒的影响,而我们从中不难看出张岱超凡脱俗的内在风度。

不二斋

不二斋,高梧三丈,翠樾千重①,墙西稍空,蜡梅补之,但有绿天,暑气不到。后窗墙高于槛,方竹数竿②,潇潇洒洒,郑子昭"满耳秋声"横披一幅。天光下射,望空视之,晶沁如玻璃③、云母④,坐者恒在清凉世界⑤。图书四壁,充栋连床⑥;鼎彝尊罍，不移而具。余于左设石床竹几，帷之纱幕，以障蚊虻；绿暗侵纱，照面成碧。夏日，建兰、茉莉，芗泽浸人⑦，沁入衣裾。重阳前后，移菊北窗下，菊盆五层，高下列之，颜色空明，天光晶映，如沉秋水。冬则梧叶落，蜡梅开，暖日晒窗，红炉毾氍⑧。以昆山石种水仙，列阶趾。春时，四壁下皆山兰，槛前芍药半亩，多有异本。余解衣盘礴⑨，寒暑未尝轻出，思之如在隔世。

[注释]

①翠樾：绿荫。宋陆游《乌夜啼》诗之六："园馆青林翠樾，衣巾细葛轻纨。"②方竹：一种外形微方的竹子，质坚，可供观赏，古人多用它制作手杖。宋张淏《云谷杂记·竹之异品》："武陵桃源山有方竹，四面平整如削，坚劲可以为杖。"③玻璃：玉名，水玉或水晶。④云母：矿石名，俗称千层纸，晶体常成假六方片状，集合体为鳞片状，半透明，有白、黑、绿、褐色等。⑤恒：长时间。⑥充栋：堆满屋子，形容藏书之富。⑦芗泽：芗同"香"，香泽，香气。⑧毾氍（tà qú）：毛织的毯子。⑨解衣盘礴：脱掉衣服，伸开两腿坐，形容自由自在的状态。宋苏轼《和〈饮酒〉》序："在扬州时，饮酒过午辄罢，客去，解衣盘礴终日，欢不足，而适有余。"

[评析]

佛门讲禅心如一，不二斋的命名系从禅理中来。张岱的母亲笃信佛教，张岱幼时就随母去寺院拜佛烧香，心中有佛自是常理。但从"图书四壁，充栋连床；鼎彝尊罍，不移而具"的描写来看，不二斋是静心之处，也是日常读书的书斋。这个书斋的外景和梅花书屋一样，按照四时和方位的不同，栽植各类花木，幽雅清静，从中可见张岱早期宁静的生活和恬适的心态。

砂罐锡注①

宜兴罐，以龚春为上②，时大彬③次之，陈用卿④又次之。锡注,以王元吉⑤为上,归懋德⑥次之。夫砂罐,砂也;锡注,锡也。器方脱手⑦,而一罐一注价五六金,则是砂与锡与价,其轻重正相等焉,岂非怪事⑧!一砂罐、一锡注,直跻之商彝⑨、周鼎之列而毫无惭色⑩,则是其品地也⑪。

[注释]

①砂罐:陶质的器皿。锡注:一种锡做的酒壶。②龚春:又名供春,明正德、嘉靖间著名制陶艺人。原为宜兴进士吴颐山家的仆人。吴读书金沙寺中,供春利用空隙时间跟老僧学做紫砂茶具,以新颖精巧、质薄而坚广受欢迎,供春于是以紫砂为业。③时大彬:号少山,明代著名匠人,所制瓦瓶价至三千钱。④陈用卿:著名匠人,与时大彬同时代人,尚意气,曾入狱,俗名陈三呆子。⑤王元吉:张岱《夜航船》卷十二《宝玩部》"嘉兴锡壶"条:"所制精工,以黄元吉为上,归懋德次之。"而《陶庵梦忆》作王元吉,不知孰是。⑥归懋德:明代著名锡匠,生平不详。⑦脱手:离手,出手,指刚刚完成。清沈初《西清笔记·纪名迹》:"文待诏画设色兰花一枝,用笔极细,鲜明秀润如甫脱手。"⑧岂非:难道不是。⑨跻:达到。明方孝孺《菊趣轩记》:"使数千里之民,乐生循礼,跻乎仁寿之域。"商:商代。彝:古代宗庙常用礼器的总称。⑩周鼎:指周代传国的九鼎。《史记·秦始皇本纪》:"始皇还,过彭城,斋戒祷祠,欲出周鼎泗水,使千人没水求之,弗得。"这里同商彝一样,泛指宝器。⑪品地:本质,境界。

[评析]

这篇短文只有一百二十五个字,却十分耐读。开篇非常简练,直接列出了擅长制作砂罐和锡注的技师,并点出他们的排名。接着就发议论,预设砂和锡经过了技师之手就得重价而且当之无愧这样的疑问,然后又提出第二个发人深思的问题:砂罐、锡注为何能够和商周古董相并列?两个问题最终都由自己设答:是因为它们的品质。张岱擅长鉴赏、描写感性的印象,但从这篇小文看,他的理性思维也不是一般境界,善于从普通事物引发哲学上的思考,增强了文字的意趣。

沈梅冈[1]

沈梅冈先生忤相嵩，在狱十八年。读书之暇，旁攻匠艺，无斧锯，以片铁日夕磨之，遂铦利[2]。得香楠尺许[3]，琢为文具一、大匣三、小匣七、壁锁二；棕竹数片，为箑一[4]，为骨十八，以笋、以缝、以键，坚密肉好[5]，巧匠谢不能事[6]。夫人匄先文恭志公墓[7]，持以为贽[8]，文恭拜受之。铭其匣曰："十九年，中郎节[9]；十八年，给谏匣[10]；节邪匣邪同一辙。"铭其箑曰："塞外毡，饥可餐；狱中箑，尘莫干；前苏后沈名班班[11]。"梅冈制，文恭铭，徐文长书[12]，张应尧镌，人称四绝，余珍藏之。又闻其以粥炼土，凡数年，范为铜鼓者二[13]，声闻里许，胜暹罗铜[14]。

[注释]

①沈梅冈：名束，字宗安，号梅冈，绍兴人。嘉靖二十三年进士，曾任礼科给事中等职，因得罪奸相严嵩入狱。②铦利：锐利，锋利。宋曾敏行《独醒杂志》卷四："故其初偶得铁多者刀成，铦利绝世，一挥能断牛腰。"③香楠：楠树，有香气。杨景贤《西游记》第十三折《穿窗月》："遮着杨柳，映着香楠，一轮月色云笼罩的暗。"④箑（shà）：扇子。《淮南子·精神训》："知冬日之箑，夏日之裘，无用于己。"⑤肉：边。好：指扇骨上的孔。⑥谢不能事：推辞不能做。谢，推辞。《史记·项羽本纪》："婴谢不能，遂强立婴为长，县中从者得二万人。"⑦匄：同"丐"，请求。文恭：张岱的曾祖父张元忭，隆庆五年状元，追谥文恭。志公墓：给沈束写墓志铭。⑧贽：见面礼。⑨十九年，中郎节：西汉时苏武以中郎将身份出使匈奴，守节十九年，在寒风中牧羊，吃毡啮雪，受尽劳苦也绝不投降。节，旄节，此指苏武出使所持信物。⑩给谏：指给事中，六部皆设，掌稽查、弹劾，沈束为礼科给事中。⑪前苏后沈：前有苏武，后有沈梅冈。⑫徐文长：明代著名书画家徐渭，字文清，后改字文长，别号青藤、天池等，绍兴人，与张岱家交好。⑬范：制作模子。

⑭暹（xiān）罗：古代对泰国的称呼。泰国旧分暹与罗斛两国，14世纪中叶两国合并，称暹罗。

[评析]

　　这又是一篇记载奇人奇物的短文。首先展现的是忠良之臣沈梅冈坚韧刚强的品质，身陷狱中近二十年，却能读书不辍，更神奇的是，在没有工具的情况下磨铁为刻刀，所雕生活用具不逊色于巧匠，环境的艰苦恶劣没有阻碍他对美的向往和追求，这是多么坚强的毅力和高贵的精神！张岱将曾祖的铭文完整地记录了下来，也是在间接表达自己的钦佩之情。

岣嵝山房①

　　岣嵝山房，逼山②、逼溪、逼韬光路，故无径不梁，无屋不阁。门外苍松傲睨③，藆以杂木，冷绿万顷，人面俱失。石桥低磴，可坐十人。寺僧刳竹引泉④，桥下交交牙牙⑤，皆为竹节。天启甲子⑥，余键户其中者七阅月⑦，耳饱溪声，目饱清樾。山上下多西栗、边笋，甘芳无比。邻人以山房为市，蔬果⑧、羽族日致之⑨，而独无鱼。乃潴溪为壑⑩，系巨鱼数十头。有客至，辄取鱼给鲜。日晡，必步冷泉亭、包园、飞来峰。一日，缘溪走看佛像，口口骂杨髡⑪。见一波斯坐龙象⑫，蛮女四五献花果⑬，皆裸形，勒石志之，乃真伽像也。余椎落其首，并碎诸蛮女，置溺溲处以报之。寺僧以余为椎佛也，咄咄作怪事，及知为杨髡，皆欢喜赞叹。

[注释]

　　①岣（gǒu）嵝（lǒu）山房：《西湖梦寻》卷二对岣嵝山房有详细记载，岣嵝本指山巅，山房主人李芨以此为号。②逼：靠近。③傲睨：骄傲地斜视，

这里是拟人用法。④刳(kū):劈开。⑤交交:交加,错杂的样子。宋王安石《半山春晚即事》诗:"春风取花去,酬我以清阴。翳翳陂路静,交交园屋深。"⑥天启甲子:天启四年,公元1624年。⑦键户:闭门不出。键,锁上,关闭。七阅月:过了七个月。⑧蓏(luǒ)果:瓜果。⑨羽族:长着羽毛的禽类。⑩潴(zhū)溪为壑:拦截蓄积溪水成为水沟。潴,蓄积。宋沈括《梦溪笔谈·权智》:"瓦桥关北与辽人为邻,素无关河为阻,往岁六宅使何承矩守瓦桥,始议因陂泽之地,潴水为塞。"⑪杨髡(kūn):髡,剃去头发,指僧尼。杨髡指元代西夏藏传佛教僧人杨琏真珈,至元十四年(1277)任江南释教都总统,掌管江南佛教事务。次年在宰相桑哥支持下,盗挖宋帝王陵,窃取珍宝,弃尸骨于草间。⑫波斯:波斯是伊朗和苏门答腊岛的苏木都剌国的古称,泛指来自中亚的人。⑬蛮女:少数民族女子。

[评析]

本文是张岱在岣嵝山房几个月读书生活的纪实。天启年间,虽然魏忠贤当道,但社会还未发生大的动乱,所以张岱仍然过着宁静清闲的生活,读书之外,养鱼观景。张岱不是一般的纨绔子弟,凡事细致用心,所以在溪边漫步时能辨认出杨琏真珈像,张岱对杨琏真珈盗挖南宋诸帝陵的千古罪行深恶痛绝,心中想着此事,口中正在谩骂,恰好此刻又看到杨琏真珈像被供奉在这里,心中大怒,于是不等寺中僧人允许就击碎了塑像的头部,扔在秽处。我们一贯了解的张岱只是文弱书生,贵游子弟,从这篇短文可发现他身上还有正义豪侠之气,不禁令人肃然起敬。

三世藏书

余家三世积书三万余卷。大父诏余曰:"诸孙中惟尔好书,尔要看者,随意携去。"余简太仆、文恭、大父丹铅所及有手泽者存焉①,汇以请②,大父喜,命舁去,约二千余卷。天启乙丑③，大父去世，余适往武林④，父叔及诸弟、门客⑤、匠指⑥、臧获⑦、巢婢辈乱取之，三代遗书一日尽失。余自垂髫聚书四十年⑧，不下三万卷。乙酉避兵入剡⑨，略携数簏随行⑩，而所存者，为方兵所据，日裂以吹烟⑪，并异至江干⑫，籍甲内⑬，挡箭弹，四十年所积，亦一日尽失。此吾家书运，亦复谁尤⑭！

余因叹古今藏书之富，无过隋、唐。隋嘉则殿分三品，有红琉璃、绀琉璃、漆轴之异。殿垂锦幔，绕刻飞仙。帝幸书室，践暗机⑮，则飞仙收幔而上，橱扉自启；帝出，闭如初。隋之书计三十七万卷。唐迁内库书于东宫丽正殿，置修文、著作两院学士，得通籍出入⑯。太府月给蜀都麻纸五千番⑰，季给上谷墨三百三十六丸，岁给河间、景城、清河、博平四郡兔千五百皮为笔，以甲、乙、丙、丁为次。唐之书计二十万八千卷。我明中秘书不可胜计，即《永乐大典》一书⑱，亦堆积数库焉。余书直九牛一毛耳，何足数哉！

[注释]

①简：挑选。太仆：指张岱高祖张天复，曾官甘肃道行太仆寺卿。文恭：指张岱曾祖张元忭，谥文恭。丹铅：指点勘书籍用的朱砂和铅粉，借指校订书籍。手泽：手汗，用以称先人的遗墨等。《礼记·玉藻》："父没而不能读父之书，手泽存焉尔。" ②汇：会聚到一起。 ③天启乙丑：天启五年，公元1625年。 ④适：正好。 ⑤门客：寄食在贵族家中，为之出谋划策、整理文案等的人。 ⑥匠指：工匠，出自《庄子·胠箧》："毁绝钩绳，而弃规矩，攦工倕之指，而天下始人有其巧矣。" ⑦臧获：古代对奴婢的贱称。 ⑧垂髫：指童年。髫，儿童垂下的头发。晋陶潜《桃花源记》："黄发垂髫，并怡然自乐。" ⑨剡：剡溪一带。剡溪是曹娥江的上游，在浙江嵊县南，离绍兴不太远。 ⑩簏：用竹子等编成的箱子。 ⑪裂：撕毁。 ⑫江干：江边，岸上。 ⑬籍：垫。《太平广记》卷二一五引宋徐铉《稽神录》："节度使张敬达有二玉椀……即命贮大笼，籍以衣絮，缥之库中。" ⑭尤：责备，怪罪。 ⑮践：踩。暗机：隐藏的机关。 ⑯通籍：记名于门籍，可以进出宫门。 ⑰麻纸：麻的纤维做的纸。

番：张。⑱《永乐大典》：明成祖朱棣永乐年间，解缙等人奉命编纂的大型类书，共二万二千八百七十七卷，收录古代典籍七八千种，今天只存残本。

[评析]

　　本文记载了张岱家三世藏书和他个人收藏的聚与散。藏书不易，耗费时日，书籍散去却在瞬间，落入俗人之手，塞入兵士的盔甲，溺于水中或投入爨下，都是书籍的大厄。多年辛苦聚集的藏书不幸毁于旦夕，连同书籍承载的祖父对他的器重与期待，对于张岱来说是难忍的心头之痛。但自叙不幸遭遇之后，张岱能够很快摆脱低沉的心境，自我慰藉和解脱。比起隋唐和当代朝中，自己的藏书可谓微不足道，又何必在意呢？本文充分体现了张岱淡定乐观的心态。

卷 三

丝　社

越中琴客不满五六人①，经年不事操缦②，琴安得佳？余结丝社，月必三会之。有小檄曰③："中郎音癖④，《清溪弄》三载乃成；贺令神交，《广陵散》千年不绝⑤。器由神以合道，人易学而难精。幸生岩壑之乡，共志丝桐之雅⑥。清泉盘石，援琴歌《水仙》之操⑦，便足怡情；涧响松风，三者皆自然之声，正须类聚。偕我同志，爰立琴盟，约有常期，宁虚芳日。杂丝和竹，用以鼓吹清音；动操鸣弦，自令众山皆响。非关匣里，不在指头，东坡老方是解人⑧；但识琴中，无劳弦上，元亮辈正堪佳侣⑨。既调商角⑩，翻信肉不如丝⑪；谐畅风神⑫，雅羡心生于手。从容秘玩⑬，莫令解秽于花奴⑭；抑按盘桓⑮，敢谓倦生于古乐。共怜同调之友声⑯，用振丝坛之盛举。"

[注释]

①琴客：弹琴的人。②操缦：操弄琴弦。《礼记·学记》："不学操缦，

不能安弦。"③檄：文书，文告。④中郎：袁宏道，字中郎。音癖：癖好音乐。⑤《广陵散》：曲名。《晋书·嵇康传》载：竹林七贤之一嵇康善弹此曲，秘不授人，后遭谗被害，临刑时索琴再弹此曲，叹息道："《广陵散》于今绝矣!"⑥丝桐：指琴。古人削桐为琴，练丝为弦。⑦操：琴曲。⑧"非关"三句：苏轼《琴诗》："若言琴上有琴声，放在匣中何不鸣。若言声在指头上，何不于君指上听。"此三句化用此诗。⑨但识琴中，无劳弦上：见南朝梁萧统《陶渊明传》："渊明不解音律，而蓄无弦琴一张，每酒适，辄抚弄以寄其意。"曾有诗曰："但识琴中趣，何劳弦上声。"元亮：陶渊明，字元亮。⑩商角：宫、商、角、徵、羽是古代音阶中的五音，商角泛指音乐。⑪肉不如丝：肉指从口中唱出的歌声。《晋书·孟嘉传》："丝不如竹，竹不如肉。"这里是反用。⑫谐畅：和谐流畅。风神：这里指曲调的风采神韵。⑬从容：悠闲舒缓。秘玩：私自玩味。⑭解秽于花奴：除去秽气。语出唐南卓《羯鼓录》："上（唐玄宗）性俊迈，酷不好琴，曾听弹琴，正弄未及毕，叱琴者出曰：'待诏出去！'谓内官曰：'速诏花奴，将羯鼓来，为我解秽！'"⑮抑按：按压。汉蔡邕《琴赋》："抵掌反复，抑按藏摧。"盘桓：赏玩，玩弄。⑯怜：喜爱。同调：相同的曲调，比喻志趣相投。

[评析]

　　文人结社渊源已久，宋元时期趋于成熟，至明清大盛而名目繁多。张岱主持倡导的丝社是演奏琴艺的社团，因为绍兴琴艺不振，所以张岱想出结社的办法来鼓励、刺激同好者。"小檄"就是短篇的倡议书，此文用骈体写成，列举了精通琴艺的历史名人袁宏道、嵇康、苏轼、陶渊明等人的典故，说明琴艺的高雅和重要性，引起诸人的兴致，并点出自己立社的原因和活动规则，最后以"用振丝坛之盛举"作结尾，指出立社的目的和期望的前景，希望热爱琴艺的友人大力支持。全文用语典雅，化用典故颇多而不造作，自然流畅。

南镇祈梦[1]

　　万历壬子[2]，余年十六，祈梦于南镇梦神之前，因作疏曰[3]："爰自混沌谱中[4]，别开天地；华胥国里[5]，早见春秋。梦两楹[6]，梦赤舄[7]，至人不无；梦蕉鹿[8]，梦轩冕[9]，痴人敢说。惟其无想无因，未尝梦乘车入鼠穴，捣齑啖铁杵；非其先知先觉，何以将得位梦棺器，得财梦秽矢，正在恍惚之交，俨若神明之赐？某也蹒跚偃潴[10]，轩鬐樊笼[11]，顾影自怜，将谁以告？为人所玩，吾何以堪！一鸣惊人，赤壁鹤耶[12]？局促辕下，南柯蚁耶[13]？得时则驾，渭水熊耶[14]？半榻蘧除[15]，漆园蝶耶[16]？神其诏我，或寝或吪[17]；我得先知，何从何去。择此一阳之始[18]，以祈六梦之正[19]。功名志急，欲搔首而问天；祈祷心坚，故举头以抢地。轩辕氏圆梦鼎湖[20]，已知一字而有一验；李卫公上书西岳[21]，可云三问而三不灵。肃此以闻[22]，惟神垂鉴。"

[注释]

①南镇：绍兴会稽山。②万历壬子：万历四十年，公元1612年。③疏：祈祷文。④爰：助词，无意义，用在句首或句中，调节语气。混沌：传说中盘古开天辟地前，元气模糊一团的状态。⑤华胥：《列子·黄帝》："昼寝而梦游于华胥氏之国。华胥氏之国在弇州之西，台州之北，不知斯齐国几千万里。盖非舟车足力之所及，神游而已。"代指梦境。⑥两楹：房屋正厅的两根柱子，柱子之间是房屋正中，为举行重大仪式和活动的地方，包括停放棺柩、举行祭奠。《公羊传·定公元年》："正棺于两楹之间，然后即位。""棺"与"官"谐音，所以梦见棺材为吉兆。⑦赤舄：天子、诸侯所穿的鞋，赤色，重底。《诗经·狼跋》："公孙硕肤，赤舄几几。"⑧蕉鹿："蕉"通"樵"，语出《列子·周穆王》："郑人有薪于野者，遇骇鹿，御而击之，毙之。恐人见之也，

遽而藏诸隍中,覆之以蕉,不胜其喜。俄而遗其所藏之处,遂以为梦焉。"元贡师泰《寄静庵上人》诗:"世事同蕉鹿,人心类棘猴。"⑨轩冕:古时大夫以上官员的车乘和冕服。⑩蹨跜:盘曲蠕动的样子。偃潴:池塘。《周礼·地官·稻人》"以潴畜水"汉郑玄注:"偃潴者,畜流水之陂也。"⑪轩翥:高飞。《楚辞·远游》:"雌蜺便娟以增挠兮,鸾鸟轩翥而翔飞。""蹨跜偃潴,轩翥樊笼"是在说自己不得志。⑫赤壁鹤:苏轼游玩赤壁时曾见一只鹤飞过,梦中此鹤化为道士。见苏轼《赤壁赋》:"夜将半,四顾寂寥。适有孤鹤横江东来,翅如车轮,玄裳缟衣,戛然长鸣,掠予舟而西也。须臾客去,予亦就睡。梦一道士,羽衣翩跹,过临皋之下,揖予而言曰:赤壁之游乐乎?问其姓名,俛而不答。"⑬南柯蚁:这里化用"南柯一梦"的典故。⑭渭水熊:周文王姬昌欲伐商纣,求贤若渴。一天他梦见生有双翅的熊飞入怀中,第二天经过占卜,在渭水边找到了直钩钓鱼的姜尚,姜尚恰号飞熊。⑮藠除:亦作"藠篨",用苇、竹编成的粗席。⑯漆园蝶:语出《庄子·齐物论》:"昔者庄周梦为蝴蝶,栩栩然蝴蝶也。自喻适志与,不知周也。俄然觉,则蘧蘧然周也。不知周之梦为蝴蝶与,蝴蝶之梦为周与?周与蝴蝶,则必有分矣。此之谓物化。"⑰寝:通"祲(jìn)",日旁的云气,能预示吉凶,常指妖气,不祥之气。吡:感化,教化。《诗经·破斧》:"周公东征,四国是吡。"⑱一阳之始:指冬至,见《五礼通考》卷一百九:"程子曰:'冬至一阳之始,故象其类而祭之。'"⑲正:同"证",凭证。《楚辞·离骚》:"指九天以为正兮,夫唯灵修之故也。"⑳轩辕氏:传说中的上古帝王黄帝,生于轩辕之丘,故号轩辕。鼎湖:《史记》卷十二载黄帝采首山铜铸鼎于荆山下,铸成之后,有龙垂下胡须来迎接黄帝上天,后宫和重臣几千人随之而去,民间的百姓因此称荆山下的湖为鼎湖。㉑李卫公:李靖,字药师,陕西三原人,唐初名将,封卫国公。李靖曾作《上西岳书》,质问为何天下大乱,西岳神不显灵,为何自己不被重用,生活又不安定,文末说:"终陈击鼓,若三问不对,亦何神之有灵?"文辞激昂慷慨。㉒肃此:敬此。对尊长的用语,表示恭敬地书写此文。

[评析]

这是一篇祈祷文,献给绍兴会稽山的梦神,希望梦神在梦中给予他暗示,未来将何去何从,有一个什么样的前程。张岱作此文时才十六岁,但是从文中可见他已经有了非常深厚的写作功底。全文用骈体的形式,对仗工整而巧妙化用了大量典故,非读书多而勤不能达到如此境界。

禊　泉①

惠山泉不渡钱塘,西兴脚子挑水过江②,喃喃作怪事③。有缙绅先生造大父④,饮茗大佳⑤,问曰:"何地水?"大父曰:"惠泉水。"缙绅先生顾其价曰⑥:"我家逼近卫前,而不知打水吃,切记之。"董日铸先生常曰⑦:"浓、热、满三字尽茶理,陆羽《经》可烧也⑧。"两先生之言,足见绍兴人之朴之朴⑨。

余不能饮烏卤⑩,又无力递惠山水。甲寅夏⑪,过斑竹庵⑫,取水啜之,磷磷有圭角⑬,异之⑭。走看其色⑮,如秋月霜空,噀天为白;又如轻岚出岫,缭松迷石,淡淡欲散。余仓卒见井口有字划,用帚刷之,"禊泉"字出,书法大似右军⑯,益异之⑰。试茶,茶香发。新汲少有石腥⑱,宿三日气方尽。辨禊泉者无他法,取水入口,第挢舌舐腭⑲,过颊即空⑳,若无水可咽者,是为禊泉。好事者信之。汲日至,或取以酿酒,或开禊泉茶馆,或瓮而卖,及馈送有司㉑。董方伯守越,饮其水,甘之,恐不给㉒,封锁禊泉,禊泉名日益重。会稽陶溪、萧山北幹、杭州虎跑,皆非其伍㉓,惠山差堪伯仲㉔。在蠡城㉕,惠泉亦劳而微热,此方鲜磊㉖,亦胜一筹矣。长年卤莽㉗,水递不至其地,易他水㉘,余答之,詈同伴㉙,谓发其私㉚。及余辨是某地某井水,方信服。昔人水辨淄、渑㉛,侈为异事㉜。诸水到口,实实易辨,何待易牙?余友赵介臣亦不余信,同事久,别余去,曰:"家下水实进口不得㉝,须还我口去。"

[注释]

①禊(xì)泉:禊是古人被除不祥的祭礼,农历三月上巳行春禊,七月十四行秋禊,典礼常在水滨举行,禊泉也就是举行典礼时依傍的泉水。②西兴:古称西陵,属杭州。脚子:脚夫。③喃喃:低语声。④造:拜访。⑤大:非常。⑥价:仆人,随从。⑦董日铸:名懋策,字揆仲,绍兴人,精于《易》学,子弟数百人。⑧陆羽《经》:陆羽,字鸿渐,号桑苎翁,家竟陵,唐朝人,以鉴别茶与水的品味以及研究烹茶之法为终生嗜好,著有《茶经》,被后人誉为"茶圣"。⑨村:粗俗。朴:朴实。⑩卤:原指盐碱过多的土地。宋王安石《送宋中道通判洺州》诗:"余尝怜洺民,舄卤半不治。"这里指用来泡茶的品质不佳的水。⑪甲寅:万历四十二年,公元1614年。⑫斑竹庵:在绍兴,原址是东晋尚书陈嚣的竹园,故名。⑬磷磷:形容物体有棱有角。圭角:棱角。⑭异:惊异。⑮走:前往。⑯右军:书圣王羲之曾任右军将军,后人称其为王右军。⑰益:更加。⑱新汲:新打上来的水。少有:稍稍有一点儿。石腥:岩石的气味。⑲第:表示次序。挢舌:翘舌。舐腭:舔牙床。⑳颊:脸的两侧,这里指腮帮。㉑有司:古代设官分职,各有专司,所以称有司。㉒不给:供不上。㉓皆非其伍:都不能和它并列,这里指会稽陶溪泉、萧山北干泉、杭州虎跑泉水都不能和禊泉水媲美。㉔差堪:略可。《天雨花》第四回:"两人下拜齐声哭,今日差堪报父亲。"伯仲:原指兄弟的排行,引申为事物不相上下。晋王羲之《与谢安书》:"蜀中山水,如峨眉山,夏含霜雹,碑板之所闻,昆仑之伯仲也。"㉕蠡城:绍兴在春秋时是越国的都城,因范蠡而名蠡城。㉖方:正好。鲜磊:新鲜。㉗长年:长工。㉘易:换作。㉙詈(lì):责骂,训斥。㉚谓发其私:这里是仆人的托词,意思是自己担回来的是禊泉水,张岱没有尝出来,乱发脾气。发,发脾气。私,不公平。㉛淄、渑:山东境内的淄水和渑水,相传二水味不同,混合则难以辨别,只有齐桓公时期擅长烹调的易牙能够分辨出来。《吕氏春秋·精谕》:"孔子曰:'淄渑之合者,易牙尝而知之。'"㉜侈:广泛传说。㉝家下:家中。

[评析]

本文主要讲述张岱自己发现禊泉和官僚欲将泉水独占导致禊泉

名声大振的故事，前后还有些小的实事作铺垫和论证，力图说明泉水品质确有高低。开篇列举二事：挑水的脚夫不理解为什么要运惠山泉到绍兴，绍兴一些有地位的人也不知道惠山泉煮茶的品味在哪里，引出对绍兴人缺乏泉水品鉴能力的鄙弃惋惜之意。下文便大力着墨于自己发现禊泉的过程、泉水的特点和盛行之况，不无得意和炫耀。张岱口感的确细腻，因为之后他又讲了长工用别的泉水哄骗未成和本来抱着怀疑态度的友人受他影响而很难再接受家乡水的故事，生动有趣，又颇让人信服，表现了张岱在水质品鉴和茶艺方面的出色能力。

兰雪茶

日铸者①，越王铸剑地也②。茶味棱棱，有金石之气。欧阳永叔曰③："两浙之茶，日铸第一。"王龟龄曰④："龙山瑞草，日铸雪芽。"⑤日铸名起此。京师茶客，有茶则至，意不在雪芽也。而雪芽利之，一如京茶式，不敢独异。

三峨叔知松萝焙法⑥，取瑞草试之，香扑冽。余曰："瑞草固佳，汉武帝食露盘⑦，无补多欲；日铸茶薮，'牛虽瘠，偾于豚上'也⑧。"遂募歙人入日铸⑨。扚法⑩、掐法、挪法、撒法、扇法、炒法、焙法、藏法，一如松萝。他泉瀹之⑪，香气不出，煮禊泉，投以小罐，则香太浓郁。杂入茉莉，再三较量，用敞口瓷瓯淡放之，候其冷；以旋滚汤冲泻之，色如竹箨方解⑫，绿粉初匀；又如山窗初曙，透纸黎光。取清妃白⑬，倾向素瓷⑭，真如百茎素兰同雪涛并泻也。雪芽得其色矣，未得其气，余戏呼之"兰雪"。

四五年后,"兰雪茶"一哄如市焉。越之好事者不食松萝,止食兰雪。兰雪则食,以松萝而纂兰雪者亦食[15],盖松萝贬声价俯就兰雪,从俗也。乃近日徽歙间松萝亦名兰雪,向以松萝名者,封面系换[16],则又奇矣。

[注释]

①日铸:日铸山,在绍兴,产名茶。②越王:勾践,春秋时越国之君。③欧阳永叔:北宋著名政治家、文学家欧阳修,字永叔。④王龟龄:南宋状元,曾任龙图阁学士,名十朋,字龟龄,号梅溪,乐清人。⑤瑞草、雪芽:皆茶名。⑥三峨:张炳芳,号三峨,是张岱的三叔。松萝:茶名,产于安徽省歙县松萝山。⑦汉武帝:名彻,西汉第五位皇帝。露盘:即承露盘。汉武帝时设于建章宫,以承接雨露,由铜人捧立。唐李贺《金铜仙人辞汉歌》序云:"魏明帝青龙元年八月,诏宫官牵车西取汉孝武捧露盘仙人,欲立置前殿。宫官既拆盘,仙人临载,乃潸然泪下。"⑧牛虽瘠,偾于豚上:语出《左传·昭公十三年》:"牛虽瘠,偾于豚上,其畏不死?"原意为牛即使瘦弱,倒在猪身上,猪也会被压死。这里用来比喻日铸茶有绝对优势,是胜于其他品种的茶。⑨募:招募。歙(shè)人:安徽歙县人,这里特指歙县会焙松萝茶的技工。⑩扚(dí):拉引。⑪瀹(yuè):煮。⑫竹箨:笋壳。⑬白:杯子。⑭素瓷:白色瓷器。⑮纂:排斥,咒骂。⑯系:相继,接续。

[评析]

张岱使禊泉名声大振,又利用禊泉焙制了一种香茶——兰雪,并在短短几年内使之压倒其他茶品,声价昂贵。本文叙述的就是焙制兰雪茶的原因、过程和最终获得的市场效果。张岱在开篇引宋代名人欧阳修和王十朋之言,证明日铸雪芽的名气,但马上又指出为了迎合京师茶商的需求,兰芽不得不使用京茶的焙制方法而无特色,这为兰雪茶的诞生提供了前提。张岱决意创制独特的兰芽茶焙法和配方,尽显兰芽的长处,从招募擅长焙茶的安徽技师入绍兴,扚、搯、挪、撒、扇、炒、焙、藏等一系列程序,试用各种泉水,再三较量杂入茉莉的分量,贮藏器具等,都体现了张岱热爱茶艺并善于创新茶艺的精神。倾入如此多的心力，兰雪茶的盛行也就在意料之中了。

白洋湖

故事三江看潮①，实无潮看。午后喧传曰："今年暗涨潮。"岁岁如之。戊寅八月②，吊朱恒岳少师③，至白洋，陈章侯④、祁世培同席。海塘上呼看潮，余遄往⑤，章侯、世培踵至⑥。立塘上，见潮头一线，从海宁而来，直奔塘上。稍近，则隐隐露白，如驱千百群小鹅，擘翼惊飞⑦。渐近喷沫，冰花蹴起⑧，如百万雪狮蔽江而下，怒雷鞭之，万首镞镞⑨，无敢后先。再近，则飓风逼之，势欲拍岸而上。看者辟易⑩，走避塘下。潮到塘，尽力一礴⑪，水击射，溅起数丈，着面皆湿。旋卷而右，龟山一挡，轰怒非常，炮碎龙湫，半空雪舞。看之惊眩⑫，坐半日⑬，颜始定⑭。先辈言：浙江潮头自龛、赭两山漱激而起。白洋在两山外，潮头更大，何耶？

[注释]

①故事：先例，惯例。三江：三江口，即绍兴白洋湖，在钱塘江上游，为钱塘江、富春江、浦阳江的交汇处。②戊寅：崇祯十一年，公元1638年。③吊：祭奠。朱恒岳：名燮元，号恒岳，绍兴人，万历二十年进士，崇祯时曾为少师。④陈章侯：即陈洪绶，字章侯，号老莲，明代著名画家。⑤遄(chuán)往：迅速赶往。⑥踵至：接踵而来。⑦擘(bò)：张开，分开。⑧蹴起：波浪聚集翻滚而起。⑨镞镞：通"簇簇"，形容浪花簇拥的样子。⑩辟易：退避，倒退。⑪礴：冲撞，撞击。⑫惊眩：惊惧而眩晕。⑬半日：半天，好久。⑭颜：脸色。

[评析]

本文记叙的是张岱和友人在绍兴白洋湖观潮的过程。因为在阴历八月，江南仍是多雨的季节，所以潮水自然尤为可观。张岱对潮水的描写细致而传神，由远及近，直到面前，再写潮水击射岸边的景象和观众的神态行为，线索非常清晰，而用语尤为得当。如潮水在远处，只是"潮头一线"；稍近，"隐隐露白"；再近"冰花蹴起"，生动地展现了潮水在不同距离时的情态。文中的比喻也非常贴切，把不同状态的潮水比做展翅惊飞的千百群小鹅和遮住江面的百万雪狮，都极为生动妥帖，使人有身临其境之感。末尾由先辈之言，引出白洋湖在两山之外，没有山的阻力为何会有这么大的潮头的疑问，体现了张岱善于观察自然、思考自然现象的理性意识。

阳和泉

禊泉出城中，水递者日至①。臧获到庵借炊，索薪、索菜、索米，后索酒、索肉；无酒肉，辄挥老拳②。僧苦之。无计脱此苦，乃罪泉，投之刍秽。不已，乃决沟水败泉③，泉大坏。张子知之，至禊井，命长年浚之④。及半，见竹管积其下，皆鼋胀作气⑤；竹尽，见刍秽，又作奇臭。张子淘洗数次，俟泉至，泉实不坏，又甘冽。张子去，僧又坏之。不旋踵⑥，至再、至三，卒不能救，禊泉竟坏矣。是时，食之而知其坏者半，食之不知其坏而仍食之者半，食之知其坏而无泉可食、不得已而仍食之者半。

壬申⑦，有称阳和岭玉带泉者，张子试之，空灵不及禊而清冽过之。特以玉带名不雅驯⑧。张子谓：阳和岭实为余家祖墓，诞生我文恭，遗风余烈，与山水俱长。昔孤山泉出，东坡名之"六一"⑨，今此泉名之"阳和"，至当不易⑩。盖生岭、生泉，俱在生文恭之前，不待文恭而天固已阳和之矣，夫复何疑！土人有好事者，恐玉带失其姓，遂勒石署之。且曰："自张志'禊泉'而'禊泉'为张氏有，今琶山是其祖垄，擅之益易。立石署之，惧其夺也。"时有传其语者，阳和泉之名益著。铭曰："有山如砺，有泉如砥；太史遗烈，落落磊磊。孤屿溢流，'六一'擅之。千年巴蜀，实繁其齿；但言眉山，自属苏氏⑪。"

[注释]

①水递者：打水的人。②老拳：结实有力的拳头，重拳。③决：决堤，挖断。败：败坏。④浚：疏通。⑤蘲胀：胀大发黑。⑥旋踵：掉转脚跟，形容时间短促。梁沈约《七贤论》："受祸之速，过于旋踵。"⑦壬申：崇祯五年，公元1632年。⑧雅驯：典雅不俗。《史记·五帝本纪》："学者多称五帝，尚矣。然《尚书》独载尧以来；而百家言黄帝，其文不雅驯，荐绅先生难言之。"⑨六一：北宋惠勤和尚在杭州孤山之南建讲堂时挖得一口好清泉，好友苏轼为他写了一篇泉铭庆贺，然而此时不幸欧阳修讣音传来，两人便在泉前哭吊。欧阳修号六一居士，因此苏轼给此泉命名为六一泉，张岱《西湖梦寻》中有专篇记载。⑩至当：最恰当。⑪眉山：苏轼为四川眉山人，与父亲苏洵、弟弟苏辙并称三苏，文名之盛无以匹敌，故提起眉山，人们首先想到的是苏氏父子。

[评析]

禊泉名声大振，却给寺院的僧人带来诸多苦恼，前来打水的富贵之家的仆人蛮不讲理，威逼勒索，僧人无奈败坏了泉水，以绝后患。尽管张岱一再努力修复，禊泉还是没有保住，彻底失去了原来的品味。好在张岱又发现了阳和泉。阳和泉原名玉带泉，张岱改其名是为了听起来典雅不俗，不料此举引起当地人的不满，误以为张岱要霸占此泉，勒石以纪。更出乎意料的是，阳和泉因为当地人的这番误解而更加闻名。原本普通的泉水，因张岱而不凡，可传为雅事。而张岱对当地人的责难并未发怒，只在铭文中以"千年巴蜀，实繁其齿；但言眉山，自属苏氏"的句子平静、自信、委婉地回复，胸襟可见。

闵老子茶

周墨农向余道闵汶水茶不置口①。戊寅九月至留都②，抵岸③，即访闵汶水于桃叶渡④。日晡，汶水他出，迟其归⑤，乃婆娑一老⑥。方叙话，遽起曰⑦："杖忘某所。"又去。余曰："今日岂可空去⑧？"迟之又久，汶水返，更定矣⑨。睨余曰⑩："客尚在耶！客在奚为者⑪？"余曰："慕汶老久，今日不畅饮汶老茶，决不去。"汶水喜，自起当炉⑫。茶旋煮，速如风雨。导至一室，明窗净几，荆溪壶、成宣窑磁瓯十余种，皆精绝。灯下视茶色，与磁瓯无别，而香气逼人，余叫绝。余问汶水曰："此茶何产？"汶水曰："阆苑茶也。"余再啜之⑬，曰："莫绐余⑭！是阆苑制法，而味不似。"汶水匿笑曰⑮："客知是何产？"余再啜之，曰："何其似罗岕甚也⑯？"汶水吐舌曰："奇，奇！"余问："水何水？"曰："惠泉。"余又曰："莫绐余！惠泉走千里，水劳而圭角不动，何也？⑰"汶水曰："不复敢隐。其取惠水，必淘井，静夜候新泉至，旋汲之。山石磊磊藉瓮底，舟非风则勿行。故水之生磊，即寻常惠水犹逊一头地⑱，况他水耶！"又吐舌曰："奇，奇！"言未毕，汶水去。少顷，持一壶满斟余曰："客啜此。"余曰："香扑烈，味甚浑厚，此春茶耶？向瀹者的是秋采。"汶水大笑曰："予年七十，精赏鉴者，无客比。"遂定交。

[注释]

①不置口：说个不停。②戊寅：崇祯十一年，公元1638年。留都：明成祖朱棣迁都北京后，南京仍设官留守，故南京为留都。③抵：到达。④桃叶渡：在秦淮与古青溪合流处，相传因晋代书法家王献之与其爱妾桃叶在此别离而得名。⑤迟（zhì）：等待。⑥婆娑：步履蹒跚，衰老的样子。⑦遽：急忙。

⑧空去:白白离去。⑨更定:旧时夜间分五更,每到一更,有人打梆子或敲锣报时。更定指初更以后。⑩睨(nì):斜眼看。⑪奚为:干什么。⑫当炉:面对着炉子。⑬啜:喝,饮。⑭绐(dài):欺骗,糊弄。⑮匿笑:偷着笑。⑯何其:多么,何等。罗芥(jiè):浙江长兴、江苏宜兴一带所产之茶。⑰"水劳"二句:谓水从远道取来,而味犹生鲜清洌,怎么会呢?⑱一头地:一着,一步。

[评析]

　　此文记叙的是与焙茶奇人闵汶水品茶、论茶,以茶定交的经历。开篇写先闻其名,因名访其人,谁知远路而来主人却不在,等了好久,主人回来,交谈没几句,却又匆匆离去寻找拐杖,再等到天黑,主人才回来,见张岱坚持等候,又明知故问一番,才欣然煮茶。开篇具有小说的情节色彩,与三顾茅庐、张良学艺事类似,读来饶有趣味。然后是品茶、论茶的过程,在一问一答中,两人很快产生共鸣,相互仰慕,引为知己。张岱的口感之精令人惊奇,而闵汶水取水方法之妙也非常人所想,真是二绝。

龙喷池

　　卧龙骧首于耶溪①,大池百仞出其颔下②。六十年内,陵谷迁徙,水道分裂。崇祯己卯③,余请太守檄,捐金斜众④,畚锸千人⑤,毁屋三十余间,开土壤二十余亩,辟除瓦砾刍秽千有余艘⑥,伏道蜿蜒,偃潴澄靛⑦,克还旧观。昔之日不通线道者,今可肆行舟楫矣⑧。喜而铭之,铭曰:"蹴醒骊龙,如寐斯揭;不避逆鳞⑨,扶其鲠噎⑩。潴蓄澄泓⑪,煦湿濡沫⑫。夜静水寒,颔珠如月。风雷逼之,扬鬐鼓鬣⑬。"

[注释]

①卧龙：绍兴西有卧龙山。骧（xiāng）首：昂首。耶溪：若耶溪。②百仞：八尺为仞，百仞形容极高极深。③崇祯己卯：崇祯十二年，公元1639年。④捐金：捐助财物。斜（tǒu）众：聚合众人。⑤畚（běn）锸（chā）：畚是用草绳或竹篾编织的盛土器具，锸是挖土的锹，畚锸借指动工之事。⑥辟除：清除。⑦澄靛：使浑水变清。⑧肆行：自由自在地来往。⑨逆鳞：倒生的鳞片。传说龙喉下有倒鳞，若有触之者，必杀之。⑩鲠噎："鲠"通"哽"，鲠噎指堵住气管。⑪澄泓：水清而深。⑫煦湿濡沫：语出《庄子·天运》："泉涸，鱼相与处于陆，相呴以湿，相濡以沫。"⑬鬐（qí）、鬣（liè）：鬃毛。

[评析]

卧龙池是张岱向太守申请，自己捐资开凿、清理的大池。大池原有旧迹，但工程量仍然浩大，从文中看，工人上千，动工面积二十多亩，而清理的废弃物竟装了一千多艘船。最终成就造福于民的功德一件，舟楫可以顺利通过了。张岱的叙述非常简短，他做这件事可能不仅是为百姓做好事，从铭文来看，也有对古迹难以割舍的情结在起作用。从这篇短文看，张岱的生活也有很踏实的一面。

朱文懿家桂①

桂以香山名②，然覆墓木耳，北邙萧然③，不堪久立。单醪河钱氏二桂，老而秃；独朱文懿公宅后一桂，干大如斗，枝叶溟蒙④，樾荫亩许，下可坐客三四十席。不亭、不屋、不台、不栏、不砌，弃之篱落间⑤。花时不许人入看，而主人亦禁足勿之往，听其自开自谢已耳⑥。樗栎以不材终其天年⑦，其得力全在弃也。百岁老人多出蓬户⑧，子孙第厌其癃疰耳⑨，何足称瑞！

陶庵梦忆　83

[注释]

①朱文懿：名赓，字少钦，号金庭，绍兴人，明穆宗隆庆二年（1568）进士，曾任礼部左、右侍郎，谥文懿。②香山：在江苏吴县西南，相传是吴王种香处，下有采香径。③北邙：洛阳山名，汉魏时期公侯多葬于此，后借指墓地。④溟蒙：茂密的样子。⑤篱落：篱笆。⑥听：听任，听凭。⑦樗栎：无用之材，语出《庄子·逍遥游》："吾有大树，人谓之樗，其大本拥肿而不中绳墨，其小枝卷曲而不中规矩，立之涂，匠者不顾。"⑧蓬户：草房，这里指贫穷的人家。⑨第：但，只。癃（lóng）瘇（zhǒng）：腿脚不灵便，衰老多病。

[评析]

张岱兴趣极广，花是他钟爱的一类，桂花在众芳中特异独出，自然很吸引张岱的眼光。但是从本文看，很少能见到好的桂花，不是没有欣赏桂花的好去处，就是桂花品相不好，好容易发现朱家有棵难得的大桂树，主人却不爱惜，开花时又不许任何人看，实在是遗憾。张岱在文末以《庄子》所言不成材的樗栎因被匠人厌弃而生存数百年的事例，想为朱氏开脱，也慰藉自己，但又想起来穷人家百岁老人的境遇，还是为朱家桂花的遭遇感到不幸。

逍遥楼

滇茶故不易得①，亦未有老其材八十余年者。朱文懿公逍遥楼滇茶，为陈海樵先生手植②，扶疏蓊翳③，老而愈茂。诸文孙恐其力不胜葩④，岁删其萼盈斛⑤，然所遗落枝头，犹自燔山熠谷焉⑥。文懿公，张无垢后身⑦。无垢降乩与文懿⑧，谈宿世因甚悉⑨，约公某日面晤于逍遥楼⑩。公伫立久之，有老人至，剧谈良久⑪，公殊不为意⑫。但与公言："柯亭绿竹庵梁上，有残经一卷，可了之⑬。"寻别去⑭，公始悟老人为无垢。次日，走绿竹庵，简梁上⑮，有《维摩经》一部，缮写精良⑯，后二卷未竟⑰，盖无垢笔也。公取而续书之，如出一手。先君言，乩仙供余家寿芝楼，悬笔挂壁间，有事辄自动，扶下书之，有奇验。娠祈子，病祈药，赐丹，诏取某处，立应⑱。先君祈嗣，诏取丹于某籯临川笔内，籯失钥闭久，先君简视之，横自出觚管中，有金丹一粒，先宜人吞之⑲，即娠余。朱文懿公有姬媵，陈夫人狮子吼⑳，公苦之。祷于仙，求化妒丹。乩书曰："难，难！丹在公枕内。"取以进夫人，夫人服之，语人曰："老头子有仙丹，不饷诸婢㉑，而余是饷，尚昵余㉒。"与公相好如初。

[注释]

①故：本来。②陈海樵：名鹤，字鸣野，号海樵，绍兴人，擅长书画。③扶疏：枝叶茂密纷披。④力不胜范：枝干不能承受花朵的重力。⑤萼：花萼。盈：满。⑥燔（fán）山熠（yì）谷：形容茶花红艳耀眼，茶树看起来像燃烧的山与谷。⑦张无垢：南宋张九成，字子韶，号无垢居士，钱塘人，绍兴二年进士，历任宗正少卿、礼部侍郎等职。后身：佛教所说的转世之身。⑧降乩（jī）：乩是旧时求神降示的一种迷信方法。由二人扶一丁字木架，下面放沙盘，谓神降时执木架画字，能为人决疑治病，预示吉凶，通称扶乩或扶鸾。降乩就是扶乩时神灵降下旨意。⑨宿世：佛教所谓前世，前生。⑩面晤：会面。⑪剧谈：畅谈，长谈。⑫殊：很。⑬了：完成，结束，这里指写完。⑭寻：不久。⑮简：检查，检阅。⑯缮写：誊写，编录。⑰未竟：没有完成。⑱应：灵验。⑲先宜人：明代五品官妻、母封宜人。先宜人是张岱对死去的母亲的称呼。⑳陈夫人：朱文懿公夫人，海樵山人陈鹤之女，封一品夫人。㉑饷：赠送。㉒昵：亲近。

[评析]

此文以《逍遥楼》为题，其实并未描写逍遥楼的构造、陈设等，而是写了与逍遥楼有关的物和事。先是写逍遥楼前一株岁久而繁盛的茶花，接着写楼主人朱氏的前世今生，所遇之事与乩仙和张无垢魂的预言相合。这件离奇的事之后插入了乩仙在张家自己府上显灵的事，说乩仙在父亲的祈求下，赐给灵丹，而果然自己出生了，如果情况属实当是巧合，而张岱在这里也未免有神化自己的嫌疑，类似的事在古书中甚为常见。下面又转回朱家，说乩仙赐药治好了陈夫人的妒忌，但与叙述自家故事不同，是有调笑意味的，从文中可见，陈夫人其实不是因为服了丹药才没了嫉妒之心，而是以为丈夫对她仍然偏爱，令人忍俊不禁。全文较为松散，但过渡自然，娓娓道来，如诉家常，令人倍感亲切。

天镜园

天镜园浴凫堂，高槐深竹，樾暗千层，坐对兰荡①，一泓漾之②，水木明瑟，鱼鸟藻荇③，类若乘空④。余读书其中，扑面临头，受用一绿⑤，幽窗开卷，字俱碧鲜⑥。每岁春老，破塘笋必道此。轻舠飞出⑦，牙人择顶大笋一株掷水面⑧，呼园中人曰："捞笋！"鼓枻飞去⑨。园丁划小舟拾之，形如象牙，白如雪，嫩如花藕，甜如蔗霜。煮食之，无可名言，但有惭愧⑩。

[注释]

①兰：芳香，用作称美之辞。荡：浅水湖。②泓：量词，片，用于清水。漾：荡漾，动荡。③荇（xìng）：水生草本植物，叶为对生圆形，嫩时可食，也可入药。《诗经·关雎》："参差荇菜，左右流之。"④类：大抵，大致。乘空：凌空，腾空。⑤受用：享受。⑥碧鲜：青翠鲜润。⑦轻舠：轻快的小船。⑧牙人：在买卖双方之间撮合以获取佣金的中间人。顶大：最大。⑨鼓枻：划桨，谓泛舟。《楚辞·渔父》："渔父莞尔而笑，鼓枻而去。"⑩惭愧：感幸之词，有多谢、难得、侥幸之意。宋苏轼《浣溪沙》词："惭愧今年二麦丰，千畦翠浪舞晴空。"

[评析]

本文描写的是天镜园浴凫堂的风光，张岱曾在这里读书。此处给人的最深印象是无穷的绿,树绿、竹绿、水绿,在这样生机盎然的环境中读书,确是一种享受。张岱除了精于各类艺术,还是一个美食家,因此文中出现了捞笋的生动场面和关于笋的形、色、味的绝妙形容,读之令人垂涎。

包涵所

西湖之船有楼,实包副使涵所创为之①。大小三号:头号置歌筵②,储歌童;次载书画;再次侍美人③。涵老以声伎非侍妾比④,仿石季伦⑤、宋子京家法⑥,都令见客。常靓妆走马⑦,孾姗勃窣⑧,穿柳过之,以为笑乐。明槛绮疏⑨,曼讴其下⑩,撤钥弹筝⑪,声如莺试⑫。客至,则歌童演剧,队舞鼓吹,无不绝伦。乘兴一出,住必浃旬⑬,观者相逐,问其所止。

南园在雷峰塔下,北园在飞来峰下。两地皆石数,积牒磊砢⑭,无非奇峭。但亦借作溪涧桥梁,不于山上叠山,大有文理。大厅以拱斗抬梁,偷其中间四柱⑮,队舞狮子甚畅。北园作八卦房,园亭如规⑯,分作八格,形如扇面。当其狭处,横亘一床,帐前后开合,下里帐则床向外,下外帐则床向内。涵老据其中⑰,肩上开明窗⑱,焚香倚枕,则八床面面皆出。穷奢极欲,老于西湖者二十年⑲。金谷⑳、郿坞㉑,着一毫寒俭不得,索性繁华到底,亦杭州人所谓"左右是左右"也。

西湖大家何所不有,西子有时亦贮金屋㉒。咄咄书空㉓,则穷措大耳㉔。

[注释]

①包副使涵所:即包涵所,名应登,字涵所。万历进士,官福建提学副使。与张岱祖父张汝霖友善。创:建造。②歌筵:有歌者唱歌劝酒的宴席。唐

王勃《九成宫颂序》："凤闺夕敞，携少女于歌筵。"③偫（zhì）：储备，积蓄。④声伎：歌姬舞女。⑤石季伦：晋代石崇，字季伦，山东青州人，是历史上有名的豪奢之人，多蓄声伎。⑥宋子京：北宋宋祁，字子京，河南雍丘人。历任大理寺丞、工部尚书等，也喜欢声乐歌舞。家法：治家的礼法。⑦靓妆：浓妆艳抹。走马：骑马驰逐。⑧婴姗：飘动的样子。勃窣：婆娑，摇曳。⑨槛：栏杆。绮疏：雕刻空心花纹的窗户。⑩曼讴：细润柔美的歌声。⑪撅（yè）：古管乐器。钥（yuè）：通"籥"，管乐器，有吹钥、舞钥两种。吹钥似笛而短小，三孔；舞钥长而六孔，可执作舞具。⑫莺试：春来莺儿初鸣。⑬浃旬：一旬，十天。⑭积堞磊砢：石头堆积，重叠不平。⑮偷：减掉，省去。⑯如规：按照规划。⑰据：安卧。⑱扃：门。⑲老：时间长久。⑳金谷：石崇的豪华园林金谷园。㉑郿坞：东汉初平年间权相董卓所建，高厚七丈，与长安城相当，号万岁坞，世称"郿坞"。坞中广聚珍宝，粮谷可用三十年。㉒贮金屋：金屋贮娇，又作金屋藏娇，语出《汉武故事》："帝以乙酉年七月七日生于猗兰殿。年四岁，立为胶东王。数岁，长公主嫖抱置膝上，问曰：'儿欲得妇不？'胶东王曰：'欲得妇。'长公主指左右长御百余人，皆云不用。末指其女问曰：'阿娇好不？'于是乃笑对曰：'好！若得阿娇作妇，当作金屋贮之也。'"㉓咄咄书空：形容失志、懊恨之态，典出《晋书·殷浩传》：殷浩被黜放，口无怨言，但终日书空作"咄咄怪事"四字。㉔措大：贫寒失意的文人。元王仲文《救孝子》第一折："读书的功名须奋发，得志呵做高官，不得志呵为措大。"

[评析]

本文是对官僚包涵所在西湖奢华生活的描写。包氏楼船在西湖首屈一指，船有大小三号，分别陈设歌筵、书画和美人，包氏还在西湖建了南北二园，繁华无比。作为出身富贵之家的公子，张岱对包氏的生活还是以欣赏为多，不过这是有道理的，因为从文中描写来看，包氏楼船和园亭果然十分精巧，堪称杰作。而且楼船上的陈设不是虚设，也不仅是为了摆阔，船上艺人弹奏演剧，美妙绝伦，吸引了无数观者，张岱在字里行间流露出称许和艳羡可以理解。但不管怎样，这种生活还是太奢华了，有违圣人之道，故以寒素的读书人的叹息结尾，使全文不失中和之美。

斗鸡社

天启壬戌间好斗鸡①，设斗鸡社于龙山下，仿王勃《斗鸡檄》②，檄同社③。仲叔、秦一生日携古董、书画、文锦④、川扇等物与余博⑤，余鸡屡胜之。仲叔忿懑，金其距⑥，介其羽⑦，凡足以助其膒膊敠咮者⑧，无遗策。又不胜。人有言徐州武阳侯樊哙子孙⑨，斗鸡雄天下，长颈乌喙，能于高桌上啄粟。仲叔心动，密遣使访之，又不得，益忿懑。一日，余阅稗史，有言唐玄宗以酉年酉月生，好斗鸡而亡其国。余亦酉年酉月生，遂止。

[注释]

①天启壬戌：天启二年，公元1622年。②王勃：字子安，初唐名诗人，与杨炯、卢照邻、骆宾王并称"初唐四杰"。王勃在沛王李贤府任修撰时，见诸王斗鸡取乐，戏为檄文，然而高宗李治认为有挑拨离间之嫌，将他逐出了王府。③同社：志趣相同的人结社后，互相称同社。④文锦：文采斑斓的织锦。⑤博：以物赌输赢。⑥距：雄鸡脚后突出的像脚趾的部分。⑦介：铠甲，这里是动词，装上铠甲。⑧膒（bì）膊敠（duō）咮（zhòu）：象声词，鸡叫和扑斗的嘈杂声，代指鸡在战斗。⑨樊哙：西汉人，跟从刘邦起兵，屡立战功，封舞阳侯。

[评析]

明末盛行斗鸡，张岱生活闲暇，也沉迷于此，而他非常幸运，屡战屡胜，赢得宝物无数。仲叔心中不平，用尽心思而不能胜。然而就在得意的时候，张岱却主动退出了，原因是他在书中读到了唐玄宗斗鸡亡国的教训，两人生辰又相合，于是从此戒除斗鸡。本文体现了张岱能够以古为鉴、适可而止、避免玩物丧志的可贵品质。

栖 霞[①]

戊寅冬[②]，余携竹兜一[③]、苍头一[④]，游栖霞，三宿之。山上下左右鳞次而栉比之，岩石颇佳，尽刻佛像，与杭州飞来峰同受黥劓[⑤]，是大可恨事。山顶怪石巉岏[⑥]，灌木苍郁，有颠僧住之。与余谈，荒诞有奇理，惜不得穷诘之。日晡，上摄山顶观霞，非复霞理，余坐石上痴对。复走庵后，看长江帆影、老鹳河、黄天荡，条条出麓下，悄然有山河辽廓之感。一客盘礴余前，熟视余，余晋与揖[⑦]，问之，为萧伯玉先生[⑧]，因坐与剧谈，庵僧设茶供。伯玉问及补陀[⑨]，余适以是年朝海归，谈之甚悉。《补陀志》方成，在箧底，出示伯玉，伯玉大喜，为余作叙。取火下山，拉与同寓宿，夜长，无不谈之，伯玉强余再留一宿[⑩]。

[注释]

①栖霞：栖霞山，又名摄山，在南京。②戊寅：崇祯十一年，公元1638年。③竹兜：有座位而无轿厢的竹制轿子。④苍头：仆人。⑤黥(qíng)：镌刻。劓(yì)：割断。⑥巉(chán)岏(wán)：山石高而尖。⑦晋：进前，向前。揖：作揖。⑧萧伯玉：名士玮，字伯玉，江西泰和人，天启元年进士，曾任吏部郎中、光禄寺卿。⑨补陀：浙江普陀山，是佛教四大名山之一。⑩强：强迫，勉强。

[评析]

此文叙写张岱游玩杭州栖霞岭的经历。张岱喜欢赏玩石头，爱其自然之理，不喜欢造作，所以尽管笃信佛教，仍觉得栖霞岭上四处雕刻的佛像给岩石的奇妙自然风貌带来莫大损伤。张岱爱与不同凡俗的人物交往，可惜在岭上遇见的颠僧很快就离去了，正不尽兴、觉得无聊的时候，恰好又结识萧伯玉，两人在僧寺彻夜长谈，极为畅快。全文写景与叙事交错，略显松散，但以事件的自然发生为线索，读来十分真切。

湖心亭看雪

崇祯五年十二月，余住西湖。大雪三日，湖中人鸟声俱绝。是日更定矣，余拏一小舟①，拥毳衣炉火②，独往湖心亭看雪。雾淞沆砀③，天与云、与山、与水，上下一白。湖上影子，惟长堤一痕，湖心亭一点，与余舟一芥④，舟中人两三粒而已。到亭上，有两人铺毡对坐，一童子烧酒，炉正沸。见余大喜，曰："湖中焉得更有此人！"拉余同饮。余强饮三大白而别。问其姓氏，是金陵人，客此。及下船，舟子喃喃曰⑤："莫说相公痴，更有痴似相公者。"

[注释]

①拏：划。②毳（cuì）衣：毛皮做的衣服。③雾淞：雾气凝结在树木上形成的景象。沆砀：烟雾弥漫。④芥：形容细微的事物。梁刘勰《文心雕龙·物色》："故巧言切状，如印之印泥，不加雕削，而曲写毫芥。"⑤舟子：船夫。

[评析]

《湖心亭看雪》是张岱散文也是中国古代散文史上的名篇，张岱运用以诗入文的写作手法，使全文诗意盎然，读者如入仙境，如遇仙人。三日大雪，连飞鸟都畏寒不出，张岱却独往湖心亭，颇有王子猷雪夜访戴的痴憨风度。最妙处在未到湖心亭时所见的"雾淞沆砀，天与云、与山、与水，上下一白"，纯是诗的超凡意境。而"湖上影子，惟长堤一痕，湖心亭一点，与余舟一芥，舟中人两三粒而已",将人物物化,将物极小化,充分展现自然与人的对比,"痕""点"已是神来之笔,"芥""粒"更是妙不可言。后文设计也极精彩。前文两句将风景之奇写尽,接下来就转而写奇人。湖中竟有先到者烧酒待饮,真是巧遇知音,这场相遇也甚为传奇,使文章静中有动,灵动鲜活。

陈章侯

崇祯己卯八月十三①,侍南华老人饮湖舫②,先月早归。章侯怅怅向余曰:"如此好月,拥被卧耶?"余敦苍头携家酿斗许③,呼一小划船再到断桥,章侯独饮,不觉沾醉④。过玉莲亭,丁叔潜呼舟北岸,出塘栖蜜桔相饷,畅啖之。章侯方卧船上嚎嚣。岸上有女郎,命童子致意云:"相公船肯载我女郎至一桥否?"余许之。女郎欣然下,轻绔淡弱,婉嬺可人⑤。章侯被酒挑之曰⑥:"女郎侠如张一妹⑦,能同虬髯客饮否?"女郎欣然就饮。移舟至一桥,漏二下矣⑧,竟倾家酿而去⑨。问其住处,笑而不答。章侯欲蹑之⑩,见其过岳王坟⑪,不能追也。

[注释]

①崇祯己卯:崇祯十二年,公元1639年。②南华老人:指张汝霖之弟张汝懋,即张岱之季祖。舫:船。③敦:督促。家酿:自家酿的酒。④沾醉:大醉。⑤婉嬺(yì):温顺娴静。⑥被酒:醉酒。挑:挑逗。⑦张一妹:唐代杜光庭传奇小说《虬髯客传》中的女侠。⑧漏二下:二更。⑨倾:尽,这里指喝光了。⑩蹑:跟踪,追踪。⑪岳王坟:岳飞墓。

[评析]

本文以《陈章侯》为题,所写并不是陈章侯的生平经历、嗜好、个性等,而是他的一次艳遇。张岱陪他在西湖断桥饮酒至大醉，移舟北岸，陈章侯借酒劲大呼，此时一个美貌女郎婉求上船。陈章侯借机挑逗她，让她陪酒，女郎毫不客气而且竟然海量，令人刮目相看。更神秘之处在于女子对自己的居处秘而不宣，且走过岳王坟就不见了，美丽的背后增添了一份恐怖。虽然这是真实之事，但在叙述上明显受到了神怪小说的影响。

卷 四

不系园①

甲戌十月②，携楚生往不系园看红叶③。至定香桥，客不期而至者八人：南京曾波臣，东阳赵纯卿，金坛彭天锡，诸暨陈章侯，杭州杨与民、陆九、罗三，女伶陈素芝。余留饮。章侯携缣素为纯卿画古佛④，波臣为纯卿写照⑤，杨与民弹三弦子，罗三唱曲，陆九吹箫。与民复出寸许紫檀界尺，据小梧，用北调说《金瓶梅》一剧，使人绝倒。是夜，彭天锡与罗三、与民串本腔戏⑥，妙绝；与楚生、素芝串调腔戏⑦，又复妙绝。章侯唱村落小歌，余取琴和之，牙牙如语。纯卿笑曰："恨弟无一长，以侑兄辈酒。"余曰："唐裴将军旻居丧⑧，请吴道子画天宫壁度亡母⑨。道子曰：'将军为我舞剑一回，庶因猛厉以通幽冥⑩。'旻脱缞衣⑪，缠结，上马驰骤，挥剑入云，高十数丈，若电光下射，执鞘承之，剑透室而入⑫，观者惊栗。道子奋袂如风，画壁立就。章侯为纯卿画佛，而纯卿舞剑，正今日事也。"纯卿跳身起，取其竹节鞭，重三十斤，作胡旋舞数缠⑬，大噱而罢。

[注释]

①不系园：明末富商汪然明在西湖建造的游船，得名于《庄子·列御寇》："巧者劳而知者忧，无能者无所求，饱食而遨游，泛若不系之舟，虚而遨游者也。"②甲戌：即崇祯七年，公元1634年。③楚生：即朱楚生，戏曲女艺人。详卷五《朱楚生》。④缣素：供书画用的细绢。⑤写照：画肖像。⑥串：表演。本腔戏：即昆剧、昆腔。⑦调腔戏：明末流行于杭州、绍兴一带的剧种。⑧裴将军旻：即裴旻，唐代将领，擅长舞剑，与李白诗歌、张旭草书并称三绝。居丧：在服丧期间。⑨吴道子：又名道玄，唐代著名画家，被誉为画圣。度：超度。⑩庶：希望。因：凭借，利用。幽冥：阴间。⑪缞（cuī）衣：粗麻布丧服。⑫透室而入：全部插入剑鞘。室，剑鞘。⑬胡旋舞：西北少数民族流行的以旋转为特色的舞蹈。

[评析]

张岱本来是往不系园看红叶的，却与身怀绝技的几位文人艺伎相遇，于是度过了非常快乐的一天。所遇的文人有两位擅长绘画，其余五位通乐器，弹、唱、说、演都妙绝。这些人各显所长，张岱也情不自已，取琴相和，展现了一幅生动的艺术画面。而赵纯卿和张岱对话一段更有意味，赵纯卿本来认为自己无长处，张岱引裴旻舞剑与吴道子作画的历史典故与当下场景相比对，使赵纯卿受到启发，他用竹节鞭作胡旋舞，将娱乐气氛推向了高潮。文戏与武舞相结合，体现了明末文人的多才多艺以及热衷享乐的风气。

秦淮河房

秦淮河河房①，便寓、便交际、便淫冶，房值甚贵，而寓之者无虚日。画船箫鼓，去去来来，周折其间②。河房之外，家有露台③,朱栏绮疏,竹帘纱幔。夏月浴罢,露台杂坐。两岸水楼中,茉莉风起动儿女香甚。女客团扇轻纨④,缓鬓倾髻,软媚着人⑤。年年端午,京城士女填溢⑥,竞看灯船。好事者集小篷船百什艇,篷上挂羊角灯如联珠,船首尾相衔,有连至十余艇者。船如烛龙火蜃⑦,屈曲连蜷⑧,蟠委旋折⑨,水火激射。舟中鏾钹星铙⑩,宴歌弦管,腾腾如沸。士女凭栏轰笑,声光凌乱,耳目不能自主。午夜,曲倦灯残,星星自散⑪。钟伯敬有《秦淮河灯船赋》⑫,备极形致。

[注释]

①秦淮河:在南京,秦时所开,故名。旧时两岸多歌台舞榭,为冶游之地。河房:河边的房屋。②周折:回环。③露台:露天台榭。④团扇:圆形有柄的扇子。⑤软媚:娇柔妩媚。着人:招人喜欢。⑥填溢:充塞满溢,形容人多。⑦蜃:传说中蛟龙一类的动物。⑧连蜷:长而屈。⑨蟠委:环绕。旋折:盘旋曲折。⑩钹(bó):铜制圆形打击乐器。中部隆起如半球,一副两片,相击发声。最初流行于西域,南北朝时传至内地。星:乐器,又名碰钟,状如小杯。铙(náo):形制与钹相似,只是中间隆起部分较小。⑪星星:多而遍布的样子。⑫钟伯敬:明末著名文学流派竟陵派的代表人物钟惺,字伯敬。万历三十八年进士,曾任工部主事、南京礼部主事等职。曾作《秦淮河灯船赋》,描述秦淮景致。

[评析]

秦淮河的河房富于地域特色,沿河而建,曲曲折折,盛传遐迩,吸引了无数游人。张岱没有描写河房的内部陈设,而是首先指出其便于寓居、交际和娱乐的功用,则河房内的修饰不言自明,无需赘述了。接下来笔触集中在河房外的露台上,选取了夏天傍晚人们浴罢杂坐的场景,风中带着花香,众多女子仅显出软媚温柔之态而非妖冶放荡,更没有一字涉及粗俗的狎客,秦淮河的灯红酒绿、醉生梦死,都在张岱笔下变得清丽空灵。秦淮河的灯景天下闻名,但从灯盛到灯散,张岱仅用百字做了简明精辟的概括,他以为钟惺

《秦淮河灯船赋》中已经写得够精彩了，自己无须再着笔。这种做法既彰显了他惜墨如金的写作观念，也体现出他广阔淡泊的胸襟。

兖州阅武

辛未三月①，余至兖州，见直指阅武②。马骑三千，步兵七千，军容甚壮。马蹄卒步，滔滔旷旷③，眼与俱驶，猛掣始回④。其阵法奇在变换，旍动而鼓⑤，左抽右旋，疾若风雨。阵既成列，则进图直指前，立一牌曰："某阵变某阵"。连变十余阵，奇不在整齐而在便捷。扮敌人百余骑，数里外烟尘垒起。迾卒五骑⑥，小如黑子，顷刻驰至，入辕门报警⑦。建大将旗鼓，出奇设伏。敌骑突至，一鼓成擒，俘献中军⑧。内以姣童扮女三四十骑⑨，荷旃被毹⑩，绣袪魋结⑪，马上走解⑫，颠倒横竖，借骑翻腾，柔如无骨。乐奏马上，三弦、胡拨⑬、琥珀词⑭、四上儿、密失叉儿机、僸侏兜离⑮，罔不毕集⑯，在直指筵前供唱，北调淫俚⑰，曲尽其妙。是年，参将罗某⑱，北人，所扮者皆其歌童外宅⑲，故极姣丽，恐易人为之⑳，未必能尔也。

[注释]

①辛未：崇祯四年，公元1631年。②直指：自汉武帝开始设置的专管巡视、处理各地政事的官员，因出巡时穿着绣衣，故又称"绣衣直指"，或"直指绣衣使者"。阅武：阅兵。③滔滔旷旷：连续不断，盛大广大的样子。④掣（chè）：抽回。⑤旍（jīng）：同"旌"，令旗。⑥迾（liè）卒：担任警戒的士卒。⑦辕门：领兵将帅的营门。⑧中军：古代行军作战分左、中、右或上、中、下三军，中军是主将所在。⑨姣童：面目姣好的男童。⑩旃（zhān）：毡子。⑪袪（qū）：衣袖。魋（chuí）结：即魋髻，结成椎形的髻。⑫走解：古代百戏之一，泛称马上的技艺表演，约起于金元时期，最初流行于宫中。⑬胡

拨：即火不思，一种弦乐器。形似琵琶，但颈细，槽有棱角。原是突厥族所创，约宋元时传入内地。⑭琥珀词：也是火不思。⑮僸（jìn）侏（mài）兜离：泛指古代少数民族音乐。《文选·班固〈东都赋〉》："四夷间奏，德广所及，僸侏兜离，罔不具集。"⑯罔：无。毕：全部，都。⑰淫俚：轻狎俚俗。⑱参将：武官名。明代开始设置，位次于总兵、副总兵。参将为提督及巡抚统理营务者，称提标中军参将、抚标中军参将。⑲外宅：被男子养于别宅的妇人。⑳易人：换成其他人。

[评析]

张岱到山东省亲，长了很多见识，前几卷中有他到孔庙、孔林，登泰山的经历以及幸览鲁王府灯景之盛，这一篇阅兵经历与前差别较大，阵容庞大，气势磅礴。张岱虽然不通武功战术，观察力却很细，悟性也很强，仅用不到二百字就把军队规模、阵法变换、迎敌擒敌的过程交代得非常清楚。但张岱毕竟是过惯了悠闲生活的贵游子弟，所以得胜庆功时艺人的杂技、弹唱显然更吸引他，以致在篇幅上这部分和阅兵过程平分秋色，不过这正好从侧面反映了明末承平日久、武备松弛、武官更注重娱乐的不堪状况，这也是明亡的重要原因之一。

牛首山打猎

戊寅冬①，余在留都②，同族人隆平侯与其弟勋卫、甥赵忻城，贵州杨爱生，扬州顾不盈，余友吕吉士、姚简叔，姬侍王月生、顾眉、董白、李十、杨能③，取戎衣衣客④，并衣姬侍。姬侍服大红锦狐嵌箭衣⑤、昭君套⑥，乘款段马⑦，鞲青骹⑧，继韩卢⑨，统箭手百余人⑩，旗帜棍棒称是⑪，出南门，校猎于牛首山前后⑫，极驰骤纵送之乐⑬。得鹿一、麂三⑭、兔四、雉三⑮、猫狸七。看剧于献花岩，宿于祖茔。次日午后猎归，出鹿麂以飨士⑯，复纵饮于隆平家。江南不晓猎较为何事，余见之图画戏剧，今身亲为之，果称雄快。然自须勋戚豪右为之，寒酸不办也。

[注释]

①戊寅：崇祯十一年，公元1638年。②留都：南京。③姬侍：侍女。王月生：秦淮名妓，有殊色，名动公卿。顾眉：秦淮名妓，善画兰，后为龚鼎孳妾。董白：字小婉，天姿巧婉，后为昌襄侧室。李十：李十娘，字云衣，能鼓琴清歌。④戎衣：军装。⑤箭衣：射箭时穿的一种紧袖服装，袖口上长下短，便于射。⑥昭君套：妇人头饰，用条状貂皮围于髻下额上。相传昭君出塞时有此装扮，故称昭君套。⑦款段马：行路缓慢的马。⑧韝（gōu）：皮制臂套，猎鹰在其上。青骹（qiāo）：一种青腿的猎鹰。唐章孝标《少年行》："手抬白马嘶春雪，臂竦青骹入暮云。"⑨绁（xiè）：捆绑。韩卢：战国时韩国的黑色良狗，这里泛指良犬。⑩统：统领，率领。⑪称是：与此相称。⑫校猎：拦取禽兽，泛指打猎。《汉书·成帝纪》："冬，行幸长杨宫，从胡客大校猎。"⑬驰骤：驰骋，飞奔。纵送：射箭与追逐禽类。⑭麂（jǐ）：形体较小的鹿种，有黄麂、黑麂、赤麂等。雄性有长牙和短角，腿细有力，善于跳跃，皮软可制革。⑮雉：野鸡。⑯飨（xiǎng）士：以酒食款待士兵，犒劳士卒。

[评析]

此文记叙的是张岱在南京牛首山打猎的经历。此前张岱从未打过猎，所以印象尤为深刻。不过这次打猎不是锻炼骑射能力，纯粹是为了娱乐，数名侍姬穿着戎装也是为了装点打猎的队伍。估计贵族子弟们只管骑马飞奔，享受刺激，为数不多的猎物是箭手们的成果。打猎之后是看戏、祭祖和豪饮，所费不菲，所以张岱虽觉得痛快，也慨叹说只有富贵之家才能这样，小家小户承担不起，从这种慨叹可以看出富贵人家出身的张岱内心善良有节制的一面。

杨神庙台阁

枫桥杨神庙①，九月迎台阁。十年前迎台阁，台阁而已；自骆氏兄弟主之，一以思致文理为之。扮马上故事二三十骑，扮传奇一本，年年换，三日亦三换之。其人与传奇中人必酷肖方用，全在未扮时一指点为某似某，非人人绝倒者不之用。迎后②，如扮胡楂者，直呼为胡楂，遂无不胡楂之，而此人反失其姓。人定，然后议扮法。必裂缯为之③。果其人其袍铠须某色、某缎、某花样④，虽匹锦数十金不惜也。一冠一履，主人全副精神在焉。诸友中有能生造刻画者⑤，一月前礼聘至，匠意为之，唯其使。装束备，先期扮演，非百口叫绝又不用。故一人一骑，其中思致文理，如玩古董名画，勾一勒不得放过焉。土人有小小灾祲，辄以小白旗一面到庙禳之⑥，所积盈库。是日以一竿穿旗三四，一人持竿三四走神前，长可七八里，如几百万白蝴蝶回翔盘礴在山坳树隙。四方来观者数十万人。市枫桥下，亦摊亦篷。台阁上马上，有金珠宝石堕地，拾者，如有物凭焉不能去，必送还神前；其在树丛田坎间者，问神，辄示其处，不或爽。

[注释]

①枫桥：在浙江诸暨东北。杨神庙：又称杨相公庙。相传有山寇扰乡里，有神马夜逐之，寇即屏迹。神名杨俨，宋时封紫薇侯。②迎：选用。③缯：丝织品的总称。④果：如果。⑤生造：制造。⑥禳（ráng）：祈祷消灾。

[评析]

本文展现的是苏州枫桥杨神庙的祭祀风俗，可分为两个部分。一以富家子弟骆氏兄弟为中心。九月的大祭本来没有什么出奇之处，但骆氏兄弟全心投入给祭典带来了巨大变化，祭祀日上演的戏剧种目多而精，选演员必须酷似，服装和道具必须精准，做工精细，演技也一定要令人叫绝才行，张岱重墨描写这几点，赞扬了骆氏兄弟不惜重金、精益求精、对戏剧痴迷钟爱的艺术家风度。二是民间百姓的祭祀行为。人们为了消除灾祸来献小白旗，张岱用"几百万白蝴蝶回翔盘礴在山坳树隙"来形容旗多，可谓传神。末尾百姓在神的威慑下拾金不昧，表现了当地淳朴的民风。

雪　精

外祖陶兰风先生，倅寿州①，得白骡，蹄跲都白②，日行二百里，畜署中③。寿州人病噎膈④，辄取其尿疗之。凡告期，乞骡尿状⑤，常十数纸。外祖以木香沁其尿⑥，诏百姓来取。后致仕归⑦，捐馆⑧，舅氏菑轩解骖赠余⑨。余豢之十年许，实未尝具一日草料。日夜听其自出觅食，视其腹未尝不饱，然亦不晓其何从得饱也。天曙，必至门祗候⑩，进厩候驱策⑪，至午勿御⑫，仍出觅食如故。后渐跋扈难御，见余则驯服不动，跨鞍去如箭⑬，易人则咆哮蹄啮，百计鞭策之不应也。一日，与风马争道城上⑭，失足堕濠堑死，余命葬之，谥之曰"雪精"。

[注释]

①倅（cuì）：担任州县官员的副职。寿州：安徽寿县。②跲（jiá）：脚趾。③署：办理公务的地方，公署。④噎膈：即噎膈，噎食病，食不下咽。⑤状：文体名，可用于向上级陈述事实。⑥木香：多年生草本植物，花黄色，香气如蜜，原名蜜香，又称青木香，根可入药。⑦致仕：退休。⑧捐馆：捐弃馆舍，去世的婉辞。⑨解骖：解开骖马赠人。⑩祗（zhī）候：恭候。⑪厩：马圈。驱策：驾驭鞭策。⑫御：驾驭。⑬跨鞍：骑马，上马。⑭风马：疾驰如风的马。

[评析]

骡子"雪精"是张岱外祖父在外地所得,因为四蹄皆白,民间传闻可做药引而具有了神奇色彩,从文中可见张岱外祖父施舍骡尿成了一项惠民举措。张岱自述豢养它的经历更是神奇,骡子已经形成了固定的生活习惯,不需主人备料,每天出去觅食,能喂饱自己,天亮时一定在马厩等候驱遣,到后来只听张岱一人指挥,不惧鞭策,这一变化尤令人费解,而最后"雪精"的意外死亡也让人感到雪精的不寻常和命运的戏剧性。张岱用精练之笔概述了"雪精"的一生和个性,堪为奇谈。

严助庙①

陶堰司徒庙,汉会稽太守严助庙也。岁上元设供②,任事者③,聚族谋之终岁④。凡山物粗粗⑤(虎、豹、麋鹿、獾猪之类),海物噩噩⑥(江豚、海马、鲟黄、鲨鱼之类),陆物痴痴⑦(猪必三百斤,羊必二百斤,一日一换。鸡、鹅、凫、鸭之属,不极肥不上贡),水物唅唅⑧(凡虾、鱼、蟹、蚌之类,无不鲜活),羽物毿毿⑨(孔雀、白鹇、锦鸡、白鹦鹉之属,即生供之),毛物绒绒⑩(白鹿、白兔、活貂鼠之属,亦生供之),泪非地⑪(闽鲜荔枝、圆眼、北苹婆果、沙果、文官果之类)、非天⑫(桃、梅、李、杏、杨梅、枇杷、樱桃之属,收藏如新撷)、非制⑬(熊掌、猩唇、豹胎之属)、非性⑭(酒醉⑮、蜜饯⑯之类)、非理⑰(云南蜜唧、峨眉雪蛆之类)、非想⑱(天花龙蜒、雕镂瓜枣、捻塑米面之类)之物,无不集。庭实之盛⑲,自帝王宗庙社稷坛墠所不能比隆者⑳。十三日,以大船二十艘载盘䠪㉑,以童崽扮故事㉒，无甚文理，以多为胜。城中及村落人，水逐陆奔，随路兜截，转折看之，谓之"看灯头"。五夜，夜在庙演剧，梨园必倩越中上三班㉓，或雇自武林者，缠头日数万钱㉔。唱《伯喈》㉕《荆钗》㉖，一老者坐台下对院本㉗，一字脱落㉘，群起噪之，又开场重做㉙。越中有"全伯喈""全荆钗"之名起此。天启三年，余兄弟携南院王岑、老串杨四、徐孟雅、袁社河南张大来辈往观之。到庙蹴鞠㉚，张大来以"一丁泥""一串珠"名世。球着足，浑身旋滚，一似沾黿有胶、提掇有线、穿插有孔者，人人叫绝。剧至半，王岑扮李三娘，杨四扮火工窦老，徐孟雅扮洪一嫂，马小卿十二岁扮咬脐，串《磨房》《撇池》《送子》《出猎》四出。科诨曲白，妙入筋髓，又复叫绝。遂解维归㉛。戏场气夺㉜，锣不得响，灯不得亮。

[注释]

①严助：西汉人，家苏州。本名庄助，后人避汉明帝刘庄讳，称严助。②上元：农历正月十五。③任事者：承担事务的人。④聚族：聚集族人。⑤粗粗：肥大。⑥罍罍：肥腴。⑦痴痴：肥美。⑧唅（yǎn）唅：鲜活。⑨毨（xiǎn）毨：羽毛丰满整齐。⑩毛物：长有细毛的兽类。绒绒：柔软浓密。⑪洎：到，及。非地：不是本地。⑫非天：不是应季的。⑬非制：不合礼制。⑭非性：改变事物的性质，这里指食物的原味。⑮酒醉：用酒浸渍的食物。⑯蜜饯：用蜂蜜或浓糖浆浸渍的果品。⑰非理：超出常理。⑱非想：不可想象的。⑲庭实：陈列于朝堂的贡献物品。⑳衅（xìn）：同"衅"，血祭。㉑盘：礼品，供品。輂：小车。㉒童崽：小童。扮：表演。㉓梨园：唐玄宗在梨园教习艺人，后以"梨园"泛指戏班或演戏之所。倩：请。㉔缠头：表演完毕，观者赠送给艺人的布帛或财物。㉕《伯喈》：指元人高明的《琵琶记》，主人公蔡伯喈。㉖《荆钗》：南戏《荆钗记》，讲述的是王十朋和钱玉莲的曲折爱情故事。㉗院本：金元时演唱用的戏曲脚本，这里指剧本。㉘脱落：指唱词漏掉。㉙开场：开始演出。㉚蹴鞠：意在集练武、娱乐、健身于一体的足球游戏。传说始于黄帝，战国时就很流行。㉛解维：解开缆绳，开船。㉜气夺：勇

气丧失，这里指观众受到震撼，不敢喧哗。

[评析]

本文写上元节即农历正月十五严助庙祭祀场面的繁华兴盛。张岱善于运用叠字和排比的手法，本文中这一特点尤为突出。描写山、海、陆、水、禽、兽类供品之盛，连用粗粗、噩噩、痴痴、喍喍、毶毶、绒绒六个重叠形容词，利用视觉上的冲击感表现牲类堆积如山的盛况，接下来又连用六个非字，即非地、非天、非制、非性、非理、非想，来描写四海的珍贵果品和工艺食品，可谓别具特色，有创新之感。张岱痴迷于戏，所以文中依然用了一半篇幅来写严助庙的戏。与供品的质量相比，严助庙的戏实在没什么水平，所以张岱在天启三年竟带着名角来，使观众大饱眼福，结尾"戏场气夺，锣不得响，灯不得亮"三句表现出极为满足得意的心态。

乳 酪

乳酪自驵侩为之①，气味已失，再无佳理。余自豢一牛，夜取乳置盆盎②，比晓③，乳花簇起尺许，用铜铛煮之④，瀹兰雪汁⑤，乳斤和汁四瓯，百沸之⑥。玉液珠胶，雪腴霜腻，吹气胜兰，沁入肺腑，自是天供。或用鹤觞、花露入甑蒸之⑦，以热妙；或用豆粉搀和，漉之成腐⑧，以冷妙；或煎酥，或作皮，或缚饼，或酒凝，或盐腌，或醋捉，无不佳妙。而苏州过小拙和以蔗浆霜⑨，熬之、滤之、钻之、掇之、印之，为带骨鲍螺⑩，天下称至味。其制法秘甚，锁密房，以纸封固，虽父子不轻传之。

[注释]

①驵（zǎng）侩（kuài）：牲畜交易的中间人，泛指商人、市侩。②盎：盆类盛器。③比晓：等到天亮。④铛（chēng）：古代的锅，有耳和足。⑤兰

雪：兰雪茶。⑥百沸：沸腾的时间很长。⑦鹤觞：酒名。北魏杨衒之《洛阳伽蓝记·法云寺》："河东人刘白堕善酿酒。季夏六月，时暑赫晞，以罂贮酒，暴于日中，经一旬，其酒味不动。饮之香美，醉而经月不醒。京师朝贵多出郡登藩，远相饷馈，逾于千里。以其远至，号曰鹤觞，亦名骑驴酒。"花露：花瓣在甑中酝酿而成的液汁。⑧漉：过滤。腐：豆腐。⑨蔗浆：甘蔗汁。⑩鲍螺：鲍鱼。

[评析]

张岱不仅是位美食家，还热衷于独创美食。他不喜欢市场上不纯的乳酪，竟不嫌麻烦，自养一牛，取乳、煮乳、和香茶汁，无不精细。张岱还发明了乳酪和其他原料诸如鹤觞花露、豆粉等配合的各种吃法。他对自己的成功创新十分得意，也乐于将方法公之于世，以飨同好。谁知苏州过小拙用了他的乳酪制成号称天下至味的带骨鲍螺，却连父子之间也不轻传，让他感到无奈。此文表现了张岱饮食生活中的情趣及他的豁达心胸。

二十四桥风月

广陵二十四桥风月①，邗沟尚存其意②。渡钞关③，横亘半里许，为巷者九条。巷故九④，凡周旋折旋于巷之左右前后者，什百之。巷口狭而肠曲，寸寸节节，有精房密户，名妓、歪妓杂处之⑤。名妓匿不见人，非向导莫得入⑥。歪妓多可五六百人，每日傍晚，膏沐熏烧⑦，出巷口，倚徙盘礴于茶馆酒肆之前⑧，谓之"站关"。茶馆酒肆岸上纱灯百盏，诸妓掩映闪灭于其间，疤戾者帘⑨，雄趾者阈⑩，灯前月下，人无正色⑪，所谓"一白能遮百丑"者，粉之力也。游子过客，往来如梭，摩睛相觑⑫，有当意者，逼前牵之去⑬；而是妓忽出身分⑭，肃客先行，自缓步尾之⑮。至巷口，有侦伺者⑯，向巷门呼曰："某姐有客了！"内应声如雷。火燎即出⑰，一一俱去，剩者不过二三十人。

沉沉二漏，灯烛将烬⑱，茶馆黑魆无人声。茶博士不好请出⑲，惟作呵欠⑳，而诸妓醵钱向茶博士买烛寸许㉑，以待迟客。或发娇声，唱《擘破玉》等小词，或自相谑浪嘻笑，故作热闹，以乱时候；然笑言哑哑声中，渐带凄楚。夜分不得不去，悄然暗摸如鬼。见老鸨，受饿、受笞俱不可知矣。

余族弟卓如，美须髯，有情痴，善笑，到钞关必狎妓，向余噱曰："弟今日之乐，不减王公。"余曰："何谓也？"曰："王公大人侍妾数百，到晚眈眈望幸，当御者不过一人。弟过钞关，美人数百人，目挑心招，视我如潘安，弟颐指气使，任意拣择，亦必得一当意者呼而侍我。王公大人岂过我哉！"复大噱，余亦大噱。

[注释]

①广陵：扬州。风月：清风明月，泛指美好的景色。②邗（hán）沟：又称邗水、邗江，是春秋时吴王夫差为争霸中原而开凿的运粮的古运河，自扬州至淮安，流入淮河。③钞关：收取关税的地方。④故：本来。⑤歪妓：不出名的下等妓女。⑥向导：领路人指引。⑦膏沐：沐浴。熏烧：熏香。⑧倚徙：徘徊。⑨疤疬：皮肤有疤痕。帘：用帘子遮蔽。⑩雄趾：大脚。阈：门槛，这里指脚在门槛内。⑪正色：本来的面相。⑫摩睛相觑：擦亮眼睛相互看看。⑬逼：靠近。⑭身分：姿态，架势。⑮尾：尾随。⑯侦伺者：窥探、等候的人。⑰火燎：火把。⑱烬：烧完。⑲茶博士：茶馆的师傅，博士是古代对有某种技艺或专门从事某业的人的尊称。⑳惟：只好。㉑醵（jù）钱：凑钱，集资。

[评析]

二十四桥是扬州最著名的胜地。唐代杜牧《寄扬州韩绰判官》诗云："青山隐隐水迢迢，秋尽江南草木凋。二十四桥明月夜，玉人何处教吹箫。"宋欧阳修《西湖戏作示同游者》云："菡萏香清画舸浮,使君宁复忆扬州。都将二十四桥月,换得西湖十顷秋。"二十四桥闻名不仅是因为它的自然风光,更因它是著名的风月流连之地。张岱开篇便写出了二十四桥妓院之盛,妓女之多。但是他关注的不是那些名妓,而是下等妓女的悲惨遭遇,特别是等到半夜她们还招不到客人,就只能凑钱"向茶博士买烛寸许,以待迟客。或发娇声,唱《擘破玉》等小词,或自相谑浪嘻笑,故作热闹,以乱时候;然笑言哑哑声中,渐带凄楚。夜分不得不去,悄然暗摸如鬼。见老鸨,受饿、受笞俱不可知矣"。逼真刻画出妓女强颜作乐、凄凉可怜的神态和境遇,文字中渗透着深深的同情和怜悯,像张岱这样用如此眼光和笔触来关注妓女的文人极少见,从中可以洞察其内心之单纯善良。

世美堂灯

儿时跨苍头颈①,犹及见王新建灯②。灯皆贵重华美,珠灯料丝无论③,即羊角灯亦描金细画④,缨络罩之。悬灯百盏尚须秉烛而行⑤,大是闷人⑥。余见《水浒传》"灯景诗"有云:"楼台上下火照火,车马往来人看人。"已尽灯理。余谓灯不在多,总求一亮。余每放灯,必用如椽大烛,专令数人剪卸烬煤⑦,故光迸重垣⑧,无微不见。

十年前,里人有李某者⑨,为闽中贰尹⑩,抚台委其造灯⑪,选雕佛匠,穷工极巧,造灯十架,凡两年。灯成而抚台已物故⑫,携归藏楼中。又十年许,知余好灯,举以相赠,余酬之五十金,十不当一,是为主灯。遂以烧珠、料丝、羊角、剔纱诸灯辅之。

而友人有夏耳金者,剪采为花,巧夺天工,罩以冰纱,有烟笼芍药之致。更用粗铁线界划规矩,匠意出样,剔纱为蜀锦,墁其界地[13],鲜艳出人。耳金岁供镇神,必造灯一些[14],灯后,余每以善价购之[15]。余一小傒善收藏,虽纸灯亦十年不得坏,故灯日富。又从南京得赵士元夹纱屏及灯带数副,皆属鬼工,决非人力。

灯宵,出其所有,便称胜事[16]。鼓吹弦索,厮养臧获[17],皆能为之。有苍头善制盆花,夏间以羊毛炼泥墩,高二尺许,筑"地涌金莲",声同雷炮,花盖亩余。不用煞拍鼓铙[18],清吹唢呐应之[19],望花缓急为唢呐缓急,望花高下为唢呐高下。灯不演剧,则灯意不酣;然无队舞鼓吹,则灯焰不发。余敕小傒串元剧四五十本。演元剧四出,则队舞一回,鼓吹一回,弦索一回。其间浓淡繁简松实之妙,全在主人位置。使易人易地为之,自不能尔尔。故越中夸灯事之盛,必曰"世美堂灯"。

[注释]

①跨苍头颈:骑在男仆的脖子上。②犹:尚且,还。王新建:明代心学大师王守仁,字伯安,号阳明子,封新建伯。③无论:不用说。④羊角灯:用透明角材料做罩的灯。描金:用金银粉在器物图案上勾勒描画。⑤秉烛:拿着蜡烛。⑥大是:非常。⑦煤:灯花,灯芯的余烬。⑧重垣:一道又一道的墙壁。⑨里人:同乡。⑩贰尹:原指唐代州府副职少尹,从四品下,掌贰府州之事,后来作为县令副职县丞的别称。⑪抚台:明清对巡抚的别称。⑫物故:去世。⑬墁(màn):涂抹,粉饰。界地:衬底。⑭一些:不止一种,很多。⑮善价:高价,好价钱。⑯胜事:美好的事情。⑰厮养臧获:干杂活的仆役。⑱煞拍:打击乐中的拍板。⑲清吹:清越的管乐。

[评析]

本文写张岱藏灯的来源、特点和放灯兼演剧的盛况。开篇先写儿时看豪华的王新建灯昏暗的感觉，引出自己的看法和选灯以光亮为上的标准。接下来写自己所藏的最精致的几架灯，一些本是为达官制作，一些是精于灯艺的友人祭神所余，一些来自本地，一些来自南京，都不易得。但更幸运的是张岱还有一个保管经验丰富的仆人，由此成就了张岱爱灯之心。主人多才而仆人多艺，张岱的仆人还有会做大型烟花灯的，更有妙于吹拉弹唱的。绚烂耀眼的花灯、多彩冲天的烟火和热热闹闹的杂剧相结合，其繁华实在不是一般人家所及。张岱在结尾不无得意地下结论：越中灯事他家为第一。全文叙事简练，层次分明，语言流畅易晓，节奏明快，颇具欣赏性。

宁　了

大父母喜豢珍禽①：舞鹤三对、白鹇一对②，孔雀二对，吐绶鸡一只③，白鹦鹉、鹩哥、绿鹦鹉十数架。一异鸟名"宁了"，身小如鸽，黑翎如八哥，能作人语，绝不含糊。大母呼媵婢④，辄应声曰⑤："某丫头，太太叫！"有客至，叫曰："太太，客来了，看茶！"有一新娘子善睡⑥，黎明辄呼曰："新娘子，天明了，起来吧！太太叫，快起来！"不起，辄骂曰："新娘子，臭淫妇，浪蹄子⑦！"新娘子恨甚，置毒药杀之。"宁了"疑即"秦吉了"⑧，蜀叙州出，能人言。一日夷人买去⑨，惊死，其灵异酷似之。

[注释]

①大父母：祖父母。②白鹇（xián）：白雉，尾长，背白色有黑纹，雄鸟腹部黑蓝色，雌鸟棕绿色。③吐绶鸡：原产于北美洲的火鸡。羽毛古铜色，头颈赤裸。④媵（yìng）婢：随嫁的婢妾，也泛指婢妾。⑤应声：随着声音，形容快速。⑥新娘子：妾。《儒林外史》第二回："若是嫁与人家做妾，就到头

发白了,还要唤做'新娘'。"⑦蹄子:旧时对妇女的贬称。⑧秦吉了:也称了哥、吉了。因产于秦中,故名秦吉了。唐李白《自代内赠》诗:"安得秦吉了?为人道寸心。"⑨夷人:对少数民族或外国人的泛称。

[评析]

此文记叙了一只巧慧的灵鸟的故事。灵鸟学人语快而准,惹人喜爱,但不知语言褒贬之义,死于小妾之手。其实灵鸟的语言是封建大家内闱矛盾的反映,它的死本质上也是家庭矛盾造成的。张岱惊讶于此鸟的灵异,突出了鸟儿在语言上的巧慧。末尾对此鸟的属性做了推测,体现出善于考究的精神。

张氏声伎

谢太傅不畜声伎①,曰:"畏解②,故不畜。"王右军曰:"老年赖丝竹陶写③,恒恐儿辈觉。"曰"解",曰"觉",古人用字深确④。盖声音之道入人最微⑤,一解则自不能已,一觉则自不能禁也。

我家声伎,前世无之,自大父于万历年间与范长白、邹愚公、黄贞父、包涵所诸先生讲究此道⑥,遂破天荒为之。有"可餐班",以张彩、王可餐、何闰、张福寿名;次则"武陵班",以何韵士、傅吉甫、夏清之名;再次则"梯仙班",以高眉生、李芥生、马蓝生名;再次则"吴郡班",以王畹生、夏汝开、杨啸生名;再次则"苏小小班",以马小卿、潘小妃名;再次则平子"茂苑班",以李含香、顾岕竹、应楚烟、杨骡駬名。主人解事日精一日⑦,而僳童技艺亦愈出愈奇。余历年半百,小僳自小而老、老而复小、小而复老者,凡五易之。无论"可餐""武陵"诸人,如三代法物⑧,不可复见;"梯仙""吴郡"间有存者⑨,皆为佝偻老人;而"苏小小班"亦强半化为异物矣⑩;"茂苑班"则吾弟先去⑪,而诸人再易其主。余则婆娑一老,以碧眼波斯⑫,尚能别其妍丑⑬。山中人至海上归,种种海错皆在其眼,请共舐之。

[注释]

①谢太傅:谢安,字安石,家会稽东山,曾指挥历史上有名的淝水之战,死后赠太傅。声伎:歌姬舞女。②解:精神涣散。③陶写:陶冶性情,消愁解闷。④深确:非常准确。⑤声音:音乐、诗歌。微:微妙。⑥讲究:研究。⑦解事:通晓事理。⑧三代:夏商周。法物:礼器、乐器等。⑨间:偶尔。⑩强半:超过一半。化为异物:死去的委婉说法。⑪去:去世。⑫碧眼波斯:波斯人眼睛为蓝色,这里当指年老眼花。⑬妍丑:美丑。

[评析]

张岱在本文中记叙了张家蓄养声伎的情况。张岱显然认为过于逸乐是不合圣人之道的,所以在开篇先引谢安和王羲之的话表明立场,而自述在祖父之前家中无声伎,意在说明张家在传统上也是很严肃很保守的。到了祖父这里,因为众多朋友的影响怂恿,才开了先例。张岱对前后五班的名称和名角都记忆犹新,大概是不愿让人对张家有沉迷声色的印象,文中张岱对声伎的表演没有做什么铺陈,只以一句"主人解事日精一日,而僮童技艺亦愈出愈奇"来概括。接下来便转到几十年后五班声伎消失离散的结局,张岱痴迷戏剧,对五班声伎的兴衰当有极深的感触,但文中并未有巨大的情感波动,仅仅是淡淡的哀伤。全文从立场和感情基调上都体现出儒家诗教温柔敦厚的中和之美。

方　物①

越中清馋②,无过余者,喜啖方物③。北京则苹婆果④、黄鼠、马牙松;山东则羊肚菜、秋白梨、文官果、甜子;福建则福桔、福桔饼、牛皮糖、红腐乳;江西则青根、丰城脯;山西则天花菜⑤;苏州则带骨鲍螺、山查丁、山查糕、松子糖、白圆、橄榄脯;嘉兴则马交鱼脯、陶庄黄雀;南京则套樱桃、桃门枣、地栗团、窝笋团、山查糖;杭州则西瓜、鸡豆子、花下藕、韭芽、玄笋、塘栖蜜桔;萧山则杨梅、莼菜、鸠鸟、青鲫、方柿;诸暨则香狸、樱桃、虎栗;嵊则蕨粉、细榧、龙游糖;临海则枕头瓜;台州则瓦楞蚶、江瑶柱;浦江则火肉⑥;东阳则南枣;山阴则破塘笋、谢桔、独山菱、河蟹、三江屯坚、白蛤、江鱼、鲥鱼、里河鰦。远则岁致之⑦,近则月致之、日致之。耽耽逐逐⑧,日为口腹谋,罪孽固重⑨。但由今思之,四方兵燹⑩,寸寸割裂,钱塘衣带水⑪,犹不敢轻渡,则向之传食四方⑫,不可不谓之福德也。

[注释]

①方物:地方特产。②清馋:爱美食而有品位。③啖:吃。④苹婆果:苹果。⑤天花菜:花菜、菜花。⑥火肉:火腿肉。⑦岁致:一年弄来一次。⑧耽耽逐逐:非常强烈、急切地想得到。⑨固:当然。⑩兵燹(xiǎn):战火,战乱。⑪钱塘衣带水:衣带水指像衣带那么窄的河流,形容和钱塘的距离非常近。⑫传食四方:从各地传来食物特产。

[评析]

张岱爱美食,本文尽显这一点。从北到南,从天上到地上、到水中,从自然所产到庖丁精制,没有张岱不知道的。一气罗列五十多种,产于何处仍记得清清楚楚,可见张岱口腹之欲的确超人。有趣的是张岱在乱后的慨叹,幸亏乘着太平盛世自己大饱口福,真是福分,语气真诚而充满了雅趣。

祁止祥癖①

人无癖不可与交,以其无深情也;人无疵不可与交②,以其无真气也③。余友祁止祥有书画癖,有蹴鞠癖,有鼓钹癖,有鬼戏癖,有梨园癖。壬午④,至南都⑤,止祥出阿宝示余,余谓:"此西方迦陵鸟⑥,何处得来?"阿宝妖冶如蕊女⑦,而娇痴无赖⑧,故作涩勒,不肯着人。如食橄榄,咽涩无味,而韵在回甘;如吃烟酒,鲠诘无奈⑨,而软同沾醉。初如可厌,而过即思之。止祥精音律,咬钉嚼铁,一字百磨,口口亲授,阿宝辈皆能曲通主意⑩。乙酉⑪,南都失守,止祥奔归⑫,遇土贼,刀剑加颈,性命可倾⑬,阿宝是宝⑭。丙戌,以监军驻台州,乱民卤掠⑮,止祥囊箧都尽⑯,阿宝沿途唱曲,以膳主人⑰。及归,刚半月,又挟之远去。止祥去妻子如脱屣耳⑱,独以娈童崽子为性命,其癖如此。

[注释]

①祁止祥:祁豸佳,字止祥,号雪瓢,绍兴人。天启年间举人,曾任吏部司务,擅长书画。②疵:缺点。③真气:真诚的感情。④壬午:崇祯十五年,公元1642年。⑤南都:南京。⑥迦陵鸟:即迦陵频伽鸟,意为好声鸟、美音鸟或妙声鸟,佛典以其叫声比喻诸佛、菩萨的妙音。⑦蕊女:蕊宫之女,仙女。⑧无赖:本指多事放泼等行为,此处有亲昵喜爱之意。⑨鲠诘:哽噎。无奈:无比。⑩曲通:多方面、全部理解。主意:主人的意思。⑪乙酉:顺治二年,公元1645年。⑫奔归:逃归。⑬倾:结束。⑭阿宝是宝:把阿宝当作珍宝。⑮卤掠:"卤"通"虏",掳掠。⑯囊箧:装财物的袋子和箱子。⑰膳:饭食,这里是动词,供……吃喝。⑱去:离开。妻子:妻子儿女。脱屣(xǐ):脱鞋。

[评析]

本文又记载了一个癖好独特而深的奇人的真实故事。祁止祥癖好颇多，而更痴迷于蓄养唱戏的伶人，张岱在文中描述他宠爱的这个阿宝可称作世间尤物，接下来记叙祁止祥与阿宝在曲艺上心心相通，在战乱中相依为命，即使穷困潦倒也不离不弃的感人经历，但祁止祥到了甚至连妻子都不再顾惜的程度，未免让人觉得过火。此文最精彩之处在于描写阿宝"如食橄榄，咽涩无味，而韵在回甘；如吃烟酒，鲠诘无奈，而软同沾醉"，用通感的手法准确生动地形容出阿宝初见无奇却耐人品味的气质秉性。

泰安州客店

客店至泰安州，不复敢以客店目之①。余进香泰山②，未至店里许③，见驴马槽房二三十间④；再近，有戏子寓二十余处⑤；再近，则密户曲房，皆妓女妖冶其中。余谓是一州之事，不知其为一店之事也。投店者⑥，先至一厅事⑦，上簿挂号⑧，人纳店例银三钱八分⑨，又人纳税山银一钱八分。店房三等：下客夜素早亦素⑩，午在山上用素酒果核劳之⑪，谓之"接顶"。夜至店，设席贺，谓烧香后求官得官，求子得子，求利得利，故曰贺也。贺亦三等：上者专席，糖饼、五果、十肴、果核、演戏；次者二人一席，亦糖饼，亦肴核，亦演戏；下者三四人一席，亦糖饼、肴核，不演戏，用弹唱。计其店中，演戏者二十余处，弹唱者不胜计。庖厨炊灶亦二十余所，奔走服役者一二百人。下山后，荤酒狎妓惟所欲，此皆一日事也。若上山落山，客日日至，而新旧客房不相袭，荤素庖厨不相混，迎送厮役不相兼，是则不可测识之矣。泰安一州与此店比者五六所⑫,又更奇。

[注释]

①目:看待。②进香:烧香拜佛。③里许:一里左右。④槽房:即槽坊,酿酒的作坊。⑤寓:寓所。⑥投店:投宿旅店。⑦厅事:私人住宅的堂屋。⑧上簿:呈递文书。挂号:编号登记。⑨例银:按照惯例应该给的银钱。⑩素:素食。⑪劳:慰劳,款待。⑫比:近。

[评析]

本文是张岱对泰安州客栈的回忆。泰安州有其整体规划,各处功用分明,不以单个客店为单位,使张岱初到就印象尤深。住店管理上也井然有序,费用、待遇统一分为三等,客房、饮食、仆人一点儿不错乱,使张岱尤感惊奇。张岱以自身行踪为线索,先是由远及近写客栈的整体布置,然后细说投店过程和银钱数目,以及店房和贺席的等级,记叙细致,有条不紊,使泰安州客栈的特点了然纸上。

卷 五

范长白[①]

范长白园在天平山下[②]，万石都焉[③]。龙性难驯[④]，石皆笏起[⑤]，旁为范文正墓[⑥]。园外有长堤，桃柳曲桥，蟠屈湖面，桥尽抵园，园门故作低小，进门则长廊复壁，直达山麓。其绘楼幔阁、秘室曲房，故故匿之，不使人见也。山之左为桃源，峭壁回湍[⑦]，桃花片片流出。右孤山，种梅千树。渡涧为小兰亭，茂林修竹，曲水流觞，件件有之。竹大如椽，明静娟洁，打磨滑泽如扇骨，是则兰亭所无也[⑧]。地必古迹，名必古人，此是主人学问。但桃则溪之，梅则屿之，竹则林之，尽可自名其家，不必寄人篱下也。

余至，主人出见。主人与大父同籍[⑨]，以奇丑著。是日释褐[⑩]，大父嘲之曰[⑪]："丑不冠带，范年兄亦冠带了也[⑫]。"人传以笑。余亟欲一见[⑬]。及出，状貌果奇[⑭]，似羊肚石雕一小猱[⑮]，其鼻歪[⑯]，颧颐犹残缺失次也[⑰]。冠履精洁，若谐谑谈笑面目中不应有此。开山堂小饮,绮疏藻幕,备极华褥,秘阁清讴,丝竹摇飓,忽出层垣,知为女乐。饮罢,又移席小兰亭,比晚辞去。主人曰:"宽坐⑱,请看'少焉'。"余不解,主人曰:"吾乡有缙绅先生,喜调文袋⑲,以《赤壁赋》有'少焉月出于东山之上'句,遂字月为'少焉'。顷言'少焉'者⑳,月也。"固留看月,晚景果妙。主人曰:"四方客来,都不及见小园雪,山石嵝岈,银涛蹴起,掀翻五泄,捣碎龙湫,世上伟观,惜不令宗子见也。"步月而出㉑,至玄墓,宿葆生叔书画舫中。

[注释]

①范长白:名允临,号长白,苏州吴县人,范仲淹十七世孙。进士,曾任福建参议,擅画。②天平山:在苏州西,山顶正平,故名。③都:聚集。④龙性:变化屈伸的样子。⑤笏起:像笏那样立起。笏,大臣朝见时手拿的狭长板子,用玉、象牙、竹木制成,也叫手板。⑥范文正:北宋著名文学家、政治家范仲淹,字希文,谥文正。⑦回湍:回旋的急流。⑧兰亭:在浙江绍兴西南,相传勾践在此种兰花,汉代设驿亭,故名兰亭。晋代著名的兰亭雅集就在这里举行,王羲之曾作《兰亭集序》。⑨同籍:同年中进士。宋龚明之《中吴纪闻》卷三:"子和妻,予之姑氏,又与叔祖朝议为同年。叔祖尝以诗挽之云:'结发欣同籍,联姻喜素风。'"⑩释褐:脱去平民的粗布衣,指刚刚做官。⑪嬲(niǎo):戏弄,调笑。⑫年兄:同榜登科者称为同年,互称年兄。⑬亟欲:非常想。⑭状貌:相貌。⑮猱:似猿的兽类。⑯垩(è):发白。⑰颔颐:颔骨和下巴。犹:好像。失次:次序错乱。⑱宽坐:留坐的敬辞。⑲调文袋:喜欢引证古书,卖弄学问,与"掉书袋"意思相同。⑳顷言:刚才说的。㉑步月:月下散步。

[评析]

本文描写的人物是范仲淹的十七世孙范长白。先不写人物,而是写其居住的园林之美,利用自然水石精致构建,高雅幽静,使读者对主人的风度充满了浪漫的想象。谁知下文出现了一个丑陋得近似滑稽的人物,令人忍俊不禁。张岱先列举了祖父的调侃语,接着写亲眼所见,"状貌果奇,似羊肚石雕一小猱,其鼻歪,颧颐犹残缺失次也",刻画生动有趣,字字中的,但此句之后笔锋忽然一转,说"冠履精洁",使人顿时肃然,手法不可不谓高超。下文又叙述主人待客的高雅水准和邀请张岱看月赏雪事。张岱在其他散文中,经常把自己的话或文记载得很详细,占据一定篇幅,此篇却无一言,特别是后半部分看月赏雪,这越发突出了范长白的言辞,使人看到一个足以掩盖其面貌之丑的博学、文雅、风趣的形象,人物刻画极为成功。

于 园

于园在瓜州步五里铺①,富人于五所园也。非显者刺②,则门钥不得出。葆生叔同知瓜州③,携余往,主人处处款之④。园中无他奇,奇在磊石⑤。前堂石坡高二丈,上植果子松数棵,缘坡植牡丹⑥、芍药,人不得上,以实奇。后厅临大池,池中奇峰绝壑,陡上陡下,人走池底,仰视莲花,反在天上,以空奇。卧房槛外,一壑旋下如螺蛳缠,以幽阴深邃奇。再后一水阁,长如艇子,跨小河,四围灌木蒙丛⑦,禽鸟啾唧,如深山茂林,坐其中,颓然碧窈⑧。瓜州诸园亭,俱以假山显,胎于石,娠于磊石之手,男女于琢磨搜剔之主人,至于园可无憾矣。

仪真汪园⑨,盖石费至四五万,其所最加意者⑩,为"飞来"一峰,阴翳泥泞,供人唾骂。余见其弃地下一白石,高一丈、阔二丈而痴,痴妙;一黑石,阔八尺,高丈五而瘦,瘦妙。得此二石足矣,省下二三万收其子母⑪,以世守此二石何如⑫?

[注释]

①步:同"埠",水边停船处。②显者:有声名、地位的人。刺:名片。

明张萱《疑耀·拜帖不古》:"余阅一小说,古人书启往来,及姓名相通,皆以竹木为之,所谓刺也。"③同知:副职。④款:殷勤招待。⑤礌(léi):同"磊"。⑥缘:沿着。⑦蒙丛:茂盛、丛生的样子。⑧颓然:凹下的样子。碧窈:清碧幽深。⑨仪真:县名,隶属南京。汪园:又名荣园,崇祯间汪机筑,为江北绝胜,往来巨公大僚多宴会于此。⑩加意:重视,特别注意。⑪子母:本息。子,利息。母,本金。⑫世守:子孙世代相守。

[评析]

　　本文展现的是瓜州于园之美,重在表现园中石头的精心设置。于园有石坡,有石峰,有石壑,各以花木相配,呈现出奇妙的虚实、曲折、幽深之美。张岱进而论整个瓜州园林的特点——都喜欢在石头上下功夫,但是都不及于园之完美。文中还举了仪真汪园这样一个反例,主人破费不少而眼光不高,把品位最低的石头当作宝石,真正有欣赏价值的却抛在一旁,末尾调侃讥讽,富有味道。

诸 工

　　竹与漆与铜与窑,贱工也①。嘉兴之腊竹,王二之漆竹,苏州姜华雨之籥策竹,嘉兴洪漆之漆,张铜之铜,徽州吴明官之窑,皆以竹与漆与铜与窑名家起家,而其人且与缙绅先生列坐抗礼焉②。则天下何物不足以贵人③,特人自贱之耳④。

[注释]

　　①贱工:地位低下的职业。②且:却,但是。列坐:按次序坐在一起。抗礼:以平等的礼节相待。③贵人:使人地位高贵。④特:不过,只是。自贱:自己觉得轻贱。

[评析]

　　本文十分简短,刚过百字,却道出了一个深刻的哲理。先说常人眼中的看法，做竹器、漆器、铜器和瓷器都是很低贱的。下文是一个转折，列出浙江、江苏和安徽几地制作这些器物的名家，说他们因此富贵，地位不低于士大夫。进而总结"天下何物不足以贵人，特人自贱之耳"，指出贵贱不在物，而在人心，所言精警而深刻，表现出张岱与世俗和传统不同的可贵看法及他对那些技工的平视之心。

姚简叔画①

姚简叔画千古②，人亦千古③。戊寅④，简叔客魏为上宾⑤。余寓桃叶渡，往来者闵汶水、曾波臣一二人而已。简叔无半面交⑥，访余，一见如平生欢⑦，遂榻余寓。与余料理米盐之事，不使余知。有空，则拉余饮淮上馆，潦倒而归⑧。京中诸勋戚大老⑨、朋侪缁衲⑩、高人名妓与简叔交者，必使交余，无或遗者。与余同起居者十日，有苍头至，方知其有妾在寓也。简叔塞渊不露聪明⑪，为人落落难合，孤意一往，使人不可亲疏。与余交不知何缘，反而求之不得也。

访友报恩寺，出册叶百方，宋元名笔。简叔眼光透入重纸，据梧精思，面无人色。及归，为余仿苏汉臣一图⑫：小儿方据澡盆浴，一脚入水，一脚退缩欲出；宫人蹲盆侧，一手掖儿，一手为儿擤鼻涕；旁坐宫娥，一儿浴起伏其膝，为结绣裾。一图，宫娥盛装端立有所俟，双鬟尾之；一侍儿捧盘，盘列二瓯，意色向客；一宫娥持其盘，为整茶锹⑬，详视端谨。复视原本⑭，一笔不失。

[注释]

①姚简叔：名允在，字简叔。绍兴人，画山水学荆关。②千古：流传久

远，具有长久存在的价值。③千古：千古难得。④戊寅：崇祯十一年，公元1638年。⑤上宾：贵客，佳客。⑥无半面交：没有任何交往。⑦平生欢：一向交好。⑧潦倒：喝醉。⑨勋戚：皇族贵戚。大老：资深望重的大官。⑩朋侪（chái）：朋辈。缁衲：僧衣，这里指僧侣。⑪塞渊：笃厚诚实而见识深远。⑫仿：临摹。苏汉臣：开封人，擅长画释道人物，尤其是婴儿，北宋宣和年间曾任画院待诏。南渡后仍官原职。他的儿子苏焯也以画名于时。⑬茶锹：取茶的工具匙。⑭原本：原作。

[评析]

此文用了总分的形式，开篇直接而简明，总说姚允在之画千古难得，其人的品格也甚为少见。接下来分说姚允在的人品与画技。张岱和姚允在初次相识，姚允在就舍家来陪，为张岱料理生活琐事，请他到繁华地段饮酒，介绍各类名人和张岱结交，而且有些事默默付出不让张岱知晓，这些叙写使一位慷慨大义、甘愿付出、重友轻家的豪士形象跃然纸上。妙的是姚允在的画功，在报恩寺看过的名画，回来之后能全部摹写下来，丝毫不差，令张岱大为震惊，此乃又一奇人。此文中张岱关于姚允在观画时"眼光透入重纸，据梧精思，面无人色"的描写十分传神，成功地展现了姚允在全神贯注、身心俱忘的投入状态。他模拟原作能够那么准确精细，也就不足为奇了。

炉峰月①

炉峰绝顶，复岫回峦②，斗耸相乱③，千丈岩陬牙横梧④，两石不相接者丈许，俯身下视，足震慑不得前。王文成少年曾趵而过⑤，人服其胆。余叔尔蕴以毡裹体⑥，缒而下，余挟二樵子⑦，从壑底掼而上⑧，可谓痴绝。

丁卯四月⑨,余读书天瓦庵,午后同二三友人绝顶,看落照。一友曰:"少需之⑩,俟月出去⑪。胜期难再得⑫,纵遇虎⑬,亦命也。且虎亦有道,夜则下山觅豚犬食耳,渠上山亦看月耶⑭?"语亦有理。四人踞坐金简石上⑮。是日,月正望⑯,日没月出,山中草木都发光怪⑰,悄然生恐⑱。月白路明⑲,相与策杖而下⑳。行未数武㉑,半山嗥呼㉒,乃余苍头同山僧七八人,持火燎、勒刀、木棍,疑余辈遇虎失路㉓,缘山叫喊耳。余接声应,奔而上,扶掖下之㉔。

次日,山背有人言:"昨晚更定,有火燎数十把,大盗百余人,过张公岭,不知出何地?"吾辈匿笑不之语。谢灵运开山临潊㉕,从者数百人,太守王琇惊骇,谓是山贼,及知为灵运,乃安。吾辈是夜不以山贼缚献太守,亦幸矣。

[注释]

①炉峰:会稽山香炉峰。②复岫回峦:山势重叠,蜿蜒起伏。③斗耸:"斗"通"陡"。陡立,耸立。北魏郦道元《水经注·谷水》:"二壁争高,斗耸相乱。"④陬:山角。⑤王文成:明代心学创始人王守仁,谥文成。趵:奔突,跳跃。⑥尔蕴:即张烨芳,字尔蕴,张岱叔父。⑦挟:依傍。樵子:樵夫。⑧摉(sōu):同"搜",搜索,寻找。⑨丁卯:天启七年,公元1627年。⑩需:等待。⑪去:离开。⑫胜期:佳期,美好的时刻。⑬纵:纵使。⑭渠:它,指老虎。⑮踞坐:蹲坐。金简:金质的简册,指道教仙简或帝王诏书。金简石即镌刻仙简或诏书的石头。⑯正望:正圆。每月十五为望。⑰发:表现,显现。光怪:神奇怪异。⑱悄然:寂静的样子。⑲月白:月色皎洁。⑳策杖:拄着拐杖。㉑武:步。㉒嗥(jiào)呼:呼喊。㉓失路:迷路。㉔扶掖:扶持。㉕开山:挖开山上的岩石。临:从上往下看。潊:泛指江河湖海。

[评析]

此文是张岱攀登岩石、夜晚冒险在炉峰看月的历险记,被民间讹传,变成了笑话和闹剧。张岱长于写景和叙事,二者经常完美结合,本文即体现了这一点。先写炉峰的陡峭巉岩之美,接下来引王守仁在大岩石上跳跃的历史故事,自然过渡到二叔和自己或悬而下,或攀而上的惊险行为。随后接上一段时间明确的事情,冒着被虎吃掉的危险在山上看月,因为恐惧,张岱看到的再不是温柔妩媚、朦胧幽雅的夜景,"山中草木都发光怪,悄然生恐",生动地写出了他们此刻战战兢兢的心情。但后文中仆人和山僧的出现马上冲淡了这种恐怖气氛,而百姓误以为晚上有盗贼更使这段经历显得好笑。张岱以谢灵运命众人开山惊动太守事和自己的经历相比附,增加了全文的趣味性,也显示了张岱的博学和敏悟。

湘 湖[①]

西湖,田也而湖之[②],成湖焉;湘湖,亦田也而湖之,不成湖焉。湖西湖者,坡公也,有意于湖而湖之者也;湖湘湖者,任长者也[③],不愿湖而湖之者也。任长者有湘湖田数百顷,称巨富。有术者相其一夜而贫[④],不信。县官请湖湘湖,灌萧山田,诏湖之,而长者之田一夜失,遂赤贫如术者言。今虽湖,尚田也,不下插板,不筑堰,则水立涸;是以湖中水道,非熟于湖者不能行咫尺。游湖者坚欲去[⑤],必寻湖中小船与湖中识水道之人,溯十阔三,鲠咽不之畅焉。湖里外锁以桥,里湖愈佳。盖西湖止一湖心亭为眼中黑子,湘湖皆小阜、小墩、小山乱插水面,四围山趾,棱棱砺砺,濡足入水,尤为奇峭。余谓西湖如名妓,人人得而媟亵之[⑥];鉴湖如闺秀,可钦而不可狎;湘湖如处子,眠娗羞涩[⑦],犹及见其未嫁时也。此是定评,确不可易。

[注释]

①湘湖:杭州钱塘江南岸,与西湖为"姐妹湖"。②田也而湖之:由田改变为湖。③任长者:任氏在明初为杭州萧山县豪族。长者,显贵的人。④有

术者：会相面的人。相：根据相面推测。⑤坚：坚决，一定。⑥媟（xiè）亵：举止亲狎，不庄重。⑦眠娗（tiǎn）：又作"眠䶈"，犹腼腆，含羞。

[评析]

本文描述了湘湖的形成及其区别于西湖的特色。张岱散文中经常有词类活用现象，本文中，"湖"多处被用作动词，特别是"湖西湖者，坡公也，有意于湖而湖之者也；湖湘湖者，任长者也，不愿湖而湖之者也。"连续四次活用为动词，并与作为名词的"湖"相连，加上几个"者也"句式的重复使用，使文句在形式上体现出重叠复沓之美，颇具新奇之感。

柳敬亭说书①

南京柳麻子，黧黑，满面疤癗②，悠悠忽忽③，土木形骸④，善说书。一日说书一回，定价一两。十日前先送书帕下定⑤，常不得空。南京一时有两行情人⑥：王月生、柳麻子是也。

余听其说《景阳冈武松打虎》白文⑦，与本传大异。其描写刻画，微入毫发，然又找截干净⑧，并不唠叨。哱夬声如巨钟⑨，说至筋节处⑩，叱咤叫喊，汹汹崩屋。武松到店沽酒，店内无人，謈地一吼⑪，店中空缸空甓皆瓮瓮有声。闲中着色，细微至此。主人必屏息静坐，倾耳听之，彼方掉舌⑫。稍见下人咕哔耳语，听者欠伸有倦色，辄不言，故不得强。每至丙夜⑬，拭桌剪灯，素瓷静递，款款言之，其疾徐轻重，吞吐抑扬，入情入理，入筋入骨，摘世上说书之耳而使之谛听，不怕其不齰舌死也⑭。

柳麻子貌奇丑，然其口角波俏，眼目流利，衣服恬静，直与王月生同其婉娈⑮，故其行情正等。

[注释]

①柳敬亭：本姓曹名永昌，字葵宇，因犯法外逃改姓柳，名逢春，号敬亭，绰号柳麻子。②疤盘：疤痕。③悠悠忽忽：悠闲懒散，马马虎虎的样子。语出南朝宋刘义庆《世说新语·容止》："刘伶身长六尺，貌甚丑顇，而悠悠忽忽。"④土木形骸：外形像自然的土木一样，指不加修饰的自然面貌。⑤书帕：明代送礼要附上书与帕。下定：付给定金。⑥行情人：身价高、走红的人。⑦白文：说大书（只有说白，不带弹唱）的底本。⑧找截干净：说话简练，干净利落。⑨呦夬：形容声音刚脆。⑩筋节：关键，紧要，扣人心弦的地方。⑪謈（bó）：大喊。⑫掉舌：游说，谈说，演说。⑬丙夜：三更。⑭齰（zé）舌：咬着舌头不说话，或不敢说话，表示羞愧。⑮婉娈：美好。

[评析]

本文介绍了貌丑艺高、性格孤傲的说书艺人柳敬亭。张岱在开篇直接用绰号"柳麻子"称呼他，不是贬义，而是突出柳敬亭的容貌特点。接着用"黧黑，满面疤盘，悠悠忽忽，土木形骸"来形容他，一个又黑又丑、散散漫漫的形象跃然纸上。下文紧接"善说书"三字，便马上转入对其绝妙技艺和清高倔强个性的描写，干净利落。柳敬亭说书不本本主义，而是自由发挥，精彩绝伦，关键处激情高涨，震惊四座。虽然是以卖艺为生，却不许听众有任何哪怕是细微的不敬，体现出他的极端孤傲和自尊，在艺人中实属罕见。张岱准确把握了柳敬亭的相貌和个性特征，并以细致逼真的语言进行了成功的描写，故而此文成为散文史上的名篇。

樊江陈氏橘①

樊江陈氏，辟地为果园②，枸菊围之。自麦为蒟酱③，自秫酿酒④，酒香洌，色如淡金蜜珀，酒人称之⑤。自果自蓛⑥，以蛰乳醴之为冥果⑦。树谢橘百株，青不撷⑧，酸不撷，不树上红不撷，不霜不撷，不连蒂剪不撷。故其所撷，橘皮宽而绽，色黄而深，瓤坚而脆，筋解而脱，味甜而鲜。第四门、陶堰、道墟以至塘栖，皆无其比。余岁必亲至其园买橘，宁迟⑨、宁贵、宁少。购得之，用黄砂缸，藉以金城稻草或燥松毛收之⑩。阅十日，草有润气⑪，又更换之。可藏至三月尽，甘脆如新撷者。枸菊城主人橘百树，岁获绢百匹，不愧木奴⑫。

[注释]

①樊江：在浙江绍兴皋埠镇，相传西汉开国名将樊哙曾居住于此。②辟地：开垦土地。③自麦：自己种麦子。蒟酱：多年生藤本植物，可以做调料用。晋嵇含《南方草木状·蒟酱》："蒟（jǔ）酱，荜茇也。生于蕃国者，大而紫，谓之荜茇；生于番禺者，小而青，谓之蒟焉。可以调食，故谓之酱焉。"④自秫（shú）：自己种黏高粱、黏粟米等易酿酒的植物。⑤称：称美，称扬。⑥蓏（luǒ）：瓜类果实。《周礼·甸师》："共野果蓏之荐。"郑玄注："果，桃李之属；蓏，瓜瓞之属。"⑦螫（shì）乳：蜂蜜。明王志坚《表异录》卷十："蜜谓之螫乳。"醴（lǐ）：使……变甜。冥果：蜂蜜浸过的甜果。⑧撷（xié）：采摘。⑨宁迟：宁可晚些。⑩松毛：松叶如毛，故称松毛。⑪润气：水汽，潮气。⑫木奴：橘树的别称。《三国志·孙休传》："丹阳太守李衡。"裴松之注引晋习凿齿《襄阳记》："（李衡）于武陵龙阳洲上作宅，种甘橘千株。临死，敕儿曰：'汝母恶我治家，故穷如是。然吾州里有千头木奴，不责汝衣食，岁上一匹绢，亦足用耳……'吴末，衡甘橘成，岁得绢数千匹，家道殷足。"后因称柑橘树为木奴。

[评析]

本文是对果中美味樊江陈氏橘的介绍。先写陈氏果园中的其他物种，让人了解到主人精通园艺种植，勤于耕耘，善于利用园中物自创美食的个性特点，有了这个前提条件，才能有甘芳美味的陈氏橘出现。下文介绍的是陈氏橘异于其他橘子的秘诀所在——原来只在采摘处，文中一连说出"五不撷"，可见陈氏标准严格。又连用五个带有虚词"而"的并列句来形容陈氏橘的皮、色、瓤、筋、味，用词准确，节奏鲜明。种橘、采橘固然重要，而张岱藏橘的方法也极妙，从文中来看，用心之细堪与陈氏并提。此文中也有多处名词活用现象，如"自麦为蒟酱，自秫酿酒"，"自果自蔬"，"树谢橘百株"句中，麦、秫、果、蔬、树都属活用，有种植之义。

治沅堂

占有拆字法①。宣和间②，成都谢石拆字，言祸福如响③。钦宗闻之④，书一"朝"字，令中贵人持试之⑤。石见字，端视中贵人曰⑥："此非观察书也⑦。"中贵人愕然。石曰："'朝'字离之为'十月十日'⑧，乃此月此日所生之天人⑨，得非上位耶⑩?"一国骇异。吾越谢文正厅事名"保锡堂"⑪，后易之他姓，主人至，亟去其匾，人问之，曰："分明写'呆人易金堂'。"朱石门为文选署中额"典劇"二字⑫，继之者顾诸吏曰："尔知朱公意乎？此二字离合言之，曰：'曲處曲處，八刀八刀'耳。"⑬歙许相国孙志吉为大理评事⑭，受魏珰指⑮，案卖黄山⑯，势张甚⑰，当道媚之⑱，送一匾曰"大卜于门"⑲。里人夜至，增减其笔划凡三：一曰"天下未闻"；一倒读之曰"阉手下犬"；一曰"太平拿问"。后直指提问⑳，械至太平㉑，果如其言。凡此数者皆有义味㉒。而吾乡缙绅有名"治沅堂"者，人不解其义，问之，笑不答，力究之㉓，缙绅曰："无他意，亦止取'三台三元'之义云耳㉔!"闻者喷饭。

[注释]

①占：占卜。拆字：也称破字、相字、测字，是加减汉字笔画，拆开偏旁或打乱字体结构，加以附会，以推算吉凶的迷信活动。②宣和：北宋徽宗年

号。③如响：像回声一样，形容预测结果准确。④钦宗：宋钦宗赵桓，原名亶，又名烜，徽宗长子，在位两年北宋就灭亡了，与宋徽宗一起被金人掳走。⑤中贵人：皇帝宠幸的近臣。试：考验，试探。⑥端视：目光正视。⑦观察：观察使，州级以上的官名。唐代在不设节度使的区域设观察使，简称"观察"，宋代沿袭下来，但只是虚衔。⑧离：分开，拆开。⑨天人：神人。⑩上位：君主，皇帝。⑪谢文正：名迁，字于乔，号木斋，谥文正。浙江余姚人。成化十一年状元，是明朝重臣，曾任太子少保、兵部尚书、东阁大学士等职务。⑫朱石门：名敬循，字石门，绍兴人，历任礼部郎中、太常少卿、右通政使等。⑬曲處：二字由"典"上半与"劇"左边合成。八刀：由"典"下半与"劇"右边合成。⑭许相国：名许国，字维桢，嘉靖年间进士，万历时期任太子太保，武英殿大学士。志吉：许国的孙子许志吉。大理评事：官名，负责处理刑狱。明代大理寺下设左、右二寺，有寺正、寺副和评事。⑮魏珰（dāng）：指把持朝政的大宦官魏忠贤。珰，汉代宦官充当武职，其冠用珰和貂尾为饰物，后"珰"借指宦官。⑯案：通"按"，审理，查办。卖黄山：又名"吴养春私占黄山木植案"，是诬陷徽商吴养春父子的案件，与"汪文言案""吴怀贤案"合称"明末徽州三大冤狱"。《明史》卷三百五《魏忠贤传》有记载："编修吴孔嘉与宗人吴养春有仇，诱养春仆，告其主隐占黄山，养春父子瘐死。忠贤遣主事吕下问、评事许志吉先后往徽州籍其家，株蔓残酷。知府石万程不忍，弃官去。徽州几乱。"⑰张甚：非常张狂。⑱当道：掌权的人。媚：献媚。⑲大（tài）卜：掌管卜筮的官员。《史记·龟策列传》："臣往来长安中，求《龟策列传》不能得，故之大卜官，问掌故文学长老习事者，写取龟策卜事，编于下方。"这里恭维许志吉断案如神，像占卜灵验一样。⑳提问：传讯审问。㉑械：拘禁，带枷锁。太平：安徽太平县。㉒义味：意义和情趣。㉓力究：极力追究、询问。㉔三台：即三公，古代中央机构三种最高官衔的合称，明代沿周制，以太师、太傅、太保为三公。三元：即乡试第一称为解元，省试第一为会元，殿试第一为状元，合称三元。

[评析]

与拆字算命相关的奇闻很多，张岱选取了与帝王达官有关的几件，表现拆字法的预测准确，令人惊奇。张岱欣赏的拆字故事不是无原则的，他在文中说"凡此数者皆有义味"，也就是有韵味可寻。接下来举了一个"治沅堂"的例子，缙绅之家题匾不顾其他，只希望高官高中，张岱就此讽刺其拆字无品味，粗俗可笑。

虎丘中秋夜

虎丘八月半，土著流寓①、士夫眷属②、女乐声伎、曲中名妓戏婆、民间少妇好女③、崽子娈童及游冶恶少、清客帮闲、傒僮走空之辈④，无不鳞集⑤。自生公台、千人石、鹅涧、剑池、申文定祠下⑥，至试剑石、一二山门⑦，皆铺毡席地坐，登高望之，如雁落平沙，霞铺江上。

天暝月上⑧，鼓吹百十处，大吹大擂，十番铙钹⑨，渔阳掺挝⑩，动地翻天，雷轰鼎沸，呼叫不闻。更定，鼓铙渐歇⑪，丝管繁兴⑫，杂以歌唱，皆"锦帆开，澄湖万顷"同场大曲⑬，蹲踏和锣丝竹肉声⑭，不辨拍煞。更深，人渐散去，士夫眷属皆下船水嬉，席席征歌，人人献技，南北杂之，管弦迭奏，听者方辨句字，藻鉴随之⑮。二鼓人静，悉屏管弦⑯，洞箫一缕⑰，哀涩清绵，与肉相引⑱，尚存三四，迭更为之⑲。三鼓，月孤气肃，人皆寂阒⑳，不杂蚊虻。一夫登场，高坐石上，不箫不拍，声出如丝，裂石穿云，串度抑扬㉑，一字一刻。听者寻入针芥㉒，心血为枯，不敢击节，惟有点头。然此时雁比而坐者，犹存百十人焉。使非苏州㉓，焉讨识者㉔！

[注释]

①土著：世代居住此地的人。流寓：因各种原因到他乡居住的人。②眷属：家属，亲属。③好女：美女。④走空：行骗。⑤鳞集：聚集，群集。⑥申文定：名时行，字汝默，文定为谥号。苏州长洲县人。嘉靖四十一年状元，历

陶庵梦忆 129

任太子太师、吏部尚书、中极殿大学士、内阁首辅等职。⑦山门：道观或寺院。⑧瞑：昏暗。⑨十番：器乐合奏名，用鼓、笛、木鱼等十种乐器轮番演奏，兴起于明代万历时期。⑩渔阳掺挝：鼓曲名。南朝宋刘义庆《世说新语·言语》："祢衡被魏武谪为鼓吏，正月半试鼓，衡扬枹为《渔阳掺挝》，渊渊有金石声，四座为之改容。"⑪歇：停止。⑫繁兴：兴起非常多。⑬"锦帆开，澄湖万顷"：都出自传奇《浣纱记》。大曲：有器乐伴奏的大型歌舞戏曲，这里指传奇。⑭蹲踏：议论纷纷。宋罗大经《鹤林玉露》卷十四评杜甫诗"独鹤归何晚，昏鸦已满林"："似兴君子寡而小人多，君子凄凉零落，小人蹲沓喧竞，其形容精矣。"⑮藻鉴：品藻、鉴别。⑯悉：全部。⑰洞箫：简称箫。箫用竹管编排而成，因此称为排箫。排箫一般用蜡蜜封底，没有封底的称为洞箫，后来人们又以单管直吹、正面五孔、背面一孔的为洞箫，它的发音特色是清幽凄婉。⑱肉：歌声。相引：相互为引，也就是交替进行。⑲迭更：更替，替换。⑳寂阒（qù）：寂静。㉑串：表演。度：按照曲谱表演。㉒寻：随着，循着。㉓使非：如果不是。㉔焉讨：哪里找。识者：通音乐的人，知音。

[评析]

本文描绘了苏州虎丘中秋民间游乐的盛况。先列举了各类人物，继而是虎丘各景点名称，以"雁落平沙，霞铺江上"形容逗留在各处的人之多且装扮入时，衣衫靓丽，极为恰切。本文重点在夜间的声乐上，一场不需召唤约定、自然云集响应的大型音乐会在夜幕降临时开始，时辰变换，演奏的乐器也随之变更，越是夜深，乐器的格调越清，唱者逐渐增多，到了半夜彻底转为清唱时，虎丘中秋夜的品味也达到了极点，而张岱此处描写尤为传神，唱者"声出如丝，裂石穿云，串度抑扬，一字一刻"，"听者寻入针芥，心血为枯，不敢击节，惟有点头"。生动地展现了唱者极度投入和听者如痴如醉的状态。

麋　公

万历甲辰①，有老医驯一大角鹿②，以铁钳其趾，设鞚鞯其上③，用笼头衔勒④，骑而走，角上挂葫芦药瓮，随所病出药，服之辄愈。家大人见之喜⑤，欲售其鹿⑥，老人欣然，肯解以赠，大人以三十金售之。五月朔日⑦，为大父寿，大父伟硕⑧，跨之走数百步⑨，辄立而喘，常命小傒笼之，从游山泽。次年，至云间⑩，解赠陈眉公⑪。眉公羸瘦⑫，行可连二三里⑬，大喜。后携至西湖六桥⑭、三竺间⑮，竹冠羽衣⑯，往来于长堤深柳之下，见者啧啧，称为"谪仙"。后眉公复号"麋公"者⑰，以此。

[注释]

①万历甲辰：万历三十二年，公元1604年。②角鹿：有角的鹿，一般指雄鹿。③鞼（guì）：有花纹的皮革。韅（xiǎn）：马背或马肚上的皮带。④衔勒：嚼口和络头。⑤家大人：对他人称自己的父亲。⑥售：买。⑦朔日：初一。⑧伟硕：身材高大。⑨跨：骑着。⑩云间：松江的别称。⑪陈眉公：名继儒，号空青、眉公、麋公、白石山樵，以诗文、书画而闻名，与张岱祖父友善。⑫羸瘦：瘦弱，瘦瘠。⑬连：持续，连续。⑭六桥：苏轼在西湖外湖苏堤上建有映波、锁澜、望山、压堤、东浦、跨虹六桥。西湖里湖也有六桥：环璧、流金、卧龙、隐秀、景行、浚源，明代杨孟瑛建。⑮三竺：杭州灵隐山飞来峰东南的天竺山有上天竺、中天竺、下天竺三座寺院，合称"三天竺"，简称"三竺"。⑯竹冠：新生竹皮做的冠，是汉高祖刘邦创制的。羽衣：羽毛做的衣服，常指道士或神仙所穿的衣服。⑰复号：又给自己取号。

[评析]

此文记叙家中驯养过的一头麋鹿。麋鹿本是一位江湖郎中的坐骑，角上悬挂着药葫芦，治好了很多人，张岱的父亲因此认为它是吉祥之物，重金买下给张岱的祖父做生日礼物。后来麋鹿又被祖父送给了他的朋友陈继儒，而陈的体重麋鹿恰可以承受，可谓有缘。陈继儒凭着麋鹿，被人看作神仙，传为雅事。张岱此文纯为写实，但语言生动不呆板，没有多加修饰却不朴拙，体现了深厚的文字功底。

扬州清明

扬州清明日,城中男女毕出,家家展墓①。虽家有数墓,日必展之。故轻车骏马,箫鼓画船,转折再三,不辞往复。监门小户亦携肴核纸钱,走至墓所,祭毕,则席地饮胙②。自钞关南门、古渡桥、天宁寺、平山堂一带,靓妆藻野,袨服缛川③。随有货郎,路旁摆设古董古玩并小儿器具。博徒持小杌坐空地④,左右铺袒衫半臂⑤,纱裙汗帨⑥,铜炉锡注⑦,瓷瓯漆奁⑧,及肩甗鲜鱼⑨、秋梨福橘之属⑩。呼朋引类,以钱掷地⑪,谓之"跌成";或六或八或十,谓之"六成""八成""十成"焉。百十其处,人环观之⑫。

是日,四方流离及徽商西贾、曲中名妓,一切好事之徒,无不咸集⑬。长塘丰草,走马放鹰;高阜平冈,斗鸡蹴踘;茂林清樾,劈阮弹筝⑭。浪子相扑⑮,童稚纸鸢⑯,老僧因果⑰,瞽者说书⑱,立者林林⑲,蹲者蛰蛰⑳。日暮霞生,车马纷沓。宦门淑秀,车幕尽开,婢媵倦归,山花斜插,臻臻簇簇㉑,夺门而入。

余所见者,惟西湖春、秦淮夏、虎丘秋,差足比拟。然彼皆团簇一块,如画家横披;此独鱼贯雁比,舒长且三十里焉,则画家之手卷矣。南宋张择端作《清明上河图》,追摹汴京景物,有西方美人之思㉒,而余目盱盱,能无梦想!

[注释]

①展墓:扫墓祭祀。②饮胙(zuò):把祭祀用的食品吃掉。胙,祭祀用的酒肉。③靓妆藻野:靓丽的装束装饰了郊野。袨服缛川:艳丽的服饰使平川变得华缛。这两句是直接引用,见南朝宋颜延之《三月三日曲水诗序》:"靓庄藻野,袨服缛川。"④博徒:赌博的人。小杌(wù):小凳子。⑤左右:左

侧和右侧的人。铺：设置，铺排。祂（nì）衫：内衣，贴身的衣衫。半臂：没有袖子或断袖衣衫。⑥汗帨：汗巾子，擦汗用的佩巾。⑦注：像碗一样的酒具。⑧漆奁：涂漆的盒子。⑨肩髃：猪肘子。⑩福橘：福建产的橘子。⑪掷地：扔在地上。⑫环观：围观。⑬咸集：都聚集在一起。⑭阮：阮咸，简称"阮"，是弦乐器。形状略像月琴，柄长而直，四弦有柱。相传是晋代阮咸创制，因而得名。唐刘𫗧《隋唐嘉话》卷下："元行冲宾客为太常少卿，有人于古墓中得铜物，似琵琶而身正圆，莫有识者。元视之曰：'此阮咸所造乐具。'乃令匠人改以木，为声甚清雅，今呼为'阮咸'是也。"⑮浪子：豪放不羁的人。相扑：摔跤，古代称角抵。⑯纸鸢（yuān）：俗称鹞子，又称风筝。⑰因果：因与果，这里代指佛法。⑱瞽（gǔ）者：盲人。⑲林林：众多的样子。⑳蛰蛰：众多的样子。㉑臻臻簇簇：聚集簇拥的样子。㉒西方美人之思：化用《诗经·简兮》中的语句："山有榛，隰有苓。云谁之思？西方美人。彼美人兮，西方之人兮。"

[评析]

张岱此文叙写了扬州清明日的风俗，他在卷末说看到扬州清明的情形，情不自禁地想起南宋张择端的《清明上河图》，而他在本文中所写，可谓是对《清明上河图》的描述和解说。清明是祭祀日，扬州人重祭祀，但更重娱乐，而张岱也顺其自然，重在写祭祀之后的娱乐活动，赌徒、商贩、浪子、闺秀、儿童、僧人、艺人等各类人物俱全，斗鸡、踢球、相扑、放风筝、弹奏、说书等各种活动都浓缩到一起。文中用了大量的四字句，语言精练，节奏和谐，真乃一幅生动活泼的风俗画卷。

金山竞渡①

看西湖竞渡十二三次，己巳竞渡于秦淮②，辛未竞渡于无锡③，壬午竞渡于瓜州④，于金山寺。西湖竞渡，以看竞渡之人胜⑤，无锡亦如之。秦淮有灯船无龙船，龙船无瓜州比⑥，而看龙船亦无金山寺比。瓜州龙船一二十只，刻画龙头尾，取其怒⑦；旁坐二十人持大楫⑧，取其悍⑨；中用彩篷，前后旌幢绣伞⑩，取其绚；撞钲挝鼓⑪，取其节；艄后列军器一架⑫，取其锷⑬；龙头上一人足倒竖，战敠其上⑭，取其危；龙尾挂一小儿，取其险。自五月初一至十五，日日画地而出⑮。五日出金山，镇江亦出。惊湍跳沫，群龙格斗，偶堕洄涡，则蚫捷挫⑯，蟠委出之⑰。金山上人团簇，隔江望之，蚁附蜂屯⑱，蠢蠢欲动⑲。晚则万艓齐开⑳，两岸沓沓然而沸。

[注释]

①竞渡：南方在端午节前后盛行的民俗活动，划龙舟比赛。②己巳：崇祯二年，公元1629年。③辛未：崇祯四年，公元1631年。④壬午：崇祯十五年，公元1642年。⑤胜：优越，美好。⑥无瓜州比：比不过瓜州。⑦取：选取。怒：威武。⑧大楫：长长的船桨。⑨悍：强劲。⑩幢（chuáng）：垂筒形，饰有羽毛、锦绣的旌旗。⑪钲：一种形圆如铜锣的乐器，悬挂起来击打。挝（zhuā）：敲打。⑫艄：船尾。军器：军用的枪、鼓等器具。⑬锷：刀剑的锋刃，这里是锋利的意思。⑭战（diān）敠（duó）：原指用手估量物体的轻重，这里形容人倒立时手不断地动，以掌握平衡。⑮画地：划界限。⑯蚫：一种水生动物，又称龟足，有石灰质的壳，体形如龟脚，多固着在高潮附近的岩缝里，肉可食用。捷挫：迅速抓住。整句意思是龙船不慎卷入旋涡，船上的人迅速牢牢地抓住岩石，像寄生在上面的蚫一样。⑰蟠委：环绕。出之：从旋涡中出去。⑱蚁附蜂屯：像蚂蚁、蜂类一样聚集，形容人多。⑲蠢蠢欲动：像虫子一样蠕蠕地动。⑳艓（dié）：小船。

[评析]

此文描写的是在瓜州金山寺看龙船竞渡的壮观场面。先不写瓜州，而写西湖、秦淮和无锡竞渡的特点，做一个铺垫，然后转折，说瓜州龙船水平最高，最好看。下面是对瓜州龙船的描写，气势充足，修饰亮丽，设置惊险，别具特色，故着墨最多。至于竞渡的时间、过程、观众及竞赛日的晚景，则转为浓缩式叙述，可谓有张有弛，详略得当。

刘晖吉女戏①

女戏以妖冶恕②，以啴缓恕③，以态度恕④，故女戏者全乎其为恕也。若刘晖吉则异是⑤。刘晖吉奇情幻想，欲补从来梨园之缺陷⑥。如《唐明皇游月宫》，叶法善作⑦，场上一时黑魆地暗，手起剑落，霹雳一声，黑幔忽收，露出一月，其圆如规，四下以羊角染五色云气⑧，中坐常仪⑨，桂树吴刚，白兔捣药。轻纱幔之，内燃"赛月明"数株，光焰青藜⑩，色如初曙，撒布成梁，遂蹑月窟⑪，境界神奇，忘其为戏也。其他如舞灯，十数人手携一灯，忽隐忽现，怪幻百出，匪夷所思⑫，令唐明皇见之，亦必目睁口开，谓氍毹场中那得如许光怪耶⑬！彭天锡向余道："女戏至刘晖吉，何必男子！何必彭大！"天锡曲中南、董⑭，绝少许可⑮，而独心折晖吉家姬⑯，其所鉴赏，定不草草⑰。

[注释]

①刘晖吉：名光斗，江苏武进人。天启年间举人，曾任大理寺丞。②恕：推己及物，忖我以度人。此言演员对角色的揣摩与表现。③啴（chǎn）缓：和缓，舒缓。④态度：气势，姿态。⑤异是：与此不同。⑥从来：历来，向来，一直以来。⑦叶法善：唐代名道士，曾拜鸿胪卿，封越国公。这里是扮演叶法善的人。作：起身。⑧羊角：羊角灯。染：染色，着色。⑨常仪：嫦娥。"仪"与"娥"古代同音通用。⑩青藜：青黑色。⑪月窟：月宫，月亮。⑫匪夷所思：不是根据常理能想象到的。⑬氍（qú）毹（yú）：毛毯，演剧用红氍毹铺地，因代称歌舞场、舞台。氍毹场即歌舞场。⑭南、董：春秋时齐国史官南史、晋国史官董狐皆以直笔不讳著称，并称南董。这里指彭天锡能客观公正

地评价。⑮绝少：极少。许可：认可，肯定。⑯心折：从心里折服，真的佩服。⑰草草：粗率，草率。

[评析]

本文描写了刘晖吉家女戏突破传统、与众不同的特色。传统女戏以舒缓、艳冶、轻盈见长，但是精于戏曲之道的刘晖吉决意出新，训练自家女戏演出刚健、明快的风格，令行家也心服口服。这个故事展现了在俗文学繁荣的文化大背景下，明末士大夫对戏曲的钟爱和沉迷。

朱楚生

朱楚生，女戏耳①，调腔戏耳②。其科白之妙③，有本腔不能得十分之一者。盖四明姚益城先生精音律，尝与楚生辈讲究关节，妙入情理，如《江天暮雪》《霄光剑》《画中人》等戏，虽昆山老教师细细摹拟，断不能加其毫末也④。班中脚色，足以鼓吹楚生者方留之⑤，故班次愈妙⑥。楚生色不甚美⑦，虽绝世佳人，无其风韵。楚楚谡谡⑧，其孤意在眉⑨，其深情在睫，其解意在烟视媚行⑩。性命于戏⑪，下全力为之。曲白有误，稍为订正之，虽后数月，其误处必改削如所语⑫。

楚生多坐驰⑬，一往深情，摇飏无主。一日，同余在定香桥，日晡烟生，林木窅冥，楚生低头不语，泣如雨下，余问之，作饰语以对⑭。劳心忡忡，终以情死。

[注释]

①耳：语气词，无意义。②调腔：也叫掉腔，新昌高腔，明代后期流行于杭州、绍兴一带。③科白：角色的动作和道白。④断：绝对。毫末：毫毛的末端，比喻极细微。⑤鼓吹：宣扬，宣传。⑥班次：排列的等级。⑦色：容

貌。⑧楚楚：严肃，端庄。谡（sù）谡：刚劲严峻。楚楚谡谡形容高雅不俗。⑨孤意：孤高的情感。⑩烟视：烟眼注视，烟眼是像烟雾笼罩着的初春柳叶一样的美目。媚行：缓步徐行。⑪性命于戏：把戏看作生命。⑫改削：删改。⑬坐驰：静坐遐想。⑭饰语：掩饰的话。

[评析]

本文记载了名伶朱楚生的凄婉一生。朱楚生在张岱散文中曾多次出现，可见张岱对她的喜爱，而此文则是对她的专门叙写。朱楚生姿色虽然不是很美，但是她心存以戏剧为生命的理念，全心练习，倾力表演，可钦可佩。可惜的是名花无主，身为下贱，致使她郁郁而死，张岱深感同情而无力相助，在文中流露了无限的怅惋。

扬州瘦马①

扬州人日饮食于瘦马之身者②，数十百人。娶妾者切勿露意③，稍透消息，牙婆驵侩④，咸集其门，如蝇附膻⑤，撩扑不去。

黎明，即促之出门⑥，媒人先到者先挟之去，其余尾其后，接踵伺之⑦。至瘦马家，坐定⑧，进茶，牙婆扶瘦马出，曰："姑娘拜客。"下拜。曰："姑娘往上走。"走。曰："姑娘转身。"转身向明立⑨，面出。曰："姑娘借手睄睄⑩。"尽褫其袂⑪，手出、臂出、肤亦出。曰："姑娘睄相公。"转眼偷觑⑫，眼出。曰："姑娘几岁？"曰几岁，声出。曰："姑娘再走走。"以手拉其裙，趾出⑬。然看趾有法，凡出门裙幅先响⑭，必大；高系其裙，人未出而趾先出者，必小。曰："姑娘请回。"一人进，一人又出。看一家必五六人，咸如之。看中者，用金簪或钗一股插其鬓，曰"插带"。看不中，出钱数百文，赏牙婆或赏其家侍婢，又去看。

牙婆倦，又有数牙婆踵伺之。一日、二日至四五日，不倦亦不尽，然看至五六十人，白面红衫，千篇一律，如学字者，一字写至百至千，连此字亦不认得矣。心与目谋，毫无把柄⑮，不得不聊且迁就，定其一人。

"插带"后，本家出一红单，上写彩缎若干，金花若干，财礼若干，布匹若干，用笔蘸墨，送客点阅⑯。客批财礼及缎匹如其意，则肃客归。归未抵寓，而鼓乐盘担⑰、红绿羊酒在其门久矣⑱。不一刻，而礼币⑲、糕果俱齐，鼓乐导之去。去未半里，而花轿花灯、擎燎火把、山人傧相⑳、纸烛供果牲醴之属㉑，门前环侍。厨子挑一担至，则蔬果、肴馔汤点、花棚糖饼、桌围坐褥、酒壶杯箸、龙虎寿星、撒帐牵红㉒、小唱弦索之类，又毕备矣。不待复命㉓，亦不待主人命，而花轿及亲送小轿一齐往迎，鼓乐灯燎，新人轿与亲送轿一时俱到矣。新人拜堂，亲送上席，小唱鼓吹，喧阗热闹。日未午而讨赏遽去，急往他家，又复如是。

[注释]

①瘦马：旧时，扬州土豪地痞贱价收买贫家童女，教以歌舞、琴棋、书画诸技艺，又以高价转卖给四方官绅、商贾做小妾，俗称"瘦马"。如贩马者养瘦马为肥，而得善价。②饮食：靠……生活。③露意：露出意图。④牙婆：牙嫂，媒婆或介绍人口买卖的妇女。⑤如蝇附膻：像苍蝇叮在腥肉上一样。⑥之：代词，指要娶妾的人。⑦伺：等待。⑧坐定：坐好，坐稳。⑨向明立：向明亮的地方站立。⑩睄（qiáo）睄：瞧瞧。⑪尽褫（chǐ）：全解下，全扯开。⑫偷觑（qù）：偷看。⑬趾：脚。⑭裙幅：裙子的分幅。⑮把柄：主意。⑯点阅：批点查阅。⑰盘担：内装盘馔的礼担。⑱羊酒：羊和酒，也泛指赏赐或馈赠之物。⑲礼币：馈赠的物品。⑳山人：卜卦、算命等江湖术士。傧相：婚礼时赞礼的人。㉑牲醴：祭祀用的牲肉和甜酒。㉒撒帐：新婚夫妇交拜之后并坐在床沿，妇女向帐中和四周撒掷金钱彩果，谓之撒帐，有祈子的寓意。㉓复

命：完成任务后上报。

[评析]

　　此文是对扬州纳妾陋俗的描写。纳妾没有正经渠道，靠媒人的胡乱撮合。女方的父母也不顾及女儿的幸福，只在意礼单的轻重。半天之内，从相亲，到定亲，送彩礼，迎亲，匆匆就完成了。那些不能掌握自己命运的女孩如同市场上贩卖的牛马，就这样糊里糊涂、无可奈何地葬送了自己的青春和幸福。张岱写这篇散文，抨击了扬州当地的婚姻恶俗，讽刺了以此谋生的媒人唯利是图的本色，表现出对那些可怜少女的无限同情。

卷 六

彭天锡串戏①

彭天锡串戏妙天下,然出出皆有传头②,未尝一字杜撰。曾以一出戏,延其人至家③,费数十金者,家业十万缘手而尽④。三春多在西湖⑤,曾五至绍兴,到余家串戏五六十场,而穷其技不尽⑥。

天锡多扮丑净⑦,千古之奸雄佞幸⑧,经天锡之心肝而愈狠,借天锡之面目而愈刁,出天锡之口角而愈险。设身处地,恐纣之恶不如是之也。皱眉视眼,实实腹中有剑,笑里有刀,鬼气杀机,阴森可畏。盖天锡一肚皮书史,一肚皮山川,一肚皮机械⑨,一肚皮磊砢不平之气,无地发泄,特于是发泄之耳。余尝见一出好戏,恨不得法锦包裹⑩,传之不朽;尝比之天上一夜好月,与得火候一杯好茶⑪,只供一刻受用,其实珍惜之不尽也。桓子野见山水佳处⑫,辄呼"奈何!奈何!"真有无可奈何者,口说不出。

[注释]

①彭天锡:江苏金坛人,明末著名戏曲演员。②出:折,一出指戏曲传奇中的一个段落,也指一个独立剧目。传头:来源。③延:延请。④缘手:随手。⑤三春:春季的三个月,正月孟春,二月仲春,三月季春。⑥穷:彻底推求。⑦丑:传统戏曲角色。鼻梁上抹有一小块白粉,俗称"小花脸",因所扮人物性格、身份的不同分为文丑和武丑。净:俗称"花脸""花面"。扮演对象是性格、品质或相貌特异的男性。在剧中地位较高,举止稳重,表演上着重唱功的净角称为大花脸;举止不够庄重,类似丑角的称为副净,又称二花脸、架子花。丑角即小花脸与净角的大花脸、二花脸并称"三花脸"。⑧佞幸:以谄媚而得到君王宠幸的大臣。⑨机械:灵巧,机巧。⑩法锦:西南少数民族地区出产的一种丝织品。⑪得火候:恰到火候。⑫桓子野:桓伊,字叔夏,小字子野,东晋军事家,喜欢音乐,善笛。《世说新语》第二十三《任诞》:"桓子野每闻清歌,辄唤奈何。谢公闻之曰'子野可谓一往有深情'。"

[评析]

本文写彭天锡对戏剧的痴迷和演戏之妙。彭天锡作为一个贵家子弟,不用心经营家业,沉迷于戏剧,挥金如土,导致家道中落,令人慨叹,但其艺术水平确实值得欣赏。张岱在文中指出彭天锡演戏的几个特点:不乱编造一字,擅长饰演反面角色,演技无人可比。彭天锡为何会达到如此境界?张岱的答案是博学而不遇,故此文虽以表现彭天锡的技艺为主,同时也揭露了明末奸佞当权,文人抱负不得伸展的黑暗现实。

目莲戏①

余蕴叔演武场搭一大台②,选徽州旌阳戏子剽轻精悍③、能相扑跌打者三四十人,搬演目莲④,凡三日三夜。四围女台百什座⑤,戏子献技台上,如度索舞絚⑥、翻桌翻梯、觔斗蜻蜓⑦、蹬坛蹬臼、跳索跳圈、窜火窜剑之类，大非情理。凡天神地祇、牛头马面、鬼母丧门、夜叉罗刹、锯磨鼎镬⑧、刀山寒冰、剑树森罗、铁城血澥⑨，一似吴道子《地狱变相》，为之费纸札者万钱，人心惴惴，灯下面皆鬼色⑩。戏中套数⑪，如《招五方恶鬼》《刘氏逃棚》等剧，万余人齐声呐喊。熊太守谓是海寇卒至⑫，惊起，差衙官侦问，余叔自往复之⑬，乃安。台成，叔走笔书二对。一曰："果证幽明，看善善恶恶随形答响，到底来那个能逃？道通昼夜，任生生死死换姓移名，下场去此人还在。"一曰："装神扮鬼，愚蠢的心下惊慌，怕当真也是如此。成佛作祖，聪明人眼底忽略⑭，临了时还待怎生⑮？"真是以戏说法。

[注释]

①目莲：即目连，摩诃目犍连的简称。出身于婆罗门，是释迦牟尼十大弟子之一，神通广大，能飞到兜率天。目连母亲死后堕入饿鬼道中，他以神力救出了母亲，《目连戏》叙述的就是他救母的故事。②演武场：练习武艺的地方。③戏子：旧时称职业戏曲演员，含轻视意。④搬演：把戏剧搬上舞台或场子上演出。⑤女台：高高低低的戏台。⑥舞絚（gēng）：杂技，在绳索上走。⑦觔（jīn）斗：翻跟头。⑧锯磨鼎镬：用锯锯，用炊具鼎镬煮。⑨血澥：血海。⑩鬼色：不正常的脸色。⑪套数：也称"套曲"，指多种曲调互相连贯，有首有尾，组成一套。⑫卒至：突然袭来。⑬自往：亲自去。复：答复，回复。⑭眼底：眼前，现在。忽略：不在意，不在乎。⑮临了：临终，到最后。怎生：怎么办，如何。

[评析]

此文描写了张岱叔父主持的一场大戏《目连戏》，戏子之多，延续之长，演技之精，情节之胜，破费之多，都令人惊叹。张岱描写观众的表情说"灯下面皆鬼色"，极为生动恰切。观众大声叫好，惊动了太守，也从侧面烘托了场上的精彩，表现角度可谓多样。

甘文台炉

香炉贵适用，尤贵耐火。三代青绿①，见火即败坏②，哥、汝窑亦如之③。便用便火，莫如宣炉。然近日宣铜一炉价百四五十金，焉能办之？北铸如施银匠亦佳④，但粗夯可厌。苏州甘回子文台⑤，其拨蜡范沙⑥，深心有法，而烧铜色等分两，与宣铜款致分毫无二，俱可乱真；然其与人不同者，尤在铜料。甘文台以回回教门不崇佛法⑦，乌斯藏渗金佛，见即锤碎之，不介意，故其铜质不特与宣铜等⑧，而有时实胜之。甘文台自言佛像遭劫已七百尊有奇矣。余曰："使回回国别有地狱⑨，则可。"

[注释]

①青绿：青铜器。②败坏：损坏，破败。③哥、汝窑：哥窑和汝窑，都是宋代著名的瓷窑。哥窑瓷以胎细质白著称，窑址在今浙江龙泉市华琉山，因南宋章生一、生二兄弟在山下各主一窑，故生一所制瓷号哥窑，生二所制瓷号弟窑。④北铸：北京所铸宣炉仿制品。施银匠：工匠施念峰。⑤甘回子文台：甘文台，明末仿制宣德炉的著名工匠。回子，回族人。⑥拨蜡范沙：铸作方法。先刻蜡模，外面用沙泥作范，熔炼金属，注入沙范而成铸器。⑦回回教门：伊斯兰教。⑧不特：不但，不仅。等：一样，相同。⑨别有：另外有。

[评析]

本文介绍了制炉名匠甘文台。文中先指出夏商周三代的香炉古董、著名的哥窑和汝窑的香炉都不耐火，宣德炉又太贵，而其余香炉造型不佳的市场现状，为突出甘文台炉的优长做了一个良好铺垫。接下来又先道出甘文台炉与宣德炉的相同之处，继之以转折，简要说明特异之处在于铜料。下文给出来的是解释，原来甘文台是伊斯兰教徒，故敢于锤碎佛像来制造香炉。张岱喜欢研究事理，每类技艺必寻根究底，本文仍体现了他的这种精神。

绍兴灯景

绍兴灯景为海内所夸者无他①，竹贱、灯贱、烛贱。贱，故家家可为之；贱，故家家以不能灯为耻。故自庄逵以至穷檐曲巷②，无不灯、无不棚者。棚以二竿竹搭过桥，中横一竹，挂雪灯一③，灯球六④。大街以百计，小巷以十计。从巷口回视巷内，复迭堆垛，鲜妍飘洒，亦足动人。十字街搭木棚，挂大灯一，俗曰"呆灯"，画《四书》《千家诗》故事，或写灯谜，环立猜射之。庵堂寺观以木架作柱灯及门额，写"庆赏元宵""与民同乐"等字。佛前红纸荷花琉璃百盏，以佛图灯带间之⑤，熊熊煜煜⑥。庙门前高台，鼓吹五夜。市廛如横街轩亭、会稽县西桥，闾里相约，故盛其灯，更于其地斗狮子灯，鼓吹弹唱，施放烟火，挤挤杂杂。小街曲巷有空地，则跳大头和尚，锣鼓声错，处处有人团簇看之。城中妇女多相率步行，往闹处看灯；否则，大家小户杂坐门前，吃瓜子、糖豆，看往来士女，午夜方散。乡村夫妇多在白日进城，乔乔画画⑦，东穿西走，曰"钻灯棚"，曰"走灯桥"，天晴无日无之。万历间，父叔辈于龙山放灯，称盛事，而年来有效之者⑧。次年，朱相国家放灯塔山⑨。再次年，放灯蕺山⑩。蕺山以小户效颦，用竹棚，多挂纸魁星灯⑪。有轻薄子作口号嘲之曰："蕺山灯景实堪夸，筲篆竿头挂夜叉⑫。若问搭彩是何物，手巾脚布神袍纱。"由今思之，亦是不恶。

[注释]

①无他：没有别的。②庄逵：城中的大道。③雪灯：用雪制作的灯。

④灯球：圆球一样的彩灯。宋孟元老《东京梦华录·元宵》："两朵楼各挂灯球一枚，约方圆丈余，内燃椽烛。"⑤佛图：即浮屠，佛塔。⑥熊熊煜煜：火光明亮旺盛的样子。⑦乔乔画画：装扮，打扮，化妆。⑧效：效仿。⑨塔山：又名怪山、飞来山、龟山等，在绍兴。⑩蕺（jí）山：又名王家山，山中多产蕺草即鱼腥草。⑪魁星：主宰文运的神，本是二十八宿之一的"奎星"。东汉纬书《孝经援神契》中有"奎主文章"之说，后世附会为神，参加科举考试的文士经常去庙宇祭祀，祈求保佑自己考中，于是"奎星"被改为"魁星"。⑫觳（hú）簌（xiǎo）：竹子。

[评析]

　　本文是对绍兴灯景的美好回忆。绍兴因为制灯原料便宜，所以放灯活动兴盛。本文可分为两部分，前一部分是对整个绍兴灯景的描述，从大街小巷、庵堂寺观到市中闾里，从灯之设计、盛况到锣鼓喧嚣的娱乐活动，再到各类看灯人，包括城中妇女、大家小户、乡村夫妇，展现了一幅生动活泼的风俗画卷。后半部分转到自家放灯和其他富贵家效颦的故事，从结尾"由今思之，亦是不恶"，可见张岱对往昔繁华生活的留恋，对如今萧条景况的怅惘。

韵　山

　　大父至老，手不释卷，斋头亦喜书画①、瓶几布设。不数日，翻阅搜讨，尘堆砚表②，卷帙正倒参差③。常从尘砚中磨墨一方，头眼入于纸笔④，潦草作书生家蝇头细字⑤。日晡向晦⑥，则携卷出帘外，就天光爇烛⑦，檠高光不到纸⑧，辄倚几携书就灯，与光俱俯，每至夜分，不以为疲。常恨《韵府群玉》《五车韵瑞》寒俭可笑⑨，意欲广之。乃博采群书，用淮南"大小山"义，摘其事曰《大山》⑩，摘其语曰《小山》，事语已详本韵而偶寄他韵下曰《他山》，脍炙人口者曰《残山》，总名之曰《韵山》。小字襞积[11]，烟煤残楮[12]，厚如砖块者三百余本。一韵积至十余本，《韵府》《五车》不啻千倍之矣[13]。正欲成帙，胡仪部青莲携其尊人所出中秘书[14]，名《永乐大典》者，与《韵山》正相类，大帙三十余本[15]，一韵中之一字犹不尽焉。大父见而太息曰："书囊无尽，精卫衔石填海[16]，所得几何！"遂辍笔而止。以三十年之精神，使为别书，其博洽应不在王弇州[17]、杨升庵下[18]。今此书再加三十年，亦不能成，纵成亦力不能刻。笔冢如山[19]，只堪覆瓿[20]，余深惜之。丙戌兵乱[21]，余载往九里山，藏之藏经阁，以待后人。

[注释]

①斋头：书斋。②尘堆：灰尘堆满。砚表：砚台表面。③卷帙：书籍。④头眼：指神情。⑤潦草：不工整。书生家：以抄写为生的人。⑥日晡向晦：下午三点到黄昏。⑦天光：太阳光。爇（ruò）烛：烘烤，炎热。⑧檠（qíng）：同"擎"，高举，托着。⑨寒俭：此处指书籍内容单薄。⑩摘：摘录。⑪襞（bì）积：堆积，重叠。⑫烟煤残楮（chǔ）：写有字的残破纸张。烟煤，墨。楮，楮树皮可制成纸，所以"楮"代称纸张。⑬不啻：不止，何止。⑭仪部：对礼部主事和郎中的别称。尊人：对他人父母的敬称。中秘书：宫廷珍藏的书籍。⑮大帙：装订成大本。帙，装书的套子。⑯精卫衔石填海：《山海经·北山经》载炎帝的女儿在东海淹死，灵魂化为神鸟，叫声听起来像"精卫，精卫"，常衔西山的木石飞来，想填塞东海。后以此喻奋斗不懈，这里借此慨叹精力有限，不足以读尽所有的书。⑰王弇（yān）州：明代著名文学家王世贞，字符美，号凤洲，又号弇州山人，江苏太仓人。嘉靖二十六年进士，曾任刑部主事、刑部郎中、南京大理卿等职，与李攀龙并为前七子之首，主盟文坛多年。⑱杨升庵：即杨慎，字用修，号升庵，新都人。自幼机敏，十一岁能作诗，二十四岁中正德六年状元，授翰林修撰，后任经筵讲官，因议大礼事件被贬云南永昌卫，饮酒自放。杨慎博学强记，《明史》本传载他的著述达二百多种。⑲笔冢：埋藏废笔的处所。唐李肇《唐国史补》卷中："长沙僧

怀素好草书,自言得草圣三昧,弃笔堆积,埋于山下,号曰'笔冢'。"笔冢如山,这里指用过的笔极多,堆积起来像小山一样。⑳覆瓿:即覆酱瓿,盖酱坛。比喻著作无人理会,不被重视。典出《汉书·扬雄传下》:"巨鹿侯芭常从雄居,受其《太玄》《法言》焉,刘歆亦尝观之,谓雄曰:'空自苦!今学者有禄利,然尚不能明《易》,又如《玄》何?吾恐后人用覆酱瓿也。'雄笑而不应。"㉑丙戌:顺治三年,公元1646年。

[评析]

张岱的祖父一生勤勉,至老孜孜不倦,费尽一生心血编了一大部类书,欲补前人之不足,但是卷帙浩繁的《永乐大典》的出现使祖父顿悟书籍浩如烟海、个人力不能穷的道理,最终搁笔。张岱在文中对祖父的勤奋深表敬仰,也极度惋惜《韵书》未能编成和实现应有的价值。尽管如此,张岱仍在兵乱中奋力保存此书,作为对后世子孙勤勉读书的一种激励,表现他对前辈的尊重和对自家优良读书传统的珍惜。

天童寺僧

戊寅①,同秦一生诣天童访金粟和尚②。到山门,见万工池绿净,可鉴须眉③,旁有大锅覆地,问僧,僧曰:"天童山有龙藏,龙常下饮池水,故此水刍秽不入。正德间④,二龙斗,寺僧五六百人撞钟鼓撼之,龙怒,扫寺成白地⑤,锅其遗也。"入大殿,宏丽庄严。折入方丈⑥,通名刺。老和尚见人便打,曰"棒喝"。余坐方丈,老和尚迟迟出,二侍者执杖、执如意先导之⑦,南向立,曰:"老和尚出。"又曰:"怎么行礼?"盖官长见者皆下拜,无抗礼,余屹立不动,老和尚下行宾主礼。侍者又曰:"老和尚怎么坐?"余又屹立不动,老和尚肃余坐。坐定,余曰:

"二生门外汉，不知佛理，亦不知佛法，望老和尚慈悲，明白开示。勿劳棒喝，勿落机锋⑧，只求如家常白话，老实商量，求个下落⑨。"老和尚首肯余言⑩，导余随喜⑪。早晚斋方丈，敬礼特甚。余遍观寺中僧匠千五百人，俱舂者、碓者、磨者、甑者、汲者、爨者、锯者、劈者、菜者、饭者，狰狞急遽，大似吴道子一幅《地狱变相》。老和尚规矩严肃，常自起撞人，不止"棒喝"。

[注释]

①戊寅：崇祯十一年，公元1638年。②金粟和尚：即圆悟禅师，字觉初，号密云，俗姓蒋，江苏宜兴人。历主龙池、通玄、金粟、黄檗、天童诸寺。③鉴：照见。④正德：明武宗朱厚照年号。⑤白地：没有建筑物的空地。⑥方丈：长老、住持的居室。⑦如意：梵语"阿那律"的意译。用骨、角、竹、木、玉、石、铜、铁等制成的爪杖，前端手指形状，脊背手伸不到处，可用来抓痒。和尚宣讲佛经时为备遗忘，持如意，把经文写在上面。⑧机锋：禅宗用语，问答迅捷锐利、不落迹象、含意深刻。⑨下落：着落，归属。⑩首肯：点头答应。⑪随喜：欢喜之意随瞻拜佛像而生，代指游谒寺院。

[评析]

此文记载了与友人秦一生游天童寺的所见所闻。详细描写的景物只有寺门处带有神奇色彩的大池，其余非常简略，甚至亭台、神佛名称俱无，张岱意在突出寺中人物，尤其是见人便打、规矩甚严的资深方丈，张岱和他进行了一番礼节上的对抗，表现出贵公子的优越姿态。寺中其他和尚也别有特色，张岱以画作比，"大似吴道子一幅《地狱变相》"一句，将寺僧长相之丑、性格之躁栩栩如生地描写了出来，感觉如在目前。

水浒牌

古貌古服、古兜鍪①、古铠胄、古器械，章侯自写其所学所问已耳②。而辄呼之曰"宋江",曰"吴用",而"宋江""吴用"亦无不应者,以英雄忠义之气,郁郁芊芊,积于笔墨间也。周孔嘉丐余促章侯③,孔嘉丐之,余促之,凡四阅月而成。余为作缘起曰④:"余友章侯,才足掞天⑤,笔能泣鬼。昌谷道上,婢囊呕血之诗⑥;兰渚寺中,僧秘开花之字⑦。兼之力开画苑,遂能目无古人,有索必酬⑧,无求不与。既蠲郭恕先之癖⑨,喜周贾耘老之贫⑩,画《水浒》四十人,为孔嘉八口计,遂使宋江兄弟,复睹汉官威仪。伯益考著《山海》遗经⑪,兽毨鸟氄皆拾为千古奇文⑫;吴道子画《地狱变相》,青面獠牙尽化作一团清气。收掌付双荷叶⑬,能月继三石米,致二斗酒,不妨持赠;珍重如柳河东,必日灌蔷薇露,熏玉蕤香,方许解观⑭。非敢阿私,愿公同好。"

[注释]

①兜鍪(móu):古代战士戴的头盔,秦汉以前称胄。②章侯:即陈洪绶。写:画,描绘。③丐:乞求。促:催促。④缘起:叙述编辑、著作等缘由、宗旨的文字,与序文差不多。⑤掞(yàn)天:光芒照到天上。⑥昌谷道上,婢囊呕血之诗:据李商隐《李贺小传》:李贺常骑小驴,背一破锦囊,外出寻觅诗兴,有灵感就写断句残章,扔入锦囊。晚上回家,太夫人使婢女受囊取出,常叹为李贺呕心沥血之作。此处将陈洪绶比作李贺。⑦兰渚寺中,僧秘开花之字:兰渚为会稽(今绍兴)名胜,有兰亭,晋王羲之等人雅集之处,王羲之有《兰亭集序》。唐时,王羲之后人有为僧者,将《兰亭集序》秘不示人。此处以王羲之书法来比喻陈洪绶。⑧索:索要。酬:赠与。⑨蠲:去掉。郭恕先:名忠恕,字恕先,又字国宝,北宋人,家洛阳。年少出众,举童子及第,曾任国子监祭酒等职务,但放诞不合俗,又多次被贬。酷爱山水,工书画,当时人称神品。⑩周:周济。贾耘老:北宋秀才贾收,号耘老。为人淡雅超逸,喜饮酒,而家境贫寒,苏轼在湖州做官时与他结为知己,曾画枯木怪石相赠。⑪伯益考著《山海》遗经:旧称《山海经》为伯益所著。伯益,尧时大臣。⑫兽毨(xiǎn):野兽整齐丰满的毛。鸟氄(rǒng):鸟类的细绒毛。

⑬收掌：收存保管。⑭"珍重"四句：后唐冯贽《云仙杂记·玉蕤香》："《好事集》曰：'柳宗元得韩愈所寄诗，先以蔷薇露盥手，熏以玉蕤香，然后发读，曰：大雅之文，正当如是。'"

[评析]

友人周孔嘉托张岱请陈章侯画《水浒》人物，四个月后画成，张岱作文以记之。文用骈句，辞藻华赡，在内容上写出了陈章侯能诗善画的特长、画《水浒》人物的缘由和画技的高妙，可谓华实相兼。

烟雨楼

嘉兴人开口烟雨楼①，天下笑之②，然烟雨楼故自佳③。楼襟对莺泽湖④，淫淫蒙蒙，时带雨意，长芦高柳，能与湖为浅深。湖多精舫，美人航之，载书画茶酒，与客期于烟雨楼⑤。客至，则载之去，舣舟于烟波缥缈⑥。态度幽闲，茗炉相对，意之所安，经旬不返。舟中有所需，则逸出宣公桥⑦、角里街，果蓏蔬鲜，法膳琼苏⑧，咄嗟立办⑨，旋即归航。柳湾桃坞，痴迷伫想，若遇仙缘⑩，洒然言别⑪，不落姓氏⑫。间有倩女离魂⑬，文君新寡⑭，亦效颦为之。淫靡之事，出以风韵，习俗之恶，愈出愈奇。

[注释]

①开口：张嘴便说。烟雨楼：在嘉兴南湖，因杜牧《江南春》中的名句"南朝四百八十寺，多少楼台烟雨中"而得名。②笑：讥笑，笑话。③故自：本来，的确。④襟对：正对着。襟在衣服前，借指前面。莺泽湖：即嘉兴南湖，原名滮湖、马场湖，又叫东湖、鸳鸯湖。⑤期：约会。⑥舣舟：划船靠岸。⑦逸出：超出，过了。⑧法膳：帝王的膳食，这里指高级食品。琼苏：美

酒名。⑨呴嗟：呼吸之间，指动作迅速。⑩仙缘：修道成仙的缘分。⑪洒然：欣然，洒脱。⑫不落：不留。⑬倩女离魂：泛指妇女私奔。典出唐陈玄祐小说《离魂记》，写张倩娘与表兄王宙相爱，受到父母阻挠，倩娘魂魄离开躯体，与王宙终成眷属的故事。元人郑光祖借以改编成戏剧《青迷琐倩女离魂》。⑭文君新寡：泛指妇女刚死了丈夫，也有与人私奔之意。见《史记·司马相如列传》："是时卓王孙有女文君，新寡，好音，故相如缪与令相重，而以琴心挑之。……既罢，相如乃使人重赐文君侍者通殷勤。文君夜亡奔相如，相如乃与驰归成都。"

[评析]

烟雨楼是嘉兴著名游览胜地，也是嘉兴人的骄傲。张岱对湖之绮丽风光固然予以肯定，对那些优雅的艺妓亦无异议，对迅速周到的餐饮供给也十分满意，但对当地良家妇女不守贞操的风气尤为反感。文中说"倩女离魂，文君新寡，亦效颦为之"，虽然化用典故，措辞委婉，但末尾"习俗之恶，愈出愈奇"句点明了他深深厌恶的态度，与开篇"天下笑之"达到首尾呼应的效果。

朱氏收藏①

朱氏收藏，如"龙尾觥""合卺杯"②，雕镂锲刻，真属鬼工，世不再见。余如秦铜汉玉、周鼎商彝、哥窑倭漆③、厂盒宣炉④、法书名画、晋帖唐琴，所畜之多，与分宜埒富⑤，时人讥之。余谓博洽好古，犹是文人韵事，风雅之列，不黜曹瞒⑥，鉴赏之家，尚存秋壑⑦。诗文书画未尝不抬举古人，恒恐子孙效尤，以袖攫石⑧、攫金银以赚田宅，豪夺巧取，未免有累盛德。闻昔年朱氏子孙，有欲卖尽"坐朝问道"四号田者⑨，余外祖兰风先生谑之曰："你只管坐朝问道，怎不管垂拱平章？"一时传为佳话。

[注释]

①朱氏：指朱石门，江南著名收藏家，张岱舍舅。②觥（gōng）：盛酒或饮酒器。用兽角、木或青铜制成。腹部为椭圆形或方形，底为圈足或四足，有流、把手和兽头盖。合卺（jǐn）：婚礼的一种仪式，把葫芦劈开成两半，倒酒，新郎、新娘各饮一瓢，代指成婚。③倭漆：来自日本的漆器。倭是中国古代对日本的称呼。④厂盒：来自内廷的盒子。厂是明代内廷的特务机构。⑤分宜：明代奸相严嵩是江西分宜人，所以人们以"分宜"作为他的代称。埒富：比富。⑥不黜：不摈弃，不排斥。曹瞒：魏武帝曹操字孟德，小名阿瞒。⑦秋壑：南宋丞相贾似道，字师宪，号秋壑，浙江天台人。为相期间排斥贤良，作恶多端。⑧以袖攫石：把诗文书画装在袖子里，争抢着换石头。⑨坐朝问道：君主坐在朝堂之上与大臣一起商量治国之道。语出《千字文》："坐朝问道，垂拱平章。爱育黎首，臣伏戎羌。"《千字文》是古代普及读物，所以常常用它的文字顺序来计数。

[评析]

本文中张岱通过朱氏收藏之事，阐明了自己对权贵之家收藏的见解。张岱说朱氏收藏极富，可与严嵩相提并论，其实是间接反映朱氏利用手中权力，大量索受贿赂的事实，正因为如此，朱氏遭到当时人的讥讽。但是张岱认为这件事不能简单理解，朱氏喜欢收藏古器物或艺术品，品位还是值得肯定的，就怕子孙不能世代相守，胡乱挥霍。末尾举了朱氏子孙不肖的例子，从外祖的机智问话中可见，张岱的正义、博学而幽默也是受了外家影响的缘故。

仲叔古董

葆生叔少从渭阳游①，遂精赏鉴。得白定炉②、哥窑瓶、官窑酒匜③，项墨林以五百金售之④，辞曰："留以殉葬。"癸卯⑤，道淮上，有铁梨木天然几⑥，长丈六、阔三尺，滑泽坚润，非常理。淮抚李三才百五十金不能得，仲叔以二百金得之，解维遽去⑦。淮抚大恚怒，差兵蹑之，不及而返。庚戌⑧，得石璞三十斤⑨，取日下水涤之，石罅中光射如鹦哥祖母⑩，知是水碧⑪，仲叔大喜。募玉工仿朱氏"龙尾觥"一，"合卺杯"一，享价三千⑫，其余片屑寸皮，皆成异宝。仲叔赢资巨万，收藏日富。戊辰后⑬，倅姑熟⑭，倅姑苏⑮，寻令盟津⑯。河南为铜薮，所得铜器盈数车，"美人觚"一种，大小十五六枚，青绿彻骨，如翡翠，如鬼眼青，有不可正视之者，归之燕客，一日失之，或是龙藏收去⑰。

[注释]

①渭阳：《诗经·渭阳》有句："我送舅氏，曰至渭阳。"后来就用"渭阳"表示甥舅情谊，也借指舅舅。②白定炉：定窑产的白色磁炉。定窑是古代著名瓷窑之一。窑址在今河北曲阳县，古代属定州，因名定窑。唐宋时以烧制白瓷而著名。③官窑：朝廷专设的瓷窑，供皇家使用。在宋代，官窑特指北宋徽宗在宫廷中自建的瓷窑，以及高宗移都杭州后在杭州建的新窑。明清两代景德镇御器厂也称官窑。酒匜（yí）：盛酒器。最早出现于西周时期，形状像瓢，无盖。有的有足，有的无足，有柄。④项墨林：名元汴，字子京，号墨林山人、香严居士、退密斋主人、惠泉山樵、鸳鸯湖长、漆园傲吏等，浙江嘉兴人。是明代著名收藏家、鉴赏家。⑤癸卯：万历三十一年，公元1603年。⑥铁梨木：又叫愈疮木，产自两广地区，硬度大，材质优良，适合做家具。⑦解维：解开缆绳，指开船。⑧庚戌：万历三十八年，公元1610年。⑨石璞：含玉的石块。⑩石罅：石缝。鹦哥：鹦鹉石，浅绿色的孔雀石。祖母：祖母绿，一种通体透明的绿宝石。⑪水碧：一种水晶石，又名碧玉。⑫享：获取。⑬戊辰：崇祯元年，公元1628年。⑭倅：副职，此指县令属官。姑熟：今安徽当涂县。⑮姑苏：苏州。⑯令：为县令。盟津：即孟津，今河南省孟津县，是黄河渡口。相传周武王伐纣时，八百诸侯在这里不期而盟，一同渡过黄河。⑰龙藏：《易经·乾卦》："潜龙勿用，阳气潜藏。"后以"龙藏"指潜藏勿用，

这里指燕客私自藏起来据为己有。

[评析]

此文记叙了张岱二叔所藏古董的来源。张岱的二叔少时就学会了鉴赏器物,而且懂得器物的行情,轻易不肯售出,连明代著名收藏家项元汴也无可奈何。二叔钻空夺得了天然木几,导致巡抚大怒,派兵追击,这种为了藏品敢于犯颜权贵的精神着实令人钦佩,而其得手后立即将宝物运走则体现了收藏家的机敏。张岱后文又记载了二叔得珍稀水碧,在宦游中得到大量铜器和美人斛,托付给三叔家的表弟燕客,一日忽然丢失——其实是被燕客私自占有。这些事,体现了一个文化世家热衷收藏的家族风气与雅趣。

噱 社

仲叔善诙谐,在京师与漏仲容、沈虎臣①、韩求仲辈结"噱社"②,唼喋数言③,必绝缨喷饭④。漏仲容为帖括名士⑤,常曰:"吾辈老年读书做文字,与少年不同。少年读书,如快刀切物,眼光逼注⑥,皆在行墨空处⑦,一过辄了。老年如以指头掐字,掐得一个,只是一个,掐得不着时,只是白地⑧。少年做文字,白眼看天,一篇现成文字挂在天上,顷刻下来,刷入纸上⑨,一刷便完。老年如恶心呕吐,以手扼入齿哕出之⑩,出亦无多,总是渣秽。"此是格言,非止谐语。一日,韩求仲与仲叔同宴一客,欲连名速之⑪,仲叔曰:"我长求仲⑫,则我名应在求仲前,但缀绳头于如拳之上⑬,则是细注在前⑭,白文在后⑮,那有此理!"人皆失笑。沈虎臣出语尤尖巧。仲叔候座师收一帽套⑯,此日严寒,沈虎臣嘲之曰:"座主已收帽套去,此地空余帽套头;帽套一去不复返,此头千载冷悠悠。⑰"其滑稽多类此。

[注释]

①沈虎臣:名德符,字虎臣,又字景倩,嘉兴人。父祖都任京官,所以自幼长于北京,万历四十六年中举。沈德符秉承家学,博学多闻,著有《万历野获编》《清权堂集》《敝帚轩剩语》等。②韩求仲:名敬,字简与,号求仲,湖州归安人。万历三十八年状元,因科场作弊案牵涉,一生仕途不顺。③喋(qiè)喋(dié):小声说,低语。④绝缨:《史记·滑稽列传》:"淳于髡仰天大笑,冠缨索绝。"缨是冠上的两条带子,系在颔下以固定。淳于髡笑得太厉害,以至于冠上的带子折了,因此"绝缨"借指大笑。⑤帖括:唐代明经科以帖经考试,把经文帖上若干字,让应试者来答。考生因帖经难记,于是把经文编成便于记诵的歌诀,称"帖括"。后来泛指科举文章,明清时指八股文。⑥逼注:逼视,靠近并集中精力看。⑦行墨空处:文章欠缺或论述不足的地方。⑧白地:空地,这里指大脑一片空白,读文章不善于思考。⑨刷:形容写字迅捷。⑩哕(yuě):呕吐。⑪速:邀请。⑫长:年岁比别人大。⑬缀绳头于如拳之上:把绳头那样小的东西放在拳头那么大的东西上,这里是自谦。⑭细注:古代书籍的注释用小字双行书写在正文的下面,故称细注。⑮白文:有注释的正文。⑯座师:明清时参加科考的文士对主考官的称呼。帽套:加在帽子外面的衣饰。⑰"座主已收帽套去"四句:仿唐代崔颢《黄鹤楼》诗:"昔人已乘黄鹤去,此地空余黄鹤楼。黄鹤一去不复返,白云千载空悠悠。"

[评析]

明代文人结社风气盛行,社团名目繁多,但以谐谑为内容的"噱社"还是别开生面,不多见的。文中所载都是社中的滑稽事,但因结社文人的层次很高,所以语言文雅而不失哲理,读来别有一番趣味。

鲁府松棚

报国寺松,蔓引弹委①,已入藤理②。入其下者,踽踽局踣③，气不得舒。鲁府旧邸二松，高丈五，上及檐鬟，劲竿如蛇脊，屈曲撑距④，意色酣怒⑤，鳞爪拿攫，义不受制⑥，鬣起针针，怒张如戟。旧府呼"松棚"，故松之意态情理无不棚之。便殿三楹盘郁殆遍⑦，暗不通天，密不通雨。鲁宪王晚年好道，尝取松肘一节⑧，抱与同卧，久则滑泽酡酡⑨，似有血气。

[注释]

①䤶（duǒ）委：盘曲下垂的样子。②入：符合。藤理：藤的本性特征。③局踣：拘束。④撑距：即撑拒，支撑。⑤酣怒：大怒。⑥义不受制：坚持原则，不受挟制。⑦便殿：正殿以外的别殿，供帝王休息消闲，有时也用于召见臣子。⑧松肘：松树干。⑨酡酡：像喝醉的脸一样赤红。

[评析]

文中讲述的是鲁王府上的两株巨松。开篇没有直截了当地描写，而是用了对比和反衬的手法，先指出报国寺中的大松树枝干无刚劲之态，盘曲如藤，令松下游人气不舒畅的局限；然后才描述鲁王府巨松的雄健之姿，遮天盖地的气势，使读者印象尤为深刻；最后说鲁宪王修道、松木与之久处似有精气的事类似小说家言，但增强了文章的趣味。

一尺雪①

"一尺雪"为芍药异种，余于兖州见之。花瓣纯白，无须萼，无檀心，无星星红紫②，洁如羊脂③，细如鹤翮④，结楼吐舌，粉艳雪胅⑤。上下四旁方三尺，干小而弱，力不能支，蕊大如芙蓉，辄缚一小架扶之。大江以南，有其名无其种，有其种无其土，盖非兖勿易见之也。兖州种芍药者如种麦，以邻以亩。花时宴客，棚于路、彩于门、衣于壁、障于屏、缀于帘、簪于席、茵于阶者,毕用之,日费数千勿惜。余昔在兖,友人日剪数百朵送寓所,堆垛狼藉,真无法处之⑥。

[注释]

①一尺雪:浅红色的花蕊。②星星:一点儿一点儿遍布的样子。③羊脂:羊油。④鹤翮:仙鹤羽毛的茎。⑤腴:形容花朵厚而大。⑥处:安顿。

[评析]

本文叙述了山东兖州一带的芍药名品"一尺雪"的特征和当地人种植的情状以及花开时节的宴客风俗。"一尺雪"为江南所无,张岱从前仅闻其名,所以到兖州后,观赏尤细致,花瓣、花萼、花心、花色、花干、花蕊、花架都写到了,而"洁如羊脂,细如鹤翮,结楼吐舌,粉艳雪腴"句运用了比喻、夸张、拟人、通感多种手法,形容花的美艳,尤为精彩。

菊 海

兖州张氏期余看菊,去城五里①。余至其园,尽其所为园者而折旋之②,又尽其所不尽为园者而周旋之,绝不见一菊,异之③。移时④,主人导至一苍莽空地⑤,有苇厂三间⑥,肃余入⑦,遍观之,不敢以菊言,真菊海也。厂三面,砌坛三层,以菊之高下高下之。花大如瓷瓯,无不球,无不甲,无不金银荷花瓣,色鲜艳异凡本,而翠叶层层,无一早脱者。此是天道,是土力,是人工,缺一不可焉。

兖州缙绅家风气袭王府,赏菊之日,其桌、其炕、其灯、其炉、其盘、其盒、其盆盎、其肴器、其杯盘大觚、其壶、其帏、其褥、其酒、其面食、其衣服花样,无不菊者。夜烧烛照之,蒸蒸烘染,较日色更浮出数层。席散,撤苇帘以受繁露⑧。

[注释]

①去：距离。②折旋：来回走。③异：奇怪，诧异。④移时：过了一阵。⑤苍莽：开阔的，广阔无边的。⑥苇厂：用芦苇帘子遮盖的棚舍。厂，棚舍。⑦肃：迎候。⑧繁露：露水。柳宗元《中夜起望西园值月上》："觉闻繁露坠，开户临西园。"

[评析]

此文记载的是兖州张氏园的菊花。开篇设了一个谜局，主人请张岱赏菊花，园内园外转了半天，没看见一枝，心下狐疑，忽然来到一个芦苇棚里，才恍然大悟。接下来描写花之不凡，慨叹养花之精。与前篇《一尺雪》一样，本文也写了菊开时节的风俗，但描写的阶层不是民间而是王府，一连出现十五个"其"字开头的短语，气如连珠，对菊花布满衣物、酒食和生活用品的情形大力铺陈，使读者如嗅菊香。

曹　山

万历甲辰①，大父游曹山，大张乐于狮子岩下②。石梁先生戏作山君檄讨大父③，祖昭明太子语④，谓若以管弦污我岩壑。大父作檄骂之，有曰："谁云鬼刻神镂，竟是残山剩水！"石簣先生嗤石梁曰⑤："文人也，那得犯其锋⑥！不若自认⑦，以'残山剩水'四字摩崖勒之。"先辈之引重如此⑧。曹石宕为外祖放生池⑨，积三十余年⑩，放生几百千万，有见池中放光如万炬烛天⑪，鱼虾荇藻附之而起⑫，直达天河者⑬。余少时从先宜人至曹山庵作佛事⑭，以大竹簏贮西瓜四⑮，浸宕内。须臾，大声起岩下，水喷起十余丈，三小舟缆断，颠翻波中，冲击几碎。舟人急起视，见大鱼如舟，口衔四瓜⑯，掉尾而下。

[注释]

①万历甲辰：万历三十二年，公元 1604 年。②张乐：奏乐。③石梁先生：陶爽龄，字君爽，号石梁，绍兴文人。讨：声讨，书面谴责。④祖：仿照。昭明太子：梁武帝长子萧统，字德施，曾聚集门下文学之士编《文选》。武帝立为太子，可惜未即位就英年早逝，谥号昭明。⑤石篑先生：陶望龄，字周望，号石篑，绍兴人。万历年间进士，曾任翰林编修、国子祭酒等，谥文简。⑥犯：冲撞，冒犯。⑦不若：不如。⑧引重：标榜，推重。⑨宕：湖泊，池塘。放生池：放掉捕获的鱼类的池塘，佛家把放生视作善举。⑩积：积累，累计。⑪烛天：照耀天空。⑫荇（xìng）：水草，叶对生，圆形，嫩时可食，可入药。⑬天河：银河。⑭作佛事：指诵经祈祷、拜忏礼佛等事。⑮竹篰：竹篾编的篓子。⑯欻（hē）：吞食，吞掉。

[评析]

曹山与张岱祖父、外祖父都有关系。因为祖父和文友以文字相嘲弄，曹山上多了一处"残山剩水"的铭文，张岱以此突出了祖父声望之重。曹山有湖，张岱外祖父在这里放生无数，有人见到水中生物升天，张岱小时候也见过其中跳出如小船一般的大鱼，这些神秘故事凸显了湖的灵异，也间接反映了张岱对外祖父的尊崇。

齐景公墓花樽①

霞头沈金事宦游时②，有发掘齐景公墓者，迹之③，得铜豆三④，大花樽二。豆朴素无奇。花樽高三尺，束腰拱起，口方而敞，四面戟楞，花纹兽面，粗细得款，自是三代法物。归于刘阳太公⑤，余见赏识之，太公取与严⑥，一介不敢请⑦。及宦粤西，外母归余斋头⑧，余拂拭之，为发异光。取浸梅花，贮水，汗下如雨，逾刻始收，花谢结子，大如雀卵。余藏之两年，太公归自粤西，稽复之⑨，余恐伤外母意，亟归之。后为驵侩所唼，竟以百金售去，可惜！今闻在歙县某氏家庙。

[注释]

①齐景公：名杵臼，春秋时期齐国国君。樽：一般为酒器，这里是插花的方瓶。②霞头：即沈炼，字纯甫，号青霞，会稽人。佥事：官名，明代都督、都指挥、按察、宣慰、宣抚等府司都设佥事，负责断案。宦游：外出做官。③迹：跟随，追踪。④豆：古代食器，形似高足盘，大多有盖，作为祭器时盛装酒肉。⑤归：归属。太公：岳父。⑥取与：收受和赠予。⑦一介：一个人，形容卑微，用于自谦。⑧外母：岳母。归：通"馈"，赠予。⑨稽：检查，考察。复：返还，拿回来。

[评析]

此文记叙的是齐景公墓花樽得而复失的故事。张岱极喜欢这件花樽，岳母知其心意，趁岳父到外地做官的时机赠给了他，张岱用来插梅花，细心保管，时时赏爱，可惜两年后被岳父追回了。文中没有情态和语言描写，但在叙事过程中，岳母的慈爱和岳父的严苛跃然纸上，封建大家庭肃穆与亲和交融的气氛充分表露在文字间。文末写花樽竟然被市井商人买去，张岱不禁跌足长叹，表现了他深切的爱物之情，因彻底失去而惆怅。

卷 七

西湖香市①

西湖香市,起于花朝②,尽于端午。山东进香普陀者日至,嘉湖进香天竺者日至,至则与湖之人市焉,故曰香市。然进香之人市于三天竺,市于岳王坟,市于湖心亭,市于陆宣公祠③,无不市,而独凑集于昭庆寺④。昭庆寺两廊故无日不市者,三代八朝之古董,蛮夷闽貊之珍异⑤,皆集焉。至香市,则殿中边甬道上下、池左右山门内外,有屋则摊,无屋则厂,厂外又棚,棚外又摊,节节寸寸。凡胭脂簪珥⑥、牙尺剪刀,以至经典木鱼、伢儿嬉具之类,无不集。

此时春暖,桃柳明媚,鼓吹清和,岸无留船,寓无留客,肆无留酿⑦。袁石公所谓"山色如娥,花光如颊,温风如酒,波纹如绫",已画出西湖三月。而此以香客杂来,光景又别。士女闲都⑧,不胜其村妆野妇之乔画⑨;芳兰芗泽,不胜其合香芫荽之熏蒸⑩;丝竹管弦,不胜其摇鼓欱笙之聒帐⑪;鼎彝光怪,不胜其泥人竹马之行情；宋元名画，不胜其湖景佛图之纸贵。如逃如逐，如奔如追，撩扑不开，牵挽不住。数百十万男男女女、老老少少，日簇拥于寺之前后左右者，凡四阅月方罢。恐大江以东，断无此二地矣。

崇祯庚辰三月，昭庆寺火。是岁及辛巳、壬午洊饥⑫，民强半饿死。壬午虏鲠山东⑬，香客断绝，无有至者，市遂废。辛巳夏，余在西湖，但见城中饿殍舁出，扛挽相属。时杭州刘太守梦谦⑭，汴梁人，乡里抽丰者多寓西湖⑮，日以民词馈送⑯。有轻薄子改古诗诮之曰："山不青山楼不楼，西湖歌舞一时休。暖风吹得死人臭，还把杭州送汴州。"可作西湖实录。

[注释]

①香市：寺庙在进香季节设置的出售香物和杂物的集市。②花朝：古代民间不同地区分别以农历二月二日、十二日或十五日为百花生日，称为花朝节或花神节。③陆宣公：唐代陆贽，字敬舆，绍兴人，曾任翰林学士等职，谥号宣。④独：特别。⑤蛮夷闽貊（mò）：四方的少数民族。⑥珥（ěr）：又名瑱、珰，用珠玉做的耳饰，耳环。⑦肆：酒店。⑧闲都：文雅俊美。⑨乔画：化妆，浓妆艳抹。⑩合香：一种原产小亚细亚金缕梅科乔木，树脂可提制香油，作香精定香剂，也可杀虫，入药治疥癣，开郁理气。芫（yán）荽（suī）：香菜。⑪聒帐：一起鸣奏。⑫辛巳：崇祯十四年，公元1641年。壬午：崇祯十五年。洊（jiàn）：一次又一次。⑬虏：北方少数民族，这里指汉族。鲠：阻塞。⑭刘梦谦：河南罗山人，崇祯进士，曾任杭州知府。⑮抽丰：利用关系向人索取财物，俗称"打秋风"。⑯民词：百姓的诉状。

[评析]

本文描写了明末清初西湖香市的盛衰，表达了作者对昔日美好生活的留恋。开篇先介绍香市举行的时间，接下来说香客来自何地，香市的地点，所售的货物和游人之盛，节奏不紧不慢，娓娓道来，且用词恰当，在形容昭庆寺游人之盛时，用"如逃如逐，如奔如追，撩扑不开，牵挽不住"这样几个四字句，将游人蜂拥而至、匆匆忙忙的情状生动夸张地表现了出来。正形容人盛，笔锋忽然一转，写到战后杭州城中饿殍满地，日日接连不断地送葬的情形，正面反映了战争给社会生活带来的巨大不幸。

鹿苑寺方柿

萧山方柿，皮绿者不佳，皮红而肉糜烂者不佳，必树头红而坚脆如藕者①，方称绝品。然间遇之②，不多得。余向言西瓜生于六月③，享尽天福；秋白梨生于秋，方柿、绿柿生于冬，未免失候④。丙戌⑤，余避兵西白山⑥，鹿苑寺前后有夏方柿十数株。六月歊暑⑦，柿大如瓜，生脆如咀冰嚼雪，目为之明，但无法制之，则涩勒不可入口。土人以桑叶煎汤，候冷，加盐少许，入瓮内，浸柿没其颈，隔二宿取食，鲜磊异常。余食萧山柿多涩，请赠以此法。

[注释]

①树头：树干以上，树枝。②间遇：有时，偶然遇到。③向言：曾经说过。④失候：错过适当的时候。⑤丙戌：顺治三年，公元1646年。⑥西白山：在浙江嵊州市。⑦歊：热气上腾的样子。

[评析]

张岱是位美食家，最懂什么样的柿子好吃，可惜绝品好柿子非常不容易得，他认为这是柿子在冬天成熟的缘故。后来避乱山中，发现了鹿苑寺夏天成熟的柿子，生脆异常，吃得心满意足。张岱并不满足于此，还一如往日地好奇，求得了土人去涩的良方。从此文可见，虽然身处战乱，张岱依然保持着乐观的心态，在不断寻求生活的情趣。

西湖七月半

西湖七月半,一无可看,止可看看七月半之人。看七月半之人,以五类看之。其一,楼船萧鼓,峨冠盛筵①,灯火优傒②,声光相乱,名为看月而实不见月者,看之。其一,亦船亦楼,名娃闺秀,携及童娈,笑啼杂之,环坐露台,左右盼望③,身在月下而实不看月者,看之。其一,亦船亦声歌,名妓闲僧,浅斟低唱④,弱管轻丝,竹肉相发⑤,亦在月下,亦看月,而欲人看其看月者,看之。其一,不舟不车,不衫不帻⑥,酒醉饭饱,呼群三五,跻入人丛,昭庆、断桥,嚣呼嘈杂,装假醉,唱无腔曲⑦,月亦看,看月者亦看,不看月者亦看,而实无一看者,看之。其一,小船轻幌,净几暖炉,茶铛旋煮,素瓷静递,好友佳人,邀月同坐,或匿影树下,或逃嚣里湖,看月而人不见其看月之态,亦不作意看月者⑧,看之。

杭人游湖,巳出酉归,避月如仇,是夕好名,逐队争出,多犒门军酒钱⑨,轿夫擎燎,列俟岸上。一入舟,速舟子急放断桥⑩,赶入胜会⑪。以故二鼓以前,人声鼓吹,如沸如撼,如魇如呓⑫,如聋如哑,大船小船一齐凑岸⑬,一无所见,止见篙击篙⑭,舟触舟,肩摩肩,面看面而已。少刻兴尽,官府席散,皂隶喝道去⑮,轿夫叫船上人,怖以关门⑯,灯笼火把如列星,一一簇拥而去。岸上人亦逐队赶门,渐稀渐薄,顷刻散尽矣。

吾辈始舣舟近岸,断桥石磴始凉,席其上,呼客纵饮。此时,月如镜新磨,山复整妆,湖复颒面⑰。向之浅斟低唱者出,匿影树下者亦出,吾辈往通声气,拉与同坐。韵友来,名妓至,杯箸安，竹肉发。月色苍凉，东方将白，客方散去。吾辈纵舟，酣睡于十里荷花之中，香气拍人，清梦甚惬。

[注释]

①峨冠：高高的冠帽。②优傒：歌妓和女仆。③盼望：眺望，远望。④浅斟：少倒一点儿酒。⑤竹肉相发：乐器伴着歌声一起响起。⑥不衫不帻（zé）：不穿长衫，不戴包头发的头巾，指穿着随意。⑦腔：曲调。⑧作意：刻意，着意。⑨犒：犒赏，赏给。门军：守门的士兵。⑩速：催促。⑪胜会：盛会。⑫魇：做噩梦。呓：说梦话。⑬凑岸：聚集在岸边。⑭止见：只看见。⑮皂隶：古代贱役，后专称衙门里的差役。喝道：官员出行时，仪仗前列导引传呼，令行人回避，称喝道。⑯怖：惊慌迅速的样子。⑰颒（huì）：洗脸。形容湖面又恢复明净如洗的样子。

[评析]

《西湖七月半》是散文史上的名篇。农历十五是月圆之时，张岱却觉得月亮没什么可看的，月下的人倒是有趣。他把这些人分为达官贵族、名门闺秀、名妓闲僧、醉酒莽汉、清雅文人几类，逼真描绘了他们的动作情态和游赏目的，展现了同在月光下，不同人对月的不同态度与感觉，文字中流淌着文雅娴静之美。接下来转为以动态、声音为主的描写，锣鼓声中，粗豪的军士皂隶的叫嚣使月下盛会变得嘈杂混乱，而张岱和那些懂月的雅士在他们散去后才入场，这时候的月才真正值得看，这时的相聚才算真正的胜会。文末的描写极为优美闲雅，"月色苍凉，东方将白，客方散去。吾辈纵舟，酣睡于十里荷花之中，香气拍人，清梦甚惬"，与苏轼《赤壁赋》"相与枕藉乎舟中，不知东方之既白"的境界有异曲同工之妙。

及时雨

壬申七月①，村村祷雨②，日日扮潮神海鬼，争唾之③。余里中扮《水浒》④，且曰：画《水浒》者，龙眠⑤、松雪⑥，近章侯，总不如施耐庵⑦，但如其面勿黛⑧，如其髭勿鬣⑨，如其兜鍪勿纸，如其刀杖勿树，如其传勿杜撰，勿弋阳腔⑩，则十得八九矣。于是分头四出，寻黑矮汉，寻梢长大汉⑪，寻头陀⑫，寻胖大和尚，寻茁壮妇人，寻姣长妇人⑬，寻青面，寻歪头，寻赤须，寻美髯，寻黑大汉，寻赤脸长须，大索城中⑭。无则之郭⑮、之村、之山僻、之邻府州县，用重价聘之，得三十六人。梁山泊好汉，个个呵活，臻臻至至⑯，人马称娖而行⑰，观者兜截遮拦⑱，直欲看杀卫玠⑲。五雪叔归自广陵，多购法锦宫缎，从以台阁者八⑳：雷部六㉑，大士一㉒，龙宫一，华重美都㉓，见者目夺气亦夺。盖自有台阁，有其华无其重，有其美无其都，有其华重美都，无其思致，无其文理。轻薄子有言："不替他谦了，也事事精办。"季祖南华老人喃喃怪问余曰："《水浒》与祷雨有何义味㉔？近余山盗起，迎盗何为耶？"余俯首思之，果诞而无谓㉕，徐应之曰㉖："有之。天罡尽㉗，以宿太尉殿焉。用大牌六，书'奉旨招安'者二，书'风调雨顺'者一，'盗息民安'者一，更大书'及时雨'者二，前导之。"观者欢喜赞叹，老人亦匿笑而去。

[注释]

①壬申：崇祯五年，公元1632年。②祷雨：求神降雨。③唾：吐唾沫。④里中：同里的人。⑤龙眠：北宋著名画家李公麟，号龙眠居士。⑥松雪：元代大画家赵孟頫，号松雪道人。⑦施耐庵：《水浒传》的作者。⑧黛：黑青色。⑨髭：胡须。鬣：动物头颈上长而硬的毛。⑩弋阳腔：起源于江西弋阳的戏曲声腔，与昆山腔、余姚腔、海盐腔并称四大声腔。⑪梢长：又瘦又高的。⑫头陀：梵语译音，意为"抖擞"，即去掉尘垢烦恼，用以称僧人，也专指行脚乞食的僧人。⑬姣长：漂亮又个高。⑭大索城中：满城彻底搜索。⑮郭：外城。⑯臻臻：聚集的样子。至至：到达最高的境界。⑰称娖（chuò）：对称整

齐的样子。⑱兜截：包围拦截。⑲卫玠：字叔宝，晋代永嘉名士，曾任太子洗马。卫玠到建业辞别王敦，当地人听说他姿容美丽非同一般，观者如堵。⑳台阁：泛指中央政府机构。㉑雷部：神话中主管打雷的神仙，即雷神。㉒大士：对菩萨的通称。㉓华重美都：华贵美丽。㉔义味：文章的意义和情趣。㉕无谓：没有意义。㉖徐：慢慢地。应：回答。㉗天罡：北斗丛星中三十六星之神，《水浒传》中有三十六位英雄是天罡星下凡。

[评析]

本文记载了崇祯初张岱家乡祈雨的故事。别村都扮演与雨相关的神祇，如潮神海神，张岱家乡则不同，别出心裁地演《水浒》，而且众人一心，苦苦寻觅酷似《水浒》人物者，张岱的叔父还不惜贵重锦缎装饰演剧台阁。大家为这次祈雨可谓煞费苦心，但也未免过于奢侈，展现了明末绍兴人对戏曲的高度热情。后文的对话也颇有趣味，张岱季祖觉得《水浒》和祈雨无关，社会不安盗贼多，演《水浒》恐怕不吉利。张岱以《水浒传》中"及时雨"等太尉殿牌名机智地回应了他，真乃善辩，令人叹服。

山艇子①

龙山自巘花阁而西皆骨立②，得其一节，亦尽名家。山艇子石，意尤孤子，壁立霞剥③，义不受土。大樟徙其上④，石不容也，然不恨石，屈而下，与石相亲疏。石方广三丈，右坳而凹，非竹则尽矣⑤，何以浅深乎石。然竹怪甚，能孤行，实不藉石⑥。竹节促而虬叶毵毵⑦，如獳毛⑧、如松狗尾⑨，离离矗矗⑩，捎捘攒挤⑪，若有所惊者。竹不可一世，不敢以竹二之。或曰：古今错刀也。或曰：竹生石上，土肤浅，蚀其根，故轮囷盘郁，如黄山上松。山艇子樟，始之石，中之竹，终之楼，意长楼不得竟其长，故艇之。然伤于贪，特特向石，石意反不之属，使去丈而楼壁出，樟出，竹亦尽出。竹石间意，在以淡远取之。

[注释]

①山艇子：在绍兴龙山西南庞公池畔，张岱少年时曾在这里读书。②巘(yǎn)：险峻的山。骨立：比喻山石嶙峋，细而高。③壁立：山石陡峭，像墙壁一样矗立。霞剥：被侵蚀的山石呈现出赤色。④徙：迁徙。樟树本该生长在土地上，这棵却在岩石上，所以作者形象风趣地称之为"徙"。⑤尽：这里指没有其他的植物。⑥藉：凭借，依靠。⑦竹节促：竹节之间距离短，密集。虬叶：像龙一样拳曲的叶子。⑧猬毛：刺猬的毛，丛集而硬。⑨松狗尾：松鼠的尾巴。⑩离离矗矗：盛多浓密、重重叠叠的样子。⑪捎掾：被鸟的翅膀等掠过，折断或扭转的样子。攒挤：簇集拥挤。

[评析]

本文以山艇子为题，主要写的却是山艇子石上的樟树和竹子。山艇子石孤立而险峻，石上土极少，所以樟树不像正常一样高大挺拔，而是屈曲向下。石上的竹子则更怪，挤挤挨挨，竹节短，叶子硬，像刀片一样。张岱生动准确地描述了樟树和竹子的特点，多处用了拟人手法，如樟树"不恨石，屈而下，与石相亲疏"，"然伤于贪，特特向石，石意反不之属"，竹子"若有所惊者"，将石、樟、竹都赋予人的情感和意识，充满了理趣。

悬杪亭

余六岁随先君子读书于悬杪亭，记在一峭壁之下，木石撑距，不藉尺土，飞阁虚堂①，延骈如栉②。缘崖而上，皆灌木高柯，与檐甃相错。取杜审言"树杪玉堂悬"句③，名之"悬杪"，度索寻橦④，大有奇致。后仲叔庐其崖下，信堪舆家言⑤，谓碍其龙脉⑥，百计购之，一夜徙去，鞠为茂草⑦。儿时怡寄⑧，常梦寐寻往。

[注释]

①飞阁虚堂：凌空修筑的高阁和厅堂。②延骈如栉：并列延伸像木梳齿一样。③杜审言：唐代著名诗人，字必简，巩县（今巩义）人，杜甫的祖父，官至修文馆直学士。"树杪玉堂悬"句出自他的《蓬莱三殿侍宴奉敕咏终南山》。④度索：走绳索。⑤堪舆家：看风水的人。风水指宅基地或墓地的地理形势，堪为高处，舆为下处。⑥龙脉：山峦连绵起伏的好风水。⑦鞠为茂草：杂草长满道路，形容衰败荒芜。⑧怡寄：快乐地寄居。

[评析]

此文是对幼时和父亲读书之处悬杪亭的回忆。悬杪亭的构建奇特精巧，位置在悬崖下，材料仅用木石，又与崖上木石相交错，给张岱的童年生活带来无限乐趣。可惜二叔偏听风水先生的话，将它拆掉了，使张岱数十年后仍感到惋惜惆怅。

雷　殿

雷殿在龙山磨盘冈下，钱武肃王于此建蓬莱阁①，有断碣在焉②。殿前石台高爽，乔木萧疏③。六月，月从南来，树不蔽月。余每浴后拉秦一生、石田上人④、平子辈坐台上，乘凉风，携肴核，饮香雪酒，剥鸡豆，啜乌龙井水，水凉冽激齿。下午着人投西瓜浸之，夜剖食，寒栗逼人，可雠三伏⑤。林中多鹘，闻人声辄惊起，磔磔云霄间⑥，半日不得下。

[注释]

①钱武肃王：即钱镠，字具美，杭州临安人。唐末拥兵两浙，封吴王、吴越王，兼淮南节度使，后自称吴越国王，在位四十一年，谥武肃。②断碣：

残破断裂的石碑。③乔木：高大的树木。④上人：对和尚的尊称。⑤雠：应对。⑥磔（zhé）磔：象声词，鸟叫声。此句仿宋苏轼《石钟山记》："而山上栖鹘，闻人声亦惊起，磔磔云霄间。"

[评析]

张岱家在龙山有别墅，本文描写了龙山别墅附近的庙宇雷神殿的风景和承平时期张岱及其兄弟友人在雷殿台上纳凉饮酒的闲适生活，表达了作者对昔日生活的美好回忆。

龙山雪

天启六年十二月①，大雪深三尺许。晚霁②，余登龙山，坐上城隍庙山门，李岕生、高眉生、王畹生、马小卿、潘小妃侍。万山载雪③，明月薄之④，月不能光，雪皆呆白⑤。坐久清冽⑥，苍头送酒至，余勉强举大觥敌寒，酒气冉冉，积雪欱之，竟不得醉。马小卿唱曲，李岕生吹洞箫和之，声为寒威所慑，咽涩不得出。三鼓归寝。马小卿、潘小妃相抱从百步街旋滚而下，直至山趾，浴雪而立⑦。余坐一小羊头车⑧，拖冰凌而归。

[注释]

①天启六年：公元1626年。②晚霁：傍晚天晴。③载：充满。④薄：靠近。⑤呆：凝滞不流动。⑥清冽：寒冷。⑦浴雪：浑身上下都是雪。⑧羊头车：一种独轮小车。明姜南《瓠里子笔谈·羊头车》："自镇江以北，有独轮小车，凡百乘载皆用之。一人挽之于前，一人推之于后，虽千里亦可至矣。谓之羊头车。"

[评析]

本文记载了张岱年轻时登龙山观雪景的往事。全篇以大雪为中心展开，前如"万山载雪"，写雪覆盖面之广之厚。"月不能光"，写雪之白，构成强烈的反光效果。张岱不胜酒力，用大杯，"积雪饮之，竟不得醉"，显现了雪后天气清寒，直逼人心。张岱写游览之事，经常在写景后重笔写戏，此篇则反之，一大群伶人陪同，竟然连人带乐器"为寒威所慑，咽涩不得出"，逼真地反映了雪天的透骨之寒。文末二伶人滚雪而下，"浴雪而立"，张岱车"拖冰凌而归"，依然是写雪之大，天之寒。全文中心明确，以人的行为和感觉为主要表现手段，而内容多样化，文字风格与雪一样，给人高雅、轻灵之感。

庞公池

庞公池岁不得船①，况夜船，况看月而船。自余读书山艇子，辄留小舟于池中，月夜，夜夜出，缘城至北海坂②，往返可五里，盘旋其中。山后人家，闭门高卧，不见灯火，悄悄冥冥③，意颇凄恻。余设凉簟④，卧舟中看月，小傒船头唱曲，醉梦相杂，声声渐远，月亦渐淡，嗒然睡去⑤。歌终忽寤，含糊赞之，寻复鼾齁⑥。小傒亦呵欠歪斜，互相枕藉⑦。舟子回船到岸，篙啄丁丁，促起就寝。此时胸中浩浩落落，并无芥蒂，一枕黑甜⑧，高春始起⑨，不晓世间何物谓之忧愁。

[注释]

①岁不得船：一年不能乘船去一次。②坂（bǎn）：斜坡，山坡。③冥冥：昏暗的样子。④凉簟（diàn）：凉席。⑤嗒（tà）然：身心俱遣、物我两忘的精神状态。⑥鼾（hān）齁（hōu）：熟睡时打呼噜的声音。明倪元璐《光禄寺寺丞先兄三兰府君行状》："连床夜论呢呢，至烛垂跋，童仆鼾齁四彻，语不得休。"⑦枕藉：纵横相枕而卧。宋苏轼《前赤壁赋》："相与枕藉乎舟中，不知东方之既白。"⑧一枕黑甜：酣睡的样子。宋苏轼《发广州》诗：

"三杯软饱后，一枕黑甜余。"⑨高舂：太阳西斜，临近黄昏的时候。《淮南子·天文训》云曰"至于渊虞，是谓高舂；至于连石，是谓下舂"。

[评析]

此文描写了张岱年轻时在山艇子读书，月夜泛舟游庞公池的经历。张岱选取了一个宁静少人的夜晚，万家熄灯的时刻，在舟中卧着赏月，不知不觉伴着小童的歌声睡去，又迷迷糊糊醒来，然后再睡去。直到船夫靠岸，再次叫醒他，心境愉悦，仿佛经过了一段神仙之旅。张岱对行为和感觉的交叉描写以细致恰切见长，如本文"卧舟中看月，小傒船头唱曲，醉梦相杂，声声渐远，月亦渐淡，嗒然睡去。歌终忽寤，含糊赞之，寻复鼾鼾"若干句，将半睡半醒的状态描述得极为真切，无人能及。

品山堂鱼宕

二十年前强半住众香国①，日进城市，夜必出之。品山堂孤松箕踞，岸帻入水②。池广三亩，莲花起岸③，莲房以百以千，鲜磊可喜。新雨过，收叶上荷珠煮酒，香扑烈。门外鱼宕，横亘三百余亩，多种菱芡。小菱如姜芽，辄采食之，嫩如莲实，香似建兰，无味可匹。深秋，橘奴饱霜④，非个个红绽不轻下剪。季冬观鱼，鱼艓千余艘，鳞次栉比，罱者夹之⑤，罭者扣之⑥，箔者罩之⑦，罥者撒之⑧，罩者抑之⑨，罜者举之⑩，水皆泥泛⑪，浊如土浆。鱼入网者囹圄⑫，漏网者唫唫，寸鲵纤鳞⑬，无不毕出。集舟分鱼，鱼税三百余斤⑭，赤鱼白肚，满载而归。约吾昆弟，烹鲜剧饮⑮，竟日方散。

[注释]

①强半：大半，过半。宋范成大《玉麟堂会诸司观牡丹酴醾三绝》之

三:"浮生满百今强半,岁岁看花得几回?"众香国:园林名,靠近绍兴鉴湖,为张岱父亲张耀芳所建。②孤松箕踞,岸帻入水:一棵单独生长着的松树姿态洒脱,像一个叉开腿坐着,掠起头巾,额头浸入水中的人。③起岸:登陆,上岸。④橘奴:橘子。饱霜:饱经霜打。⑤罱(lǎn):用罱夹鱼。罱是在两根平行的短竹竿上张网,再装两根交叉的长竹柄做成,手握竹柄可控制网的开合。⑥罛(gū):大型渔网。⑦籍(cè):用叉刺鱼。罨(yǎn):渔网。⑧罥(juàn):用绳索结的网。⑨罩:捕鱼的竹笼。唐温庭筠《罩鱼歌》:"持罩入深水,金鳞大如手。"⑩罫(guà):同"挂",挂网捕鱼。⑪泛:向上冒出。⑫圉(yǔ)圉:拘束不舒展。⑬寸鲵:小鲵。鲵的叫声像婴儿,俗称娃娃鱼。⑭鱼税:打上来的生鱼要缴纳的税。⑮剧饮:痛快地饮酒。

[评析]

　　文中描写的是张岱年轻时在品山堂的生活画面。文中对品山堂的景物描写很少,只以一棵孤松喻示了山堂的清雅品味,其余则都和饮食有关,从夏到冬,鲜嫩的莲子、可煮美酒的荷叶上的雨珠、鲜香的菱角、经霜的柑橘、新网罗的活鱼,张岱依次铺陈叙写,令人垂涎欲滴。张岱喜欢铺排的手法,如"罱者夹之,罛者扣之,籍者罨之,罥者撒之,罩者抑之,罫者举之",生动地写出了渔民们使用各种器具捕鱼的忙碌热闹的场面,同时增强了节奏感,使语句更为圆润流畅。

松花石①

　　松花石,大父异自潇江署中。石在江口神祠,土人割牲飨神②,以毛血洒石上为恭敬,血渍毛毿③,几不见石。大父异入署,亲自被濯④,呼为"石丈",有《松花石纪》。今弃阶下,载花缸,不称使。余嫌其轮囷臃肿⑤,失松理⑥,不若董文简家茁

陶庵梦忆　173

错二松橛⑦，节理槎枒⑧，皮断犹附，视此更胜⑨。大父石上磨崖铭之曰⑩："尔昔鬣而鼓兮⑪，松也；尔今脱而骨兮⑫，石也；尔形可使代兮，贞勿易也⑬；尔视余笑兮，莫余逆也⑭。"其见宝如此⑮。

[注释]

①松花石：即松化石，松树干的化石，常用来装点花园山亭。②割牲飨神：宰杀牲畜祭祀神仙。③毵（sān）：散乱。④祓濯：洗去脏东西。⑤轮囷臃肿：粗大笨重。⑥松理：松的本色。⑦松橛：松木桩。⑧节理槎枒：树节和纹理错落不齐。⑨胜：优越，美好。⑩磨崖：在石壁上磨平刻字。⑪鬣而鼓：像鬃毛一样的松针在挥动。⑫脱而骨：脱去皮只剩下骨。⑬贞勿易：坚贞不改变。⑭莫余逆：不要违背我的意愿。⑮见宝：珍视。

[评析]

本文记载了张岱家中的一块松花石。松花石是张岱祖父从外地运回来的，尽管外形不佳，却是祖父的钟爱之物。张岱不喜欢这块石头，但仍把它的经历连同祖父的铭文记载了下来，表现了他对昔日家庭生活的留恋。

闰中秋

崇祯七年闰中秋①，仿虎丘故事，会各友于蕺山亭。每友携斗酒、五簋、十蔬果、红毡一床，席地鳞次坐②。缘山七十余床，衰童塌妓③，无席无之。在席者七百余人，能歌者百余人，同声唱"澄湖万顷"④，声如潮涌，山为雷动。诸酒徒轰饮⑤，酒行如泉。夜深客饥，借戒珠寺斋僧大锅煮饭饭客，长年以大桶担饭不继⑥。命小傒岕竹、楚烟于山亭演剧十余出，妙入情理，拥观者千人，无蚊虻声⑦，四鼓方散。月光泼地如水，人在月中，濯濯如新出浴。夜半，白云冉冉起脚下，前山俱失⑧，香炉、鹅鼻、天柱诸峰，仅露髻尖而已⑨，米家山雪景仿佛见之⑩。

[注释]

①崇祯七年：公元1634年。②鳞次：像鱼鳞那样依次排列。③衰童塌妓：长相不好看的童子和妓女。④"澄湖万顷"：出自传奇《浣纱记》，明梁辰鱼撰，讲述吴越争霸和范蠡、西施的爱情故事。⑤轰饮：叫嚷着狂饮。⑥不继：供不上。⑦无蚊虻声：形容看戏的人没发出一点儿声音。⑧失：看不见。⑨髻尖：像髻那样的山尖。⑩米家山：北宋米芾以水墨点染山石，好似云烟笼罩，林木掩映，风格脱俗。他的儿子米友仁秉承父亲的优点并在技法上青出于蓝，自成一格，于是后世称他们父子所画山水为"米家山"。

[评析]

本文讲述的是崇祯七年闰八月中秋节，张岱仿照苏州虎丘习俗，在绍兴蕺山亭举办的大型集会，友人和歌者、童仆几近千人。张岱在本文中没有像往常一样，大肆描写众人情态和酒会的过程，连戏剧的精彩也仅用"妙入情理，拥观者千人，无蚊虻声"十余字，寥寥几笔，匆匆带过，真正的着眼点停留在众人散去后月光的清凉纯净和冉冉白云遮蔽众山，宛若看见画中雪景的情境中，给人以独特的审美感受，可谓别具一格。

愚公谷

无锡去县北五里为铭山。进桥，店在左岸。店精雅，卖泉酒水坛、花缸、宜兴罐、风炉、盆盎①、泥人等货。愚公谷在惠山右，屋半倾圮，惟存木石。惠水涓涓，由井之涧②，由涧之溪，由溪之池、之厨、之湢③，以涤、以濯、以灌园、以沐浴、以净溺器，无不惠山泉者，故居园者福德与罪孽正等。

愚公先生交游遍天下④，名公巨卿多就之⑤，歌儿舞女、绮席华筵、诗文字画，无不虚往实归⑥。名士清客至则留，留则款，款则饯⑦，饯则赆⑧。以故愚公之用钱如水，天下人至今称之不少衰。

愚公文人，其园亭实有思致文理者为之，礓石为垣⑨，编柴为户，堂不层不庑⑩，树不配不行。堂之南，高槐古朴，树皆合抱，茂叶繁柯，阴森满院。藕花一塘，隔岸数石，治而卧。土墙生苔，如山脚到涧边，不记在人间。园东逼墙一台，外瞰寺，老柳卧墙角而不让台，台遂不尽瞰，与他园花树故故为容，亭台意特特为园者不同。

[注释]

①盎（àng）：腹大口小的盆，即缶。②之：到。③湢（bì）：浴室。④愚公：即邹迪光，字彦吉，号愚公，无锡人。万历年间进士，官至湖广提学副使。年四十去职归乡，居惠山，与文士饮酒为乐。⑤就：主动接近。⑥虚往实归：空着手来，带了很多东西去。⑦饯：设酒食送行。⑧赆：送别时赠送财物。⑨垣：墙。⑩不层：不重叠，没有上层。庑：堂下周围的走廊和廊屋。

[评析]

本文是对无锡名士邹迪光休官隐居生活的描写。从文中来看，远离官场的邹迪光过着奢华优雅的生活。他生性豪爽，喜欢和各类文人打交道，园中的设计以自然为主，不矫揉造作，很少人工穿凿，故张岱在行文中透露出些许崇拜和赞誉。此文反映了明末士大夫阶层盛行的乐隐和享乐的风气。

定海水操①

定海演武场在招宝山海岸②。水操用大战船、唬船③、蒙冲④、斗舰数千余艘⑤，杂以鱼艓轻艖⑥，来往如织。舳舻相隔⑦，呼吸难通，以表语目⑧，以鼓语耳，截击要遮⑨，尺寸不爽。健儿瞭望，猿蹲桅斗⑩，哨见敌船⑪，从斗上掷身腾空溺水，破浪冲涛，顷刻到岸，走报中军，又趵跃入水，轻如鱼凫。水操尤奇在夜战，旌旗干橹皆挂一小镫⑫，青布幕之⑬，画角一声⑭，万蜡齐举，火光映射，影又倍之。招宝山凭槛俯视，如烹斗煮星，釜汤正沸。火炮轰裂，如风雨晦冥中电光翕焱⑮，使人不敢正视；又如雷斧断崖石，下坠不测之渊⑯，观者褫魄⑰。

[注释]

①定海：浙江宁波属县。水操：水上军事演习。②招宝山：又名候涛山，得名的说法有两个：一是传说从远处望，此山缭绕着奇异的云气，似乎山中埋藏着宝物。另一说是海外商人来中国贸易，必经此山，所以称招宝。③唬船："唬"通"号"，即号船，负责联络传信的战船。《明史》卷二百六十五《王家彦传》："统于各卫之指挥寨设号船，联络呼应。"④蒙冲：即艨艟，战舰。⑤斗舰：战船，船上有三尺左右高的凸凹小墙，墙下有孔可插船桨。船内五尺又有和小墙一样高的棚，棚上又有小墙。这样可站多列士兵。船上有旗鼓。⑥鱼艓轻艖：渔船和轻快的小船。⑦舳舻：船头和船尾，泛指首尾相接，连续不断的船队。⑧表：旌旗，徽帜。⑨要遮：拦截，拦阻。⑩猿蹲桅斗：像猿猴那样蹲在桅杆的斗上。⑪哨见：侦查发现。⑫小镫：小油灯。⑬幕：围上帷幕。⑭画角：来自西羌的管乐器。用竹木或皮革制成，两端一粗一细像角，因表面有彩绘，故称画角。声音哀厉高亢，军中用来报时、报警、戒严等。⑮翕焱（yàn）：闪烁。⑯不测：不可测量的，形容极深。⑰褫（chǐ）魄：夺去魂魄。

[评析]

本文展现的是定海水兵演练的场景，写出了水兵技术的高超和夜战的壮观景象。文中有很多绝妙的比喻，如把桅杆上守望的水兵比作猿猴；夜间火把遍布水上，飘飘洒洒，来回晃动，像星星被煮沸一样；震天的火炮像暴风雨中的闪电，像惊雷震断的巨大岩石掉下万丈深渊,等等,形象贴切,真乃奇思妙想。

阿育王寺舍利①

阿育王寺,梵宇深静②,阶前老松八九棵,森罗有古色③。殿隔山门远,烟光树樾,摄入山门,望空视明,冰凉晶沁。右旋至方丈门外,有娑罗二株④,高插霄汉。便殿供旃檀佛⑤,中储一铜塔,铜色甚古,万历间慈圣皇太后所赐⑥,藏舍利子塔也。舍利子常放光,琉璃五彩,百道迸裂,出塔缝中,岁三四见。凡人瞻礼舍利⑦,随人因缘现诸色相⑧。如墨墨无所见者⑨,是人必死。昔湛和尚至寺,亦不见舍利,而是年死。屡有验。次早,日光初曙,僧导余礼佛,开铜塔,一紫檀佛龛供一小塔,如笔筒,六角,非木非楮,非皮非漆,上下曼皮定⑩,四围镂刻花楞梵字。舍利子悬塔顶,下垂摇摇不定,人透眼光入楞内,复眯眼上视舍利,辨其形状。余初见三珠连络如牟尼串⑪,煜煜有光。余复下顶礼,求见形相,再视之,见一白衣观音小像,眉目分明,髭鬟皆见⑫。秦一生反复视之,讫无所见⑬,一生遑遽,面发赤,出涕而去。一生果以是年八月死,奇验若此。

[注释]

①阿育王寺:在宁波阿育王山上,晋代时已经兴建。阿育王是古印度摩揭陀国孔雀王朝的国王,皈依了佛教,生前建造了很多佛寺,死后舍利四方传送,阿育王寺藏有其一。②梵宇:佛寺,禅房。③古色:古雅的情调。④娑罗:原产于印度的高大常绿乔木,又名柳安树。⑤旃檀:檀木。⑥慈圣皇太后:明神宗的生母李氏,漷县人,穆宗隆庆元年三月封贵妃。神宗即位,上尊号为慈圣皇太后。⑦瞻礼:瞻仰礼拜。⑧色相:佛教语,形貌。⑨墨墨:昏黑黯淡的样子。⑩曼皮:皮,物体外表的保护层,此处谓覆盖。⑪牟尼串:即数

珠,佛徒念佛、持咒、诵经时手中拿的成串珠子。每串以二十七颗、一百零八颗为常见。⑫髯鬖:前额和鬓角的毛发。⑬讫:终究。

[评析]

本文写张岱与友人秦一生游宁波阿育王寺看舍利的故事,充满了神奇和荒诞的色彩。阿育王寺历史悠久,曾有很多著名高僧在这里修行,而装舍利的佛塔又系明神宗生母所赐,这些都使看舍利成为一件不平凡的事。因有湛和尚不见舍利而死的故事在前,人们对舍利充满了敬畏,但张岱亲眼看见观音现身肯定不可能,大概也是因为他太富于想象和描述,才导致秦一生过度惶恐。文末把秦一生在这年去世的巧合看作舍利显灵,实属虚妄之谈。

过剑门

南曲中妓①,以串戏为韵事②,性命以之③。杨元、杨能、顾眉生、李十、董白以戏名④,属姚简叔期余观剧⑤。傒僮下午唱《西楼》⑥,夜则自串。傒僮为兴化大班,余旧伶马小卿⑦、陆子云在焉,加意唱七出,戏至更定,曲中大咤异⑧。杨元走鬼房问小卿曰⑨:"今日戏,气色大异,何也?"小卿曰:"坐上坐者余主人。主人精赏鉴,延师课戏⑩,童手指千⑪,傒僮到其家谓'过剑门'⑫,焉敢草草!"杨元始来物色余⑬。《西楼》不及完,串《教子》。顾眉生:周羽,杨元:周娘子,杨能:周瑞隆。杨元胆怯肤栗,不能出声,眼眼相觑,渠欲讨好不能⑭,余欲献媚不得,持久之,伺便喝采一二,杨元始放胆,戏亦遂发。嗣后曲中戏,必以余为导师,余不至,虽夜分不开台也。以余而长声价,以余长声价之人、而后长余声价者,多有之。

[注释]

①南曲中：指南京秦淮河妓院。②韵事：风雅之事。③性命以之：用心去演戏。④名：闻名，出名。⑤属：嘱托。期：约。⑥《西楼》：清袁于令所撰传奇《西楼记》，又名《西楼梦》，写书生于鹃与妓女穆素徽的爱情故事。⑦伶：艺人。⑧咤异：诧异。⑨鬼房：指后台。旧称戏台上下场门为鬼门道，后台屋子为鬼房。⑩课：讲习，教习。⑪童手指千：典出《汉书》，意为仆人都多才多艺，一说是仆人众多。童，奴婢。手指，技艺。⑫剑门：地名。剑门关，蜀中险要之地。⑬物色：寻找。⑭渠：他。

[评析]

剑门是蜀地一个险要的关口，过剑门也就是过险关的意思，但在此文中，剑门已超出了它的实际地理意义，喻示获得张岱肯定的演戏水准。本文中，艺妓们本来演技已经十分高超，在张岱面前却不敢不拼尽全力，甚至还有名角因为紧张过度发不出声，通过这些实例和艺妓马小卿的答话，反映了张岱戏剧鉴赏水平之精，而且在当时具有权威性。张岱在文末"必以余为导师"之语显示了充分的自信，虽然也有自我吹捧之嫌，但其鉴赏水平无疑是值得推崇的。

冰山记

魏珰败①，好事者作传奇十数本，多失实，余为删改之，仍名《冰山》②。城隍庙扬台，观者数万人，台址鳞比，挤至大门外。一人上，白曰："某杨涟③。"口口谇谇曰④："杨涟！杨涟！"声达处，如潮涌，人人皆如之。杖范元白，逼死裕妃⑤，怒气忿涌，嚌断嚄唶⑥。至颜佩韦击杀缇骑⑦，嚣呼跳蹴，汹汹崩屋。沈青霞缚橐人射相嵩⑧，以为笑乐，不是过也。⑨

是秋，携之至兖，为大人寿⑩。一日，宴守道刘半舫⑪，半舫曰："此剧已十得八九，惜不及内操、菊宴、及逼灵犀与囊收数事耳。"余闻之，是夜席散，余填词，督小傒强记之⑫。次日，至道署搬演⑬，已增入七出，如半舫言。半舫大骇异，知余所构⑭，遂诣大人，与余定交。

[注释]

①魏珰：大宦官魏忠贤。②《冰山》：即《冰山记》，传奇名。明陈开泰撰。叙魏忠贤奸党残害忠良及最后垮台事。③杨涟：字文孺，号大洪，曾任左副都御史，因弹劾魏忠贤，死在狱中。谥忠烈。④谇（suì）：告知。谇（chá）：小声说话。⑤裕妃：明熹宗的妃子张氏，因生性耿直，不顺从客氏，快生产时被客氏囚居，不给饮食。裕妃只能喝到屋檐流下的雨水，最终惨死。⑥嚄（huò）唶（jiè）：像鸟鸣一样议论纷纷。⑦颜佩韦：苏州人。天启年间，魏忠贤派锦衣卫到苏州抓捕忠良周顺昌，苏州数千人为周顺昌请命，校尉李国本击打市民，被颜佩韦率先拉住，又与杨念如、马杰、沈扬、周文元一起大呼，李国本惊惧，从房梁上掉下来摔死了。事后，五人主动投案，英勇就义。缇（tí）骑：指魏忠贤掌管的东厂缉捕校卒。⑧沈青霞：沈錬，字纯甫，绍兴人，嘉靖年间进士，曾上揭发严嵩的十大罪状。并缚草为人，像李林甫、严嵩等人，醉则聚子弟攒射之。相嵩：奸相严嵩。⑨过：过错。⑩大人：父亲。⑪刘半舫：刘荣嗣，字敬仲，号简斋，万历年间进士，曾任工部尚书等职，为人耿直。⑫强记：牢牢记住。⑬道署：道台衙门。⑭构：创作。

[评析]

此文还是与戏剧有关，但不同的是，前面各篇表现的是张岱精于鉴赏戏剧，殚精竭虑挑选、训练艺人，指导演戏之法这几个方面，而本文则反映了张岱创作上独一无二的天分。由张岱删改的《冰山》，演出效果本来已极佳，但张岱在宴席上得到建议，马上连夜创作，并要求艺人记词演习，到了第二天早上，竟然增加了七出，不但神速，而且合乎建议的情境，令人大吃一惊。这个故事显露了张岱在戏剧方面常人难以超越的高深造诣。

卷 八

龙山放灯

万历辛丑年①，父叔辈张灯龙山，剡木为架者百②，涂以丹艧③，悦以文锦④，一灯三之。灯不专在架，亦不专在磴道⑤，沿山袭谷⑥，枝头树杪无不灯者⑦，自城隍庙门至蓬莱岗上下，亦无不灯者。山下望如星河倒注⑧，浴浴熊熊⑨，又如隋炀帝夜游⑩，倾数斛萤火于山谷间，团结方开⑪，倚草附木，迷迷不去者⑫。好事者卖酒，缘山席地坐。山无不灯，灯无不席，席无不人，人无不歌唱鼓吹。男女看灯者，一入庙门，头不得顾，踵不得旋，只可随势潮上潮下，不知去落何所，有听之而已。庙门悬禁条：禁车马，禁烟火，禁喧哗，禁豪家奴不得行辟人。父叔辈台于大松树下⑬，亦席，亦声歌，每夜鼓吹笙簧与宴歌弦管，沉沉昧旦⑭。

十六夜，张分守宴织造太监于山巅星宿阁⑮，傍晚至山下，见禁条，太监忙出舆笑曰："遵他，遵他，自咱们遵他起！"却随役⑯，用二丱角扶掖上山⑰。夜半，星宿阁火罢，宴亦遂罢⑱。

灯凡四夜⑲，山上下糟丘肉林⑳，日扫果核蔗滓及鱼肉骨蠡蜕㉑，堆砌成高阜㉒，拾妇女鞋挂树上，如秋叶。相传十五夜，灯残人静，当垆者正收核㉓，有美妇六七人买酒，酒尽，有未开瓮者。买大罍一㉔，可四斗许，出袖中瓜果，顷刻罄罍而去㉕。疑是女人星㉖，或曰酒星㉗。又一事：有无赖子于城隍庙左借空楼数楹，以姣童实之，为"帘子胡同"。是夜，有美少年来狎某童，剪烛殢酒㉘，媟亵非理㉙，解襦，乃女子也，未曙即去，不知其地、其人，或是妖狐所化。

[注释]

①万历辛丑年：万历二十九年，公元1601年。②剡（yǎn）：削。③丹雘（huò）：红色或彩色涂料。④悦：使人愉悦。文锦：文采斑斓的织锦。⑤磴道：登山的石径。⑥袭：沿袭。⑦树杪（miǎo）：树梢。⑧倒注：倒流。⑨浴浴：形容一盏盏灯上上下下、忽高忽低的样子。熊熊：灯火旺盛的样子。⑩隋炀帝：隋文帝次子杨广，是位暴戾的君王，生活奢侈，喜欢游乐。⑪团结：聚拢成团。⑫迷迷：依附在某物上。⑬台：搭建台子。⑭沉沉：深沉，常用来形容夜晚。昧旦：破晓，天将明未明的时候。《诗经·女曰鸡鸣》："女曰鸡鸣，士曰昧旦。"⑮分守：明时按察使、按察分司，又称监司，亦可称分守。织造：明代在南京、杭州、苏州设立专局，掌管织造皇室所用丝织品，由太监任提督织造。⑯却：命退下。随役：随从，差役。⑰丱（guàn）角：古时儿童束发成两角。这里指童仆。⑱遂：于是。⑲凡：总计，总共。⑳糟丘：酒糟堆积成丘，形容酿酒极多。肉林：食用之肉极多，悬挂如林。形容穷奢极欲。㉑蠡（luó）：螺，螺壳。蜕：兽类的皮壳。㉒高阜：高岗。㉓当垆：卖酒。垆，酒店里安放酒瓮的炉形土台子。㉔罍：酒器。口小肩宽，深腹圈足，类似于壶。㉕罄：尽，喝光。㉖女人星：即女宿，又名须女，务女，二十八星宿之一。㉗酒星：酒旗星，酒官的旗帜，掌管宴饮，敬酒侑神。㉘殢（tì）酒：醉酒。㉙媟（xiè）亵（xiè）非理：行为不庄重，违背常理。

[评析]

张岱在本文中记叙了万历年间张家在龙山放灯的情形和与之相

关的传说。龙山上下星星点点全是灯，灯架涂漆缠锦，宴席上伴随着笙簧管弦，连织造太监都来捧场，而且居然也遵从禁条，这些都无不显示了张家在当时的显赫地位。文末有关女人星和女扮男装的美少年来游乐的故事，出自众口相传，神奇浪漫，张岱也有借此神化张氏家族的意思。文中最妙的是关于龙山灯火的比喻："山下望如星河倒注，浴浴熊熊，又如隋炀帝夜游，倾数斛萤火于山谷间，团结方开，倚草附木，迷迷不去者。"用星河倒流来比喻从山上绵延而下的旺盛灯火，又用萤火虫来形容灯火或密集或疏散，挂在草木上飘飘洒洒的动态，可谓想象奇妙，笔底生花。

王月生

南京朱市妓①，曲中羞与为伍②；王月生出朱市，曲中上下三十年决无其比也。面色如建兰初开，楚楚文弱，纤趾一牙，如出水红菱，矜贵寡言笑，女兄弟闲客多方狡狯嘲弄哈侮③，不能勾其一粲④。善楷书，画兰竹水仙，亦解吴歌，不易出口。南京勋戚大老力致之，亦不能竟一席⑤。富商权胥得其主席半晌⑥，先一日送书帕，非十金则五金，不敢亵订。与合卺，非下聘一二月前，则终岁不得也。

好茶，善闵老子⑦，虽大风雨、大宴会，必至老子家啜茶数壶始去。所交有当意者，亦期与老子家会。一日，老子邻居有大贾，集曲中妓十数人，群萃嘻笑，环坐纵饮。月生立露台上，倚徙栏楯，眠娗羞涩⑧，群婢见之皆气夺，徙他室避之。月生寒淡如孤梅冷月，含冰傲霜，不喜与俗子交接；或时对面同坐起，若无睹者。有公子狎之，同寝食者半月，不得其一言。一日口嚅嚅动,闲客惊喜,走报公子曰:"月生开言矣!"哄然以为祥瑞,急走伺之,面赪⑨,寻又止,公子力请再三,蹇涩出二字曰:"家去。"

[注释]

①朱市:秦淮低档妓院。②曲中:指地位较高的妓坊。③女兄弟:姐妹。闲客:帮闲的食客。狯狚(kuài):戏弄,开玩笑。哈(hāi)侮:讥笑侮辱。④勾:引起,勾起。一粲:一笑。⑤竟一席:指王月生不能在宴席上自始至终地陪伴。⑥权胥:会弄权的小吏。主席:主持宴席。半晌:半日。⑦善:相好,交好。⑧眠娗(tiǎn):同"腼腆"。⑨面赪(chēng):脸红。

[评析]

本文记载了一个超凡脱俗的名妓。妓女给人的普遍印象是放浪轻薄,但王月生异常清高孤傲,令人侧目。文中描写了王月生寡言笑,有书、画、歌之天分却轻易不显露,权贵不能强迫她的意志,又善于品茶,不喜欢接待俗人等个性,这些实与古代男性士人的内在品质相通,可惜她处在那样一个性别不平等的社会,又深陷风月场中,身不由己,不能不令人深深慨叹。

张东谷好酒

余家自太仆公称豪饮,后竟失传①,余父余叔不能饮一蠡壳②,食糟茄③,面即发赪,家常宴会,但留心烹饪,庖厨之精④,遂甲江左⑤。一篑进,兄弟争啖之立尽,饱即自去,终席未尝举杯。有客在,不待客辞,亦即自去。

山人张东谷⑥,酒徒也,每悒悒不自得⑦。一日起谓家君曰⑧:"尔兄弟奇矣!肉只是吃,不管好吃不好吃;酒只是不吃,不知会吃不会吃。"二语颇韵⑨,有晋人风味。而近有伧父载之

《舌华录》⑩,曰:"张氏兄弟赋性奇哉!肉不论美恶,只是吃;酒不论美恶,只是不吃。"字字板实⑪,一去千里⑫,世上真不少点金成铁手也⑬。东谷善滑稽,贫无立锥,与恶少讼,指东谷为万金豪富,东谷忙忙走诉大父曰:"绍兴人可恶,对半说谎⑭,便说我是万金豪富!"大父常举以为笑。

[注释]

①失传:没有传人。②蠡壳:螺壳,小酒杯。③糟茄:用酒糟腌制的茄子。④庖厨:厨房,厨工,引申为肴馔。⑤甲:第一。江左:江东,长江中下游以东。⑥山人:隐士。⑦悒悒不自得:心情抑郁,不得志。⑧家君:对人称自己的父亲。⑨颇韵:颇有韵味。⑩伧父:粗鄙庸俗之人。《舌华录》:明曹臣撰。此书仿《世说新语》而作,收录的故事都是经过面谈而来,来自书本上的东西不载,所以命名为《舌华录》,取佛经"舌本莲华"之意。⑪板实:平实,踏实。⑫一去千里:形容与张东谷的话韵味差得太远。⑬点金成铁:把金子变成铁,比喻把好的变坏了。⑭对半:当面,绍兴方言。

[评析]

本文以"张东谷好酒"为题,其实展现更多的是张东谷语言之妙。古人抱负不得施展,常常借酒消愁,日以饮酒为事,魏晋时期因为社会动荡不安,产生了很多这样的人物,典型的如竹林七贤之一阮籍。张东谷是绍兴一带的隐士,也因压抑沉沦而好酒,也就具有了晋人洒脱不羁的风韵。无论是评张氏兄弟吃酒肉,还是为自己辩护,都充满理趣和情趣,体现了在江南独特文化背景下下层文人通脱达观的精神面貌。

楼 船

家大人造楼,船之;造船,楼之。故里中人谓船楼,谓楼船，颠倒之不置。是日落成，为七月十五，自大父以下，男女老稚靡不集焉。以木排数重搭台演戏，城中村落来观者，大小千余艘。午后飓风起，巨浪磅礴，大雨如注，楼船孤危，风逼之几覆，以木排为戙索缆数千条①，网网如织，风不能撼。少顷风定，完剧而散。越中舟如蠡壳，局蹐篷底看山，如矮人观场，仅见鞋靸而已，升高视明，颇为山水吐气②。

[注释]

①戙（dòng）：系船的木桩。索缆：系上缆绳。②吐气：因山水之美而呼出声气。

[评析]

文中叙述的是张岱父亲造巨型楼船，为庆祝船成，搭台演戏的往事。本来除了彰显出张家富贵、好尚娱乐外，没有什么特别，但是插入了突如其来的午后飓风差点将楼船吹倒，众人利用搭戏台的木排密密地系上绳索才平安无虞一节，使事件波澜起伏，动人心魄。文末写风定剧完，登上楼船远眺山水的舒畅之情，使散文情调复归平静，可谓有张有弛，松紧得当。

阮圆海戏①

阮圆海家优②，讲关目③，讲情理，讲筋节④，与他班孟浪不同⑤。然其所打院本⑥，又皆主人自制，笔笔勾勒，苦心尽出，与他班卤莽者又不同。故所搬演，本本出色，脚脚出色，出出出色，句句出色，字字出色。余在其家看《十错认》《摩尼珠》《燕子笺》三剧，其串架斗笋⑦、插科打诨⑧、意色眼目⑨，主人细细与之讲明。知其义味，知其指归，故咬嚼吞吐⑩，寻味不尽。至于《十错认》之龙灯、之紫姑，《摩尼珠》之走解、之猴戏,《燕子笺》之飞燕、之舞象、之波斯进宝,纸札装束,无不尽情刻画,故其出色也愈甚。阮圆海大有才华,恨居心勿静,其所编诸剧,骂世十七,解嘲十三,多诋毁东林⑪,辩宥魏党⑫,为士君子所唾弃,故其传奇不之著焉。如就戏论,则亦镞镞能新⑬,不落窠臼者也。

[注释]

①阮圆海:即阮大铖,字集之,号圆海。万历年间进士,曾任给事中,因依附魏忠贤,被免职。南明小朝廷成立,阮大铖为兵部尚书,后投降清朝,为人所不齿。②优:演员,戏子。③关目:戏曲中的主要情节。④筋节:重要转折和连接处。⑤孟浪:鲁莽。⑥打:演出。⑦串架:串联情节。斗笋:连接和拼合榫头,指戏曲情节之间的过渡。⑧插科打诨:戏曲中为引人发笑安排的滑稽动作和诙谐语言。⑨意色:表情,神情。⑩咬嚼吞吐:形容反复思考、琢磨戏文和表演的样子。⑪东林:明代后期,顾宪成与高攀龙等人在无锡东林书院讲学,议论时政,与弟子、友人形成一个政治团体,遭到魏忠贤等人的镇压,被称为东林党。⑫辩宥:辩护,宽宥。⑬镞(zú)镞能新:不同一般,富有新意,语出南朝宋刘义庆《世说新语·赏誉》:"文学镞镞,无能不新。"

[评析]

阮大铖是明末著名奸臣,改朝换代后又马上依附清朝,受世人唾骂。从文中知张岱和阮大铖的关系曾经很好,张岱在阮家看戏,与阮大铖交流,对其才华和家中戏班的演剧水平大为叹服。张岱了解阮大铖属于奸佞之流,文末对其创作的传奇的反动立场表示不满,但也不愿因此否定他的戏剧才华。此文中,张岱还用了一些排比、重叠等手法,如"讲关目,讲情理,讲筋节","本本出色,脚脚出色,出出出色,句句出色,字字出色",使文章节奏鲜明,风格明快俊朗。

巘花阁

巘花阁在筠芝亭松峡下,层崖古木,高出林皋①,秋有红叶。坡下支壑回涡②，石拇棱棱③，与水相距④。阁不槛⑤、不牖⑥，地不楼、不台，意正不尽也。五雪叔归自广陵，一肚皮园亭⑦，于此小试。台之、亭之、廊之、栈道之，照面楼之侧⑧，又堂之、阁之、梅花缠折旋之，未免伤板⑨、伤实⑩、伤排挤，意反局蹐，若石窟书砚。隔水看山、看阁、看石麓、看松峡上松，庐山面目反于山外得之。五雪叔属余作对，余曰："身在襄阳袖石里⑪，家来辋口扇图中⑫。"言其小处。

[注释]

①林皋：树林高阜。②支壑回涡：小的山沟呈回旋状。③石拇棱棱：石头突出的样子。④相距：对峙。⑤不槛：没有栏杆。⑥不牖：没有窗户。⑦一肚皮园亭：胸中有很多关于园亭的知识、构想。⑧照面：对面。⑨伤板：失于刻板。⑩伤实：失于平实。⑪襄阳袖石：北宋著名书画家米芾，字元章，祖籍太原，定居襄阳，故人称"米襄阳"。米芾有石癖，广为人知。袖石就是大如拳的石头，平时可放在袖中，便于把玩，明代时特别兴盛，称为"袖石"。⑫辋口扇图：唐代著名诗人、画家王维晚年隐居蓝田辋川，作有《辋川图》。

[评析]

此文讲述的是五叔修建巘花阁之事。巘花阁在张岱高祖所建筠芝亭附近，筠芝亭以浑朴阔朗见长，张岱曾专门撰文赞美，认为后来的建筑都无韵味。本文中，张岱的五叔做官回来，以己意规划、修建了巘花阁，因为亭台楼阁太多，结构局促，张岱显然很不喜欢，只是觉得从外面从远处看还稍有点儿意味。文末的楹联很有趣，张岱不好拒绝五叔，用了米芾袖中藏石和王维辋川图画两个典故来形容巘花阁之结构局促，委婉又文雅。

范与兰

范与兰七十有三①，好琴，喜种兰及盆池小景。建兰三十余缸，大如簸箕。早舁而入，夜舁而出者，夏也；早舁而出，夜舁而入者，冬也；长年辛苦，不减农事。花时，香出里外，客至坐一时，香袭衣裾，三五日不散。余至花期至其家，坐卧不去，香气酷烈，逆鼻不敢嗅②，第开口吞欱之③，如流瀩焉④。花谢，粪之满箕⑤，余不忍弃，与与兰谋曰："有面可煎，有蜜可浸，有火可焙，奈何不食之也？"与兰首肯余言。与兰少年学琴于王明泉，能弹《汉宫秋》《山居吟》《水龙吟》三曲。后见王本吾琴，大称善，尽弃所学而学焉，半年学《石上流泉》一曲，生涩犹棘手。王本吾去，旋亦忘之，旧所学又锐意去之，不复能记忆，究竟终无一字，终日抚琴，但和弦而已。所畜小景⑥，有豆板黄杨，枝干苍古奇妙，盆石称之。朱樵峰以二十金售之，不肯易⑦，与兰珍爱，"小妾"呼之。余强借斋头三月，枯其垂一干，余懊惜，急舁归与兰。与兰惊惶无措，煮参汁浇灌，日夜摩之不置，一月后枯干复活。

[注释]

①有：又。②逆鼻：入鼻。《酉阳杂俎》卷二："卢生到复州，又尝与数人闲行，途遇六七人，盛服具带，酒气逆鼻。"③第：只是。④流瀩：夜间浮动的水汽。⑤粪：扫除。⑥小景：小型盆景。⑦易：交易。

[评析]

张岱笔下的范与兰有三种嗜好：喜欢种兰花，喜欢弹琴，喜欢小盆景。种兰花不辞辛苦，如同耕作庄稼，兰花自然繁茂，以致张岱觉得香气太冲不敢闻。爱琴，可惜缺乏天赋，几番学琴不成，记忆也不好，只能随意置之。小盆景实在精致，而且范与兰竟然将豆板黄杨称为"小妾"，颇有林逋"梅妻鹤子"的情趣。张岱写黄杨被自己弄枯一干后，"与兰惊惶无措，煮参汁浇灌，日夜摩之不置"，如此痴心着实令人感动。尽管三种嗜好二精一不精，从范与兰身上我们还是能够充分体会到明末文人高雅精致的生活情趣。

蟹 会

食品不加盐醋而五味全者，为蚶、为河蟹。河蟹至十月与稻粱俱肥，壳如盘大，坟起①，而紫螯巨如拳，小脚肉出，油油如蝤蛑②。掀其壳，膏腻堆积，如玉脂珀屑，团结不散，甘腴虽八珍不及③。一到十月，余与友人兄弟辈立蟹会，期于午后至，煮蟹食之，人六只，恐冷腥，迭番煮之④。从以肥腊鸭、牛奶酪。醉蚶如琥珀，以鸭汁煮白菜如玉版⑤。果瓜以谢橘、以风栗、以风菱。饮以玉壶冰，蔬以兵坑笋，饭以新余杭白，漱以兰雪茶。由今思之，真如天厨仙供，酒醉饭饱，惭愧惭愧⑥。

[注释]

①坟起：隆起。②蝤（yǐn）蛑（qiān）：蚯蚓。③甘腴：甜美。八珍：八种珍贵食品，一般指龙肝、凤髓、豹胎、鲤尾、鸮炙、猩唇、熊掌、酥酪蝉。④迭番：轮番，交替。⑤玉版：刻字的玉片。⑥惭愧：难得，侥幸。

[评析]

以美食为名目的集会不多，张岱召集的蟹会真是别出心裁。不但蟹的吃法有讲究，配食的腊鸭、奶酪、醉蚶、瓜果蔬菜，以及米饭和茶饮，都是极精极细的。此文表现了张岱早年的奢华精致的生活，以及他非同一般的美食品味。

露 兄

崇祯癸酉①，有好事者开茶馆，泉实玉带②，茶实兰雪，汤以旋煮③，无老汤④，器以时涤⑤，无秽器⑥，其火候、汤候，亦时有天合之者⑦。余喜之，名其馆曰"露兄"，取米颠"茶甘露有兄"句也⑧。为之作《斗茶檄》，曰："水淫茶癖，爱有古风；瑞草雪芽，素称越绝⑨。特以烹煮非法，向来葛灶生尘⑩；更兼赏鉴无人，致使羽《经》积蠹⑪。迩者择有胜地⑫，复举汤盟⑬，水符递自玉泉，茗战争来兰雪。瓜子炒豆，何须瑞草桥边⑭；橘柚查梨，出自仲山圃内⑮。八功德水⑯，无过甘滑香洁清凉；七家常事，不管柴米油盐酱醋。一日何可少此，子猷竹庶可齐名⑰；七碗吃不得了，卢仝茶不算知味⑱。一壶挥尘，用畅清谈⑲；半榻焚香，共期白醉⑳。"

[注释]

①崇祯癸酉：崇祯六年，公元1633年。②实：的确，确实。玉带：指绍兴惠泉。③旋煮：现煮，马上煮。④老汤：煮沸时间过长的汤。⑤时涤：适时洗涤。⑥秽器：脏的器具。⑦天合：天作之合，巧合，妙合。⑧米颠：北宋书画家米芾，字符章，行为癫狂，被称为米颠。北宋庄绰《鸡肋编》卷上载米芾"尝作诗云：'饭白云留子，茶甘露有兄。'人不省露兄故实，扣之，乃曰：'只是甘露哥哥耳。'"⑨越绝：越地的绝品。⑩葛灶：葛洪的炉灶。晋代葛洪曾结庐起灶炼丹，香气升天透入瑶池，王母垂涎，命瑶华仙子下界索要。⑪羽《经》：陆羽的《茶经》。⑫迩者：近来。⑬举：举办，举行。汤盟：茶水会盟。⑭"瓜子炒豆"二句：见苏轼贬谪黄州时所作《与王元直》："或圣恩许归田里，得款段一，仆与子、众丈、杨宗文之流，往还瑞草桥，夜还何村，与君对坐庄门，吃瓜子炒豆，不知当复有此日否？"⑮仲山圃：指哀仲家梨园。《世说新语·轻诋》注："秣陵有哀仲家梨，甚美，大如升，入口消释。"⑯八功德水：佛教谓西方极乐世界处处皆有七妙宝池，八功德水弥漫其中，澄净、清冷、甘美、轻软、润泽、安和，可解饥渴，增益善根。元陶宗仪《说郛》卷五十七下《刘程之》："他日念佛，又见入七宝池，莲青白，其水湛湛，有人顶有圆光，胸出卍字，指池水曰：'八功德水，汝可饮之。'程之饮水甘美，及寤，犹觉异香发于毛孔。"⑰"一日"二句：子猷名王徽之，王羲之第五子。《晋书》卷八十记载他"尝寄居空宅中，便令种竹。或问其故，徽之但啸

咏，指竹曰：'何可一日无此君邪？'"⑱"七碗"二句：卢仝，号玉川子，唐代著名诗人，嗜茶。有《走笔谢孟谏议寄新茶》："一碗喉吻润，两碗破孤闷。三碗搜枯肠，惟有文字五千卷。四碗发轻汗，平生不平事，尽向毛孔散。五碗肌骨清，六碗通仙灵。七碗吃不得也，唯觉两腋习习清风生。"⑲清谈：清雅的谈论。⑳白醉：浮白大醉。浮白原为罚酒，后指畅饮，见汉刘向《说苑·善说》："魏文侯与大夫饮酒，使公乘不仁为觞政，曰：'饮不釂者，浮以大白。'"

[评析]

玉带泉是张岱发现并使之声名远扬的，兰雪茶也是张岱的发明，凭着张岱的鉴赏口味，可知二者是绝配。开茶馆的老板精于茶道，又懂得行情，使张岱在其茶馆中饮后大悦，激发了创作雅兴，为其茶馆取名，又做了一篇文采斐然的檄文，想来凭借张岱的名气，老板肯定大发其财了。

闰元宵

崇祯庚辰闰正月①，与越中父老约重张五夜灯②，余作张灯致语曰③："两逢元正④，岁成闰于摄提之辰⑤；再值孟陬⑥，天假人以闲暇之月⑦。《春秋传》详记二百四十二年事⑧，春王正月⑨，孔子未得重书⑩；开封府更放十七、十八两夜灯，乾德五年，宋祖犹烦钦赐⑪。兹闰正月者，三生奇遇，何幸今日而当场⑫；百岁难逢，须效古人而秉烛⑬。况吾大越，蓬莱福地⑭，宛委洞天⑮。大江以东，民皆安堵⑯；遵海而北⑰，水不扬波。含哺嬉兮⑱，共乐太平之世界；重译至者⑲，皆言中国有圣人。千百国来朝，白雉之陈无算⑳；十三年于兹，黄耇之说有征㉑。乐圣衔杯㉒，宜纵饮屠苏之酒㉓；较书分火，应暂辍太乙之藜㉔。前此元宵，竟因雪妒，天亦知点缀丰年；后来灯夕，欲与月期，人不可蹉跎胜事㉕。六鳌山立㉖，只说飞来东武，使鸡犬不惊㉗；百兽室悬，毋曰下守海澨㉘，唯鱼鳖是见。笙箫聒地，竹椽出自柯亭㉙；花草盈街㉚，禊帖携来兰渚㉛。士女潮涌，撼动蠡城；车马雷殷，唤醒龙屿。况时逢丰穰㉜，呼庚呼癸㉝，一岁自兆重登㉞；且科际辰年㉟，为龙为光，两榜必征双首㊱。莫轻此五夜之乐，眼望何时？试问那百年之人，躬逢几次㊲？敢祈同志，勿负良宵。敬藉赫蹄㊳，喧传口号。"

[注释]

①崇祯庚辰：崇祯十三年，公元1640年。②五夜灯：相传自宋朝起，民间习俗元宵节前后放灯五夜，称五夜灯。③致语：活动开始前的讲话。④元正：正月元日。⑤摄提之辰：摄提是摄提格的省称，指古代岁星纪年中十二辰之寅。十二辰也用来纪月，明代依然遵循夏历，以寅月为正月，故摄提之辰就是正月的意思。⑥孟陬（zōu）：孟春正月。⑦假：授予，给予。⑧《春秋传》：相传为孔子编定《春秋》，是鲁国的编年史，记载了鲁隐公元年到鲁哀公十四年共242年间的历史。⑨春王正月：《春秋》以鲁国国君在位年份纪年，以周天子颁布的历法纪月，以显示君臣之义。《春秋·隐公元年》："元年春，王正月。"元年是指鲁隐公元年，王正月则指周天子历法确定的以建子之月即农历十一月为正月。清赵翼《陔馀丛考·春不书王》中说："《春秋》每岁必书'春，王正月'……以周月记事者，则孔子书'王正月'以别之，谓此正月乃王之正月，见其犹尊王也。"⑩孔子未得重书：孔子《春秋》只是简单记事，所以没有详细写下正月庆贺的情形。重书，详细书写，进一步书写。⑪"开封府"三句：宋王栐《燕翼诒谋录》卷三："国朝故事，三元张灯。太祖乾德五年正月甲辰，诏曰：'上元张灯，旧止三夜，今朝廷无事，区宇又安，方当年谷之丰登，宜纵士民之行乐，其令开封府更放十七、十八两夜灯。'后遂为例。"开封府，北宋都城。⑫当场：就在那个时候。⑬秉烛：秉烛夜游。出自《古诗十九首》："昼短苦夜长，何不秉烛游。"⑭蓬莱：传说中的神山名，泛指仙境，这里形容越地之美。⑮宛委：宛委山是会稽山的一个山

峰，又叫石篑山、玉笥山，传说禹登宛委山得金简玉字之书，有洞曰"阳明洞天"。⑯安堵：安居。⑰遵海：沿着海岸。⑱含哺：口衔食物，形容生活安乐。《庄子·马蹄》："含哺而熙，鼓腹而游，民能以此矣。"⑲重译：外国人。⑳白雉：白色羽毛的野鸡，古时以为瑞鸟，是盛世的体现。见《尚书大传》卷四："周公居摄六年，制礼作乐，天下和平。越裳以三象重译而献白雉。"陈：陈列。无算：算不过来。㉑"十三年"二句：见《史记》卷五十五，张良"乃更名姓，亡匿下邳。良尝闲，从容步游下邳圯上，有一老父衣褐，至良所，直堕其履圯下，顾谓良曰：'孺子下取履。'良愕然欲殴，为其老强忍，下取履。父曰：'履我。'良业为取履，因长跪履之。父以足受，笑而去。良殊大惊，随目之。父去里所，复还曰：'孺子可教矣。后五日平明，与我会此。'良因怪之，跪曰：'诺。'五日平明，良往，父已先在，怒曰：'与老人期，后何也，去。'曰：'后五日早会。'五日鸡鸣，良往，父又先在，复怒曰：'后，何也？去。'曰：'后五日复早来。'五日，良夜未半往，有顷，父亦来，喜曰：'当如是。'出一编书曰：'读此则为王者师矣。后十年，兴。十三年，孺子见我，济北谷城山下黄石即我矣。'遂去，无他言，不复见"。黄石之说指上文中老人对张良所说的十年之后西汉兴起和十三年后张良与老人见面印证说法。此年适逢崇祯帝即位十三年，张岱借此典故说明国家实力强盛，社会太平。㉒乐圣衔杯：《三国志·徐邈传》："时科禁酒，而邈私饮至于沉醉。校事赵达问以曹事，邈曰：'中圣人。'达白之太祖，太祖甚怒。度辽将军鲜于辅进曰：'平日醉客谓酒清者为圣人，浊者为贤人，邈性修慎，偶醉言耳。'竟坐得免刑。"后因以"乐圣"谓嗜酒。唐李适之《罢相作》诗："避贤初罢相，乐圣且衔杯。"㉓屠苏：古代有正月初一饮屠苏酒的习俗。㉔"较书"二句：晋王嘉《拾遗记》卷六："刘向于成帝之末校书天禄阁，专精覃思。夜有老人，着黄衣，植青藜杖，扣阁而进。见向暗中独坐诵书。老父乃吹杖端，烂然大明，因以照向。说开辟以前事，向因受五行洪范之文，恐辞说繁广忘之，乃裂裳及绅，以记其言。至曙而去，向请问姓名，云：'我是太乙之精，天帝闻金卯之子有博学者，下而观焉。'乃出怀中竹牒，有天文地图之书，曰：'余略授子焉。'"㉕蹉跎胜事：耽搁了好事。㉖六鳌：神话中负载五仙山的六只大龟。㉗"只说"二句：世传会稽龟山自东武海飞来，又名飞来山。《太平御览》卷四十七引《吴越春秋》曰："怪山者，琅琊东武海中山也。一夕自来，百姓怪之，故曰怪山。形似龟体，故谓龟山。"㉘海澨（shì）：海滨。㉙竹椽出自柯亭：相传汉代蔡邕用柯亭竹所制的笛子，泛指美笛。㉚盈：满。㉛禊帖携来兰渚：指兰亭雅集。禊帖，王羲之《兰亭集序》。㉜丰穰（ráng）：庄稼丰收。㉝呼庚呼癸：谓丰年饮食充足，见《左传·哀公十三年》。庚，西方，主谷。癸，北方，主水。㉞重登：大丰收。㉟科：科举考试。际：在，到。㊱双首：两个第一。㊲躬逢：亲逢。㊳赫蹄：用以书写的小幅绢帛，后借指纸。

[评析]

致语就是活动致辞。张岱这篇致语用了很多典故，文采华缛，令人有眼花缭乱之感。但思路和内容其实非常清晰，说闰正月多年不遇一次，正月又是闲暇的时节，宋代闰正月时皇帝都下令大庆，我们生逢盛世，身处良邦，何不尽情欢乐？最后是祝福语：新的一年粮食定会丰收，科考定会高中。其实当时已经是崇祯十三年，亡国的前夕，张岱未免太乐观了，张灯五夜的主张也未免缺乏忧患意识，但无论如何，人生总该有热情，在某些情境下，我们不能求全责备。

合采牌

余作文武牌[①]，以纸易骨，便于角斗，而燕客复刻一牌，集天下之斗虎、斗鹰、斗豹者，而多其色目、多其采，曰"合采牌"。余为之作叙曰："太史公曰：'凡编户之民，富相什则卑下之，伯则畏惮之，千则役，万则仆，物之理也。'[②]古人以钱之名不雅驯，缙绅先生难道之，故易其名曰赋、曰禄、曰饷，天子千里外曰采。采者，采其美物以为贡，犹赋也。诸侯在天子之县内曰采，有地以处其子孙亦曰采③，名不一，其实皆谷也，饭食之谓也。周封建多采则胜，秦无采则亡。采在下无以合之，则齐桓、晋文起矣④。列国有采而分析之⑤，则主父偃之谋也⑥。由是而亮采服采，好官不过多得采耳。充类至义之尽，窃亦采也，盗亦采也，鹰虎豹由此其选也。然则奚为而不禁？曰：小役大，弱役强，斯二者天也。《皋陶谟》曰：'载采采'⑦，微哉⑧、之哉⑨、庶哉⑩！"

[注释]

①文武牌：纸牌上画古代文臣武将图像，即所谓"叶子"，劝酒时抽取之以为戏。②太史公：司马迁。引文出自《史记》卷一百二十九《货殖列传》。③处：安置。④齐桓、晋文：春秋时期的两位霸主。⑤分析：分开。⑥主父偃：汉武帝时期的大臣，提出了削弱王侯势力的推恩法。⑦此句见《尚书》卷三《皋陶谟》："皋陶曰：都，亦行有九德，亦言其人有德，乃言曰载采采。"⑧微：微小。⑨之：这个。⑩庶：普通，一般。

[评析]

张岱的堂弟燕客生性与张岱不同，虽然也通文墨，懂收藏，但骄纵豪奢，故二者所做之牌品味、目的截然不同。张岱为燕客的豪华合采牌做了一篇文，与前面那些檄文、致语等不同，这篇是散体的杂说。论述了"采"的含义的演变，"采"对于社会历史发展的意义，以及"采"存在的理由，条理清晰，议论得当，展现了张岱卓越的逻辑思辨能力。

瑞草溪亭

瑞草溪亭为龙山支麓，高与屋等。燕客相其下有奇石，身执虆畚①，为匠石先，发掘之。见土蕈上②，见石骼石③，去三丈许，始与基平，乃就其上建屋。屋今日成，明日拆，后日又成，再后日又拆，凡十七变而溪亭始出。盖此地无溪也，而溪之，溪之不足，又潴之、壑之，一日鸠工数千指④，索性池之，索性阔一亩，索性深八尺。无水，挑水贮之，中留一石如案，回潴浮峦，颇亦有致。燕客以山石新开，意不苍古，乃用马粪涂之，使长苔藓，苔藓不得即出，又呼画工以石青石绿皴之⑤。一日左右视，谓此石案焉可无天目松数棵盘郁其上，遂以重价购天目松五六棵，凿石种之。石不受锸，石崩裂，不石不树，亦不复案，燕客怒，连夜凿成砚山形，缺一角，又辇一岩石补之。燕客性卞急⑥，种树不得大，移大树种之，移种而死，又寻大树补之。种不死不已，死亦种不已，以故树不得不死，然亦不得即死⑦。溪亭比旧址低四丈，运土至东多成高山，一亩之室，沧桑忽变。见其一室成，必多坐看之，至隔宿或即无有矣。故溪亭虽渺小，所费至巨万焉。燕客看小说："姚崇梦游地狱⑧，至一大厂，炉鞴千副⑨，恶鬼数千，铸泻甚急，问之，曰：'为燕国公铸横财⑩。'后至一处，炉灶冷落，疲鬼一二人鼓橐，奄奄无力，崇问之，曰：'此相公财库也。'崇瘩而叹曰：'燕公豪奢，殆天纵也。'"燕客喜其事，遂号"燕客"。二叔业四五万，燕客缘手立尽。甲申，二叔客死淮安，燕客奔丧，所积薪俸及玩好币帛之类又二万许，燕客携归，甫三月又辄尽⑪，时人比之鱼宏四尽焉⑫。溪亭住宅，一头造，一头改，一头卖，翻山倒水无虚日。有夏耳金者，制灯剪彩为花，亦无虚日。人称耳金为"败落隋炀帝"，称燕客为"穷极秦始皇"，可发一粲。

[注释]

①身执蔂（léi）畚：亲自拿着挖土、盛土的工具。②輂（jú）：运土的工具，这里指运土。③甃（zhòu）：堆放。④鸠工：聚集工匠。⑤皴（cūn）：国画技法，先勾出轮廓，再用淡干墨侧笔而画。⑥卞急：急躁。⑦即死：马上

死掉。⑧姚崇：本名元崇，避玄宗开元年号讳改名崇。陕州硖石人，唐代名臣，曾任兵部尚书等职，谥文献。⑨鞴（bài）：鼓风吹火的皮囊，即风箱。⑩燕国公：指玄宗时期的宰相张说，字道济，封燕国公。⑪甫：刚刚。⑫鱼宏：南朝梁人，以豪奢闻名，尝语人曰："我为郡，所谓四尽：水中鱼鳖尽，山中獐鹿尽，田中米谷尽，村里人庶尽。"

[评析]

此文是对堂弟燕客建造瑞草溪亭过程的描写，实际是通过这一件事来体现燕客的急躁、豪奢的性格。燕客建瑞草溪亭纯属突发奇想，觉得龙山支脉有奇石，所以才开掘，奇石没有挖到，最终建造了瑞草溪亭。从开始动工，到成型，前后拆拆建建十七次，足见燕客粗莽，没有思考成熟就命开工。在石头上种苔藓，等不及长出来就改命画工去画；种树也急于求成，不种小种大，极少成活，等等，建造园亭过程中的这些细事形象反映了燕客焦躁的个性。因为反复修建，费钱无数，张岱二叔一生留下的积蓄很快被挥霍一空。张岱通过瑞草溪亭事，表达了对这位堂弟又爱又恨，批评多于怜惜，又无可奈何的情感。

琅嬛福地①

陶庵梦有夙因，常梦至一石厂，峥嵘岩崿②，前有急湍洄溪，水落如雪，松石奇古，杂以名花。梦坐其中，童子进茗果③，积书满架，开卷视之，多蝌蚪④、鸟迹⑤、霹雳篆文，梦中读之，似能通其棘涩⑥。闲居无事，夜辄梦之，醒后伫思，欲得一胜地仿佛为之⑦。郊外有一小山，石骨棱砺，上多筼筜⑧，偃伏园内⑨。余欲造厂，堂东西向，前后轩之，后碨一石坪，植黄山松数棵，奇石峡之。堂前树娑罗二，资其清樾⑩。左附虚室，坐对山麓，磴磴齿齿，划裂如试剑，匾曰"一丘"。右蹲厂阁三间，前临大沼，秋水明瑟，深柳读书，匾曰"一壑"。缘山以北，精舍小房，绌屈蜿蜒，有古木，有层崖，有小涧，有幽篁，节节有致。山尽有佳穴，造生圹⑪，俟陶庵蜕焉⑫，碑曰"呜呼有明陶庵张长公之圹"。圹左有空地亩许，架一草庵，供佛，供陶庵像，迎僧住之奉香火。大沼阔十亩许，沼外小河三四折，可纳舟入沼。河两崖皆高阜，可植果木，以橘、以梅、以梨、以枣，枸菊围之。山顶可亭。山之西鄙⑬，有腴田二十亩⑭，可秫可秔⑮。门临大河，小楼翼之，可看炉峰、敬亭诸山。楼下门之，匾曰"琅嬛福地"。缘河北走，有石桥极古朴，上有灌木，可坐、可风、可月。

[注释]

①琅嬛福地：神仙洞府。见孙承泽《春明梦余录》卷六十四：晋代张华"尝为建安从事，游于洞宫，还，一人于途问华曰：'君读书几何？'……因共至一处大石中，忽然有门，引华入数步，则别是天地，宫室嵯峨……每室各有奇书，惟一室屋宇颇高，封识甚严，有二犬守之。华问，故答曰：'此皆玉京、紫微、金真、七瑛、丹书、紫字诸秘籍。'指二犬曰：'此龙也。'华历观诸室书，皆汉以前事，多所未闻者……华心乐之，欲赁住数十日，其人笑曰：'君痴矣。此岂可赁地耶？'即命小童送出。华问地名，曰：'琅嬛福地也。'"②峭窅（yǎo）岩岪（fú）：山石峥嵘险峻、深幽曲折的样子。③茗果：茶果。④蝌蚪：古书中的一种字体，头大尾小，形如蝌蚪。⑤鸟迹：即鸟篆，篆体古文字，形如鸟的爪迹。⑥棘涩：难懂的地方。⑦仿佛：效仿。⑧筠篁：丛生的竹子。⑨偃伏：俯卧。⑩资：取用，利用。⑪生圹：生前营造好的墓穴。⑫蜕：死的讳称。⑬西鄙：西边。⑭腴田：肥田，好田。⑮秫（shú）：黏粱米、粟米，多用以酿酒。秔（jīng）：一种黏性较小的稻。

[评析]

琅嬛福地是张岱想象、设计的一处园林，主要功用是做他的墓地。张岱曾在梦中进入一个神奇的地方，因此产生了仿造一处园林的想法。在张岱的计划中,园林依照自然地势而成,建有堂、轩、阁等,种植松竹,配上奇石,选一风水好的地方建造坟墓。此外有祭祀祠堂,有种果木花卉的高阜,有用来供奉香火的祭田等。张岱生前建造墓地的这一想法在古代很常见,对墓园的设计表现了他希望自己在另一个世界仍然悠游潇洒、轻松自在的美好愿望。

伍崇曜跋

　　右《陶庵梦忆》八卷,明张岱撰。按,岱字宗子,山阴人。考邵廷采《思复堂集·明遗民传》①,称其尝辑明一代遗事为《石匮藏书》,谷应泰作《纪事本末》以五百金购请②,慨然予之。又称明季稗史,罕见全书,惟谈迁编年③、张岱列传具有本末,应泰并采之以成《纪事》。则《明史纪事本末》固多得自宗子《石匮藏书》暨列传也。阮文达《国朝文苑传稿》略同④。

　　是编刻于秀水金忠淳《砚云甲编》⑤,殆非足本。序不知何人所作,略具生平而亦作一卷,岂即忠淳笔欤?乾隆甲寅⑥,仁和王文诰谓从王竹坡⑦、姚春漪得传钞足本⑧,实八卷,刻焉。顾每条俱缀"纯生氏曰"云云,纯生殆文诰字也。又每卷直题文诰编,恐无此体。兹概从芟薙⑨,特重刻焉。

　　昔孟元老撰《梦华录》⑩,吴自牧撰《梦粱录》⑪,均于地老天荒沧桑而后,不胜身世之感,兹编实与之同。虽间涉游戏三昧⑫,而奇情壮采,议论风生,笔墨横姿,几令读者心目俱眩,亦异才也。考《明诗综》沈遱伯敬礼《南都奉先殿纪事》诗"高后配在天,御幄神所栖。众妃位东序,一妃独在西。成祖重所生,嫔德莫敢齐"云云⑬,《静志居诗话》"长陵每自称曰⑭:

朕高皇后第四子也⑮。然奉先庙制：高后南向，诸妃尽东列，西序惟硕妃一人。盖高后从未怀妊，岂惟长陵，即懿文太子亦非后生也⑯。世疑此事不实，诵沈诗斯明征矣"云云，兹编《钟山》一条即记其事，殆可补史乘之缺。又，王贻上《分甘余话》"柳敬亭善说平话，流寓江南，一二名卿遗老左袒良玉者，赋诗张之，且为作传，余曾识于金陵，试其技与市井之辈无异"云云⑰，而是编《柳敬亭说书》一条，称其"疾徐轻重，吞吐抑扬，入情入理"，亦见其持论之平也。

咸丰壬子展重阳日⑱，南海伍崇曜谨跋⑲。

[注释]

①邵廷采：字念鲁，又字允斯，浙江余姚人，是清初著名学者。曾师从毛奇龄、黄宗羲等人，在姚江书院讲学十七年，终老于乡。著述甚多，《思复堂文集》之外，还有《宋遗民所知录》《明遗民所知录》《姚江书院志略》《东南纪事》等。②谷应泰：字赓虞，别号霖苍，河北丰润人，顺治四年进士，曾任户部主事、员外郎、浙江提学佥事等，博学工文章，著有《明史纪事本末》《筑益堂集》。③谈迁：浙江海宁人，原名以训，字仲木，号射父。明亡改名迁，字孺木，号观若、江左遗民，明末清初史学家。"编年"指谈迁编著的著名编年体明史著作《国榷》，此书以《明实录》为基础，博综众家史书而成，是研究明史的重要参考文献。④阮文达：即阮元，字伯元，号云台、雷塘庵主、怡性老人，扬州仪征人，是清代中期的名臣，也是一代文宗。谥文达，学识广博，遍及经史、金石、训诂等多种领域，著述达几十种，如《三家诗补遗》《诗书古训》《儒林传稿》《积古斋钟鼎彝器疑识》《小沧浪笔谈》《皇清经解》《两浙金石志》《诂经精舍文集》等。⑤金忠淳：字古还，号砚云，杭州人，曾候选布政司经历，刻有《砚云甲乙编》。⑥乾隆甲寅：乾隆五十九年，公元1794年。⑦王文诰：字纯生，号见大、二松居士，杭州人，阮元好友，是清代著名学者、画家和诗人。著作有《苏文忠公诗编注集成》《韵山堂集》《二松庵游草》。⑧姚春漪：名思勤，清人。⑨芟薙（tì）：即删剔，删除。⑩孟元老：号幽兰居士，河南开封人，北宋时曾任开封府仪曹，南渡后

孟元老常怀念开封的昔日繁华，于是撰《东京梦华录》。⑪吴自牧：杭州人，南宋灭亡后追忆都城临安往日的兴盛景象，撰写了《梦粱录》。⑫游戏三昧：佛教名词，指自在无碍，而常不失定意，引申为精通某事而以游戏出之。⑬《明诗综》：清朱彝尊编。朱彝尊，字锡鬯，号竹垞，浙江嘉兴人。康熙十八年进士，一生仕途不顺，于是潜心著述，号为通才。著述有《经义考》《曝书亭集》《腾笑集》《词综》《明诗综》等。《明诗综》全书一百卷，收录的明代诗人达三千四百余人，并附有切实可信的作家小传，是研究明代文学的重要参考资料，《明诗综》原本后面附有朱彝尊自著的《静志居诗话》。⑭长陵：明成祖朱棣的陵墓。⑮高皇后：明太祖朱元璋的皇后马氏。⑯懿文太子：明太祖长子朱标，未即位就去世了，谥懿文太子。⑰王贻上：清代大学者、诗人王士禛，字子真，一字贻上，号阮亭，晚号渔洋山人，山东新城人。王士禛一生著作颇多，仅笔记就有《池北偶谈》《居易录》《香祖笔记》《古夫于亭杂录》等多种，《分甘余话》是其一，记叙内容极为广泛，涉及典章制度、诗歌品评、文人逸事、地方物产等许多方面。⑱咸丰壬子：咸丰二年，公元1852年。展重阳日：农历九月十九。⑲伍崇曜：原名元薇，字良辅，号紫垣，商名绍荣，出身商业世家，道光年间为怡和行商和十三行公行总商。伍崇曜能作诗文，喜欢藏书，因其财力丰厚，一生刻书颇多，如著名的《岭南遗书》《粤十三家集》《楚庭耆旧遗诗》《粤雅堂丛书》等。

西湖梦寻

四库全书总目提要·西湖梦寻

《西湖梦寻》五卷,浙江鲍士恭家藏本国朝张岱撰。岱字陶庵,自号蝶庵居士,家本剑州,侨寓钱塘。是编乃于杭州兵燹之后,追记旧游。以北路、西路、南路、中路、外景五门,分记其胜。每景首为小序,而杂采古今诗文列于其下。岱所自作尤夥①,亦附著焉。其体例全仿刘侗《帝京景物略》②,其诗文亦全沿公安、竟陵之派③。

[注释]

①夥(huǒ):众多。②刘侗《帝京景物略》:《帝京景物略》是明人刘侗、于奕正合撰。刘侗,字同人,号格庵,麻城人,明末中进士,官苏州吴县知县。奕正,字司直,宛平人。此书以北京城东西南北为序,各载城内外景物,此外兼及较远的西山、畿辅等地。③公安、竟陵之派:公安派是明代后期一个文学流派,代表人物"公安三袁"是湖北公安的三兄弟袁宗道、袁宏道、袁中道,其中袁宏道名气最大。公安派反对文坛的拟古风气,主张独抒性灵,创作成就主要在散文方面,擅长抒写闲情逸致,风格清新活泼,自然率真。竟陵派稍后于公安派,代表人物钟惺、谭元春都是湖北竟陵人,故被称为竟陵派。竟陵派也主张性灵说,其成就主要在诗歌方面,可惜题材狭窄,常用怪字险韵,导致语言艰涩,因此发展有限。

王雨谦序

木华作《海赋》①，思路偶涩②，或教之曰③："尔何不于海之上下四旁言之？"华因言其上下四旁，而《海赋》遂成。盖华之赋海，海之景物已尽，特缺其上下四旁已耳，则是海为主，而上下四旁其辅也。若田叔禾之作《西湖志》④，志都城⑤，志大内，志市井里坊，志人物流寓，志士女游观，无所不志，而西湖之景物反多遗漏，则是借名西湖，而实与西湖无与。故碑记诗文，自苏、白以后⑥，记如袁石公之灵巧⑦、张钟山之遒劲⑧、李长蘅之淡远⑨，诗如王弇州之华赡⑩、徐文长之奇崛⑪、王季重之隽颖⑫，无一字入志焉，得谓之志乎？张陶庵盘礴西湖四十余年，水尾山头，无处不到；湖中典故，真有世居西湖之人所不能识者，而陶庵识之独详；湖中景物，真有日在西湖而不能道者，而陶庵道之独悉。今乃山川改革，陵谷变迁，无怪其惊惶骇怖，乃思梦中寻往也。虽然，西园雅集，得米海岳一叙⑬，而人物园亭俨然未散⑭；建章宫阙，得张茂先一语⑮，而千门万户仿佛犹存。有《梦寻》一书，而使旧日之西湖于纸上活现，则张陶庵之有功于西湖，断不在米海岳、张茂先之下哉。潞溪白岳王雨谦撰⑯。

[注释]

①木华：晋代人，字玄虚，河北景县人，曾为太傅杨骏府主簿。木华擅长辞赋，《海赋》见存于《文选》。②偶涩：恰好不畅通。③或：有人。④田叔禾之作《西湖志》：田汝成，字叔禾，杭州人，明嘉靖五年进士，曾任南京刑部主事、礼部主事、贵州佥事、广西右参军、福建提学副使等职。后罢官归乡，纵情湖山，撰《西湖游览志》《西湖游览志馀》。⑤志：记载。⑥苏、白：苏轼、白居易。⑦袁石公：即袁宏道，字中郎，又字无学，号石公，又号六休，湖北公安人。与其兄袁宗道、弟袁中道并有才名，合称"公安三袁"。⑧张钟山：明后期文人，擅长散文。⑨李长蘅：即李流芳，号檀园，又号香海、慎娱居士，安徽歙县人。万历三十四年举人。擅长绘画，师法元代著名画家黄公望、吴镇，以山水笔法劲爽闻名。⑩王弇州：即王世贞，字元美，号凤洲、弇州山人，江苏太仓人。累官刑部尚书，卒赠太子少保。擅长古诗文，是明代"后七子"领袖之一，主盟文坛二十年之久。著有《弇山堂别集》《嘉靖以来首辅传》《觚不觚录》等。⑪徐文长：即徐渭，初字文清，后改字文长，浙江绍兴人，号天池山人、青藤居士、金回山人、山阴布衣、白鹇山人、鹅鼻山农等，一生潦倒，但在诗文、戏剧、书画、历史等方面都有很深造诣，与解缙、杨慎并称"明代三大才子"。⑫王季重：即王思任，字季重，号谑庵，又号遂东、稽山外史，浙江绍兴人。万历年间进士，曾任袁州推官、九江佥事、礼部尚书等职，顺治三年绝食殉国。⑬"西园"二句：西园为北宋驸马都尉王诜的府第，文人经常会集于此。元丰初，王诜请画家李公麟用白描法把自己和友人苏轼、苏辙、黄鲁直、秦观、李公麟、米芾、蔡肇、李之仪、郑靖老、张耒、王钦臣、刘泾、晁补之和僧圆通、道士陈碧虚画在一起，展现西园盛会，取名《西园雅集图》，米芾为此图作记，即《西园雅集图记》，轰动一时。后人认为可与兰亭雅集媲美。⑭俨然：整齐有序的样子。⑮"建章"二句：张茂先，即张华，范阳方城人，西晋文学家。出身卑微，但得到阮籍的赏识，逐渐有名。曾任侍中、中书监、司空等职务，因不肯追从赵王司马伦篡权而被杀。张华博记强识，晋武帝司马炎问汉朝建章宫的旧时盛况，张华对答如流，百官不由叹服。⑯王雨谦：初名佐，字延密，号田夫，又号白岳山人，浙江绍兴举人，是清代著名诗人、画家。

祁豸佳序

天下山水之妙，有以诗传者，有以画传者，自王摩诘以一身兼之，赞之者谓："摩诘之诗，诗中有画；摩诘之画，画中有诗。"①遂将诗画合为一物。若西湖则不然，西湖之妙，妙在空灵晶映，一入于诗便落脂粉，即东坡二诗亦所不免。世间凡物，竹篱茆舍、鸡犬桑麻，一入于画，无不文雅，而西湖图景，虽桃柳舟航，犹是滓秽太清②。故余独谓："看西湖，决不能为西湖之画；看西湖，决不能为西湖之诗也。"余友张陶庵，笔具化工，其所记游，有郦道元之博奥，有刘同人之生辣，有袁中郎之倩丽，有王季重之诙谐，无所不有；其一种空灵晶映之气，寻其笔墨，又一无所有。为西湖传神写照，政在阿堵矣③。若使陶庵于此仍作诗想、仍作画想，一着揣摩，便于西湖十去八九，即在梦中，亦是魇吃。有想有因，卫洗马之病在膏肓④，政未易瘳也⑤。弟祁豸佳书于蝉仙庐⑥。

[注释]

①唐代著名诗人王维，字摩诘，擅画山水，能将诗境与画意彼此融通，所以苏轼在《书摩诘蓝田烟雨诗》中说："味摩诘之诗，诗中有画；观摩诘之画，画中有诗。"②滓秽：污染，玷污。太清：自然环境。③阿堵：六朝人口语，这个，这。《晋书·顾恺之传》："恺之每画人成，或数年不点目睛。人问

其故,答曰:'四体妍蚩,本无阙少于妙处,传神写照,正在阿堵中。'"④"卫洗马"句:卫玠,字叔宝,山西夏县人,晋代美男子,清谈名士。初任太傅西阁祭酒,后任太子洗马。《世说新语·文学》:"卫玠总角时,问乐令'梦',乐云:'是想。'卫曰:'形神所不接,而梦岂是想邪?'乐云:'因也。未尝梦乘车入鼠穴,捣齑啖铁杵,皆无想无因故也。'卫思因,经日不得,遂成病。乐闻,故命驾为剖析之。卫即小差。乐叹曰:'此儿胸中当必无膏肓之疾!'"⑤瘳:病愈。⑥祁豸佳:字止群,号雪瓢,绍兴人,祁彪佳弟。天启七年举人,明亡不出仕,与王雨谦、陈洪绶等结"云门十子"社,以卖书画为生。

查继佐序

张陶庵作《西湖梦寻》,以西湖园亭桃柳、箫鼓楼船皆残缺失次,故欲梦中寻之,以复当年旧观也。余独谓不然。余以为西湖本质自妙,浓抹固佳,淡妆更好。湖中之繁华绮丽虽凋残已尽,而湖光山色未尝少动分毫,东坡所谓"晴光滟潋""雨色涳濛",故端然自在也①。西湖向比西子,若楼台池馆,则西子之锦衣袨服也②;嫩柳夭桃,则西子之歌喉舞态也。近日西子乃罢歌舞,去靓妆,拔簪珥,解衣盘礴,政当西子澡盆出浴之时,须看其冰肌玉骨,妖冶动人,何待艳服乔妆方为绝色也哉。子舆氏曰③:"西子蒙不洁,则人皆掩鼻而过之。"虽有恶人,斋戒沐浴④,则可以事上帝。以恶人而斋戒沐浴,尚可以事上帝,何况西子本身自洁,更能斋戒沐浴,其芳香藻洁当更增百倍矣。陶庵于此,政须着眼,何必辗转反侧,寤寐求之,乃欲以妖梦是践也。社弟查继佐偶书⑤。

[注释]

①端然:真的。②袨(xuàn)服:盛装,艳服。③子舆氏:孟子,名轲,字子舆。本句出自《孟子·离娄下》。④斋戒沐浴:古人在正式的祭祀仪式前要吃斋,沐浴更衣,达到身心整洁,以表示对神的虔诚。⑤社弟查继佐:社弟,明清文人流行结社,社团中人互称社弟盟兄。查继佐,字三秀、支三、

伊璜、敬修，号与斋、左隐、东山钓叟等，海宁袁花人，明崇祯六年举人，曾任南明鲁兵部职方主事，明亡后隐居讲学，并编撰了明史巨著《罪惟录》。查继佐一生著述颇多，如《东山外记》《五经说》《知是录》《兵榷》《南语》《豫游记》《敬修堂诗集》等。还精音律，著有杂剧、传奇多种，兼善书画，多才多艺。

武林道隐序

张陶庵作《西湖梦寻》，向余问讯曰①："弟闻《华严经》，佛言华严世界，南赡部洲特华严海中一弹丸之地②，则西湖不直一蠡壳水③，其景界甚小④。汤若士传《南柯》⑤，蚁穴中有国都郡邑、社稷山川，则西湖不止一蚁穴，其景界又甚大。两说不一，乞和尚为我平章之⑥。"余曰："佛言世间凡事大小，皆由心造⑦。若见为大，则芥子须弥矣⑧；若见为小，则黄龙蝘蜓矣⑨。佛于此只不动念，则景界俱空，大小尽化，蕉鹿庄蝶，一听其自为变幻，于我空相⑩，则亦何有？以余所见，大小高下，只在目前。即以西湖言之，尔见六桥三竺，缥缈湖山，其大若此；若置身于南北高峰，由高视下，西湖止一杯之水，歌舫渔舟正如飞凫浮芥⑪，为物甚微。盖眼界所及，愈低愈小，则愈高愈大。庄生所言鲲背鹏翼，千里而遥⑫，鹏之视人亦何异人之视蚁⑬？《齐谐》志怪⑭，勿得尽以寓言忽之⑮。昔有人渡海，飞来一物，大如风帆，以篙击之，是一蝶翅，称之重八十余斤，则天壤间实有是境，实有是物，或大或小，一任人之见地为之⑯。余眼光不及数武，何能为尔定其大小也。尔若只以旧梦是寻，尚在杯水浮芥中往来盘礴，何足与于寥廓之观。"武林道隐偶题。

[注释]

①问讯：请教。②南赡部洲：佛教四大洲之一。按照古印度传说，须弥山四方的咸海中有四大洲，是人类居住的地区，分别是东胜身洲、南赡部洲、西牛货洲、北俱卢洲。特：只是。华严：大乘境界。弹丸之地：形容很小的地方。③蠡壳：螺壳。④景界：境界。⑤汤若士传《南柯》：汤显祖，字义仍，号海若、若士、清远道人，江西临川人。万历十一年进士，历任太常寺博士、礼部主事、遂昌知县，因不趋附权贵而免官。擅长戏曲创作，有《牡丹亭》《邯郸记》《南柯记》《紫钗记》，合称《玉茗堂四梦》，被誉为"东方的莎士比亚"。《南柯记》情节源自唐李公佐《南柯太守传》，写书生淳于棼酒醉后梦入槐安国，被招为驸马，后任南柯太守，又加封左相，权倾一时，历经荣华富贵，最终失势被驱逐，醒来发现槐安国不过是大槐树下的蚂蚁洞，于是看破红尘。⑥平章：评论，辨别。⑦心造：佛教语，由心所生，主观想象。⑧芥子须弥：芥子像须弥山那么大。须弥是古印度传说中的神山。⑨黄龙蜓蜒：黄龙像壁虎那么小。⑩空相：假象，幻象。⑪飞凫：飞翔的水鸟。⑫鲲背鹏翼，千里而遥：见《庄子·逍遥游》："北冥有鱼，其名曰鲲，鲲之大，不知其几千里也；化而为鸟，其名为鹏，鹏之背，不知其几千里也，怒而飞，其翼若垂天之云。"⑬何异：有什么不同。⑭《齐谐》志怪：南朝梁吴均所撰志怪小说集。此前刘宋东阳无疑有《齐谐记》七卷，吴均续作一卷，文辞优美，故其中不少故事常被引用。⑮忽：轻视。⑯见地：见识，见解。

李长祥序

甲申三月①,一梦跷蹊,三十年来若魇若呓,未得即醒,傍人且将升屋唤之②,犹恐魂之不返,何暇寻梦中所有,且寻昔日梦中之所有哉!张陶庵见西湖残破,而思蘧榻于徐,惟旧梦是保,自谓计之得矣。吾谓陶庵惟知旧梦,而不知新梦。论旧梦者曰:梦必有想,梦必有因。故无想无因,未尝梦乘车入鼠穴,捣薤啖铁杵③。若新梦则不然,淳于芬梦入南柯,则身历蚁穴,幻人能吞刀吐火④,则口煅钢锋。卫玠之论想论因,反落肤浅之见矣。昔王荆公与东坡论扬子云投阁⑤,为史臣之妄,《剧秦美新》之作⑥,亦为后人所诬。东坡曰:"轼亦疑一事。"荆公曰:"何事?"东坡曰:"不知西汉果有子云否?"余见陶庵所说之西湖与近日所见之西湖毫无足据,亦谓明季时果有西湖否?且谓明季时西湖中果有张陶庵否?识得明季时未必有西湖,方可与寻西湖;识得明季时西湖中未必有陶庵,方可与读陶庵西湖之梦寻。古虁旧史李长祥书⑦。

[注释]

①甲申:顺治元年,公元1644年。②升屋唤之:古人刚咽气的时候,有人拿着他的衣服到屋顶上呼唤他的名字,希望魂气归来。③"乘车"二句:比喻不合情理之事。见《世说新语·文学》:"卫玠总角时,问乐令'梦',乐

云:'是想。'卫曰:'形神所不接,而梦岂是想邪?'乐云:'因也。未尝梦乘车入鼠穴,捣齑啖铁杵,皆无想无因故也。'卫思因,经日不得,遂成病。乐闻,故命驾为剖析之。卫即小差。乐叹曰:'此儿胸中当必无膏肓之疾!'"
④幻人能吞刀吐火:汉张衡《西京赋》有"吞刀吐火,云雾杳冥"之句,后吞刀吐火泛称魔术,幻人即魔术师。⑤王荆公与东坡论扬子云投阁:南宋施德操《北窗炙輠录》卷上载:"荆公论扬子云投阁事:'此史臣之妄耳,岂有扬子云而投阁者?'又《剧秦美新》:'亦后人诬子云耳,子云岂肯作此文?'他日见东坡,遂论及此。东坡云:'某亦疑一事。'荆公曰:'疑何事?'东坡曰:'西汉果有扬子云否?'闻者皆大笑。"扬雄在王莽篡权时确实投阁自杀,后作《剧秦美新》美化新朝,《汉书·扬雄传》中有记载。⑥《剧秦美新》:王莽篡汉自立,国号新,扬雄仿司马相如作《封禅文》,指斥秦朝,美化新朝,故名《剧秦美新》。⑦李长祥:字研斋、子发,号石井道人,夔州达州人,崇祯十六年进士,明亡后与郑成功、张煌言抗清,被清军俘虏,羁押南京。后与金陵才女姚淑一起四处流离,最终定居常州,著有《天问阁文集》。

自　序

　　余生不辰①，阔别西湖二十八载，然西湖无日不入吾梦中，而梦中之西湖，未尝一日别余也。前甲午丁酉②，两至西湖，如涌金门商氏之楼外楼、祁氏之偶居、钱氏余氏之别墅及余家之寄园③，一带湖庄④，仅存瓦砾。则是余梦中所有者，反为西湖所无。及至断桥一望，凡昔日之弱柳夭桃、歌楼舞榭，如洪水淹没，百不存一矣。余乃急急走避，谓余为西湖而来，今所见若此，反不若保我梦中之西湖，尚得完全无恙也。因想余梦与李供奉异⑤。供奉之梦天姥也，如神女名姝，梦所未见，其梦也幻；余之梦西湖也，如家园眷属，梦所故有，其梦也真。今余僦居他氏已二十三载，梦中犹在故居；旧役小傒，今已白头，梦中仍是总角。夙习未除，故态难脱。而今而后，余但向蝶庵岑寂，蘧榻于徐⑥，惟吾旧梦是保，一派西湖景色犹端然未动也⑦。儿曹诘问，偶为言之，总是梦中说梦，非魇即呓也。因作《梦寻》七十二则，留之后世，以作西湖之影。余犹山中人归自海上，盛称海错之美⑧，乡人竞来共舐其眼⑨。嗟嗟！金薤瑶柱⑩，过舌即空⑪，则舐眼亦何救其馋哉！岁辛亥七月既望⑫，古剑蝶庵老人张岱题。

[注释]

①不辰：不得其时，没有赶上好时候。②甲午：顺治十一年，公元1654年。丁酉：顺治十四年，公元1657年。③商氏：明代商周祚，曾任吏部尚书。祁氏：明代祁彪佳，曾任右佥都御史。钱氏：明钱象坤，曾任东阁大学士。余氏：明代余煌，曾任翰林修撰。④湖庄：沿湖的庄园。⑤李供奉：指李白，天宝元年唐玄宗召李白进宫，降辇步迎，大为赏识，马上授予供奉翰林一职。李白曾作《梦游天姥吟留别》诗，天姥山在浙江嵊州与新昌县之间。⑥蘧（qú）榻：铺着粗席子的卧榻。《庄子·齐物论》："昔者庄周梦为蝴蝶，栩栩然蝴蝶也，自喻适志与，不知周也。俄然觉，则蘧蘧然周也，不知周之梦为蝴蝶与？蝴蝶之梦为周与？周与蝴蝶则必有分矣。此之谓物化。"张岱庵名为蝶庵，榻称作蘧榻，即出于此。于徐：纡徐，缓步貌。⑦端然：果然，真的。⑧盛称：极口称赞。海错：海味。⑨眼：指海眼。古人认为，井泉的水，潜流地中，通江海，随潮涨退，故称海眼。⑩金斎（jī）瑶柱：黄金的粉末和美玉装饰的琴柱，代指奢华的生活。⑪过舌：舌头舔过，形容时间非常短。⑫辛亥：康熙十年，公元1671年。

卷 一

西湖总记

明圣二湖①

自马臻开鉴湖②,而由汉及唐,得名最早③。后至北宋,西湖起而夺之④,人皆奔走西湖,而鉴湖之淡远自不及西湖之冶艳矣。至于湘湖⑤,则僻处萧然,舟车罕至,故韵士高人无有齿及之者⑥。余弟毅孺常比西湖为美人,湘湖为隐士,鉴湖为神仙。余不谓然。余以湘湖为处子,眠娗羞涩,犹及见其未嫁之时。而鉴湖为名门闺淑,可钦而不可狎⑦。若西湖则为曲中名妓⑧,声色俱丽,然倚门献笑,人人得而媟亵之矣⑨。人人得而媟亵,故人人得而艳羡;人人得而艳羡,故人人得而轻慢。在春夏则热闹之至,秋冬则冷落矣;在花朝则喧哄之至,月夕则星散矣;在晴明则萍聚之至,雨雪则寂寥矣。故余尝谓:"善读书,无过董遇三余⑩。而善游湖者，亦无过董遇三余。董遇曰：'冬者，岁之余也；夜者，日之余也；雨者，月之余也。'雪巘古梅，何逊烟堤高柳⑪；夜月空明，何逊朝花绰约⑫；雨色溟濛，何逊晴光潋滟⑬。深情领略，是在解人⑭。"即湖上四贤，余亦谓："乐天之旷达⑮，固不若和靖之静深⑯；邺侯之荒诞⑰，自不若东坡之灵敏也⑱。"其余如贾似道之豪奢⑲，孙东瀛之华赡⑳，虽在西湖数十年，用钱数十万，其于西湖之性情、西湖之风味，实有未曾梦见者在也。世间措大㉑，何得易言游湖㉒。

苏轼《夜泛西湖》诗：

菰蒲无边水茫茫㉓，荷花夜开风露香㉔。渐见灯明出远寺，更待月黑看湖光㉕。

又《湖上夜归》诗：㉖

我饮不尽器，半酣尤味长㉗。篮舆湖上归㉘，春风吹面凉。行到孤山西，夜色已苍苍㉙。清吟杂梦寐㉚，得句旋已忘㉛。尚记梨花村，依依闻暗香㉜。

又《怀西湖寄晁美叔》诗㉝：

西湖天下景，游者无愚贤。深浅随所得，谁能识其全。嗟我本狂直㉞，早为世所捐㉟。独专山水乐㊱，付与宁非天㊲。三百六十寺，幽寻遂穷年㊳。所至得其妙，心知口难传㊴。至今清夜梦㊵，耳目余芳鲜㊶。君持使者节，风采烁云烟㊷。清流与碧巘，安肯为君妍㊸。胡不屏骑从㊹，暂借僧榻眠。读我壁间诗，清凉洗烦煎。策杖无道路㊺，直造意所使㊻。应逢古渔父，苇间自夤缘㊼。问道若有得㊽，买鱼弗论钱㊾。

李奎《西湖》诗㊿：

锦帐开桃岸㉕，兰桡系柳津㉒。鸟歌如劝酒，花笑欲留人。钟磬千山夕㉓，楼台十里春。回看香雾里，罗绮六桥新。

苏轼《开西湖》诗：㊴

伟人谋议不求多，事定纷纭自唯阿㉕。尽放龟鱼还绿净，肯容萧苇障前坡㊱。一朝美事谁能继，百尺苍崖尚可磨。天上列星当亦喜㊲，月明时下浴金波㊳。

周立勋《西湖》诗㊴：

平湖初涨绿如天，荒草无情不记年。犹有当时歌舞地㉠，西泠烟雨丽人船㊶。

夏炜《西湖竹枝词》㊷：

四面空波卷笑声，湖光今日最分明㊸。舟人莫定游何处㊹，但望鸳鸯睡处行。

平湖竟日只溟濛，不信韶光只此中㊺。笑拾杨花装半臂㊻，恐郎到晚怯春风㊼。

行舸次第到湖湾㊽，不许莺花半刻闲㊾。眼看谁家金络马㊿，日驼春色向孤山㉛。

春波四合没晴沙㉒，昼在湖船夜在家。怪杀春风归不断㊃，担头原自插梅花㊄。

欧阳修《西湖》诗：

菡萏香消画舸浮㊅，使君宁复忆扬州㊆。都将二十四桥月㊇，换得西湖十顷秋。

赵子昂《西湖》诗[78]：

春阴柳絮不能飞，雨足蒲芽绿更肥。只恐前呵惊白鹭，独骑款段绕湖归[79]。

袁宏道《西湖总评》诗[80]：

龙井饶甘泉[81]，飞来富石骨[82]。苏桥十里风[83]，胜果一天月[84]。钱祠无佳处，一片好石碣[85]。孤山旧亭子，凉荫潇林樾[86]。一年一桃花，一岁一白发。南高看云生[87]，北高见日没[88]。楚人无羽毛，能得几游越。

范景文《西湖》诗[89]：

湖边多少游观者，半在断桥烟雨间。尽逐春风看歌舞[90]，凡人着眼看青山[91]。

张岱《西湖》诗：

追想西湖始，何缘得此名。恍逢西子面[92]，大服古人评[93]。冶艳山川合，风姿烟雨生。奈何呼不已，一往有深情。

一望烟光里，沧茫不可寻。吾乡争道上，此地说湖心。泼墨米颠画[94]，移情伯子琴[95]。南华秋水意[96]，千古有人钦。

到岸人心去，月来不看湖。渔灯隔水见，堤树带烟模。真意言词尽，淡妆脂粉无[97]。问谁能领略，此际有髯苏[98]。

又《西湖十景》诗：

一峰一高人，两人相与语[99]。此地有西湖，勾留不肯去[100]。（两峰插云）

湖气冷如冰，月光淡于雪。肯弃与三潭，杭人不看月[101]。（三潭印月）

高柳荫长堤，疏疏漏残月。蹩躠步松沙，恍疑是踏雪[102]。（断桥残雪）

夜气溢南屏，轻岚薄如纸[103]。钟声出上方[104]，夜渡空江水。（南屏晚钟）

烟柳幕桃花，红玉沉秋水。文弱不胜夜，西施刚睡起。（苏堤春晓）

颊上带微酡，解颐开笑口[105]。何物醉荷花，暖风原似酒。（曲院风荷）

深柳叫黄鹂，清音入空翠[106]。若果有诗肠[107]，不应比鼓吹。（柳浪闻莺）

残塔临湖岸，颓然一醉翁。奇情在瓦砾，何必藉人工[108]。（雷峰夕照）

秋空见皓月，冷气入林皋[109]。静听孤飞雁，声轻天正高。（平湖秋月）

深恨放生池，无端造鱼狱。今来花港中，肯受人拘束？（花港观鱼）

柳耆卿《望海潮》词[110]：

东南形胜[111]，三吴都会，钱塘自古繁华。烟柳画桥，风帘翠幕，参差十万人家[112]。云树绕堤沙。怒涛卷霜雪，天堑无涯⑬。市列珠玑⑭，户盈罗绮⑮，竞豪奢。　　重湖叠巘清佳⑯，有三秋桂子⑰，十里荷花。羌管弄晴⑱，菱歌泛夜⑲，嬉嬉钓叟莲娃⑳。千骑拥高牙㉑。乘醉听箫鼓，吟赏烟霞㉒。异日图将好景㉓，归去凤池夸㉔。（金主阅此词㉕，慕西湖胜景，遂起投鞭渡江之思。）

于国宝《风入松》词㉖：

一春常费买花钱，日日醉湖边。玉骢惯识西湖路㉗，骄嘶过、沽酒楼前。红杏香中箫鼓，绿杨影里秋千。　　暖风十里丽人天，花压鬓云偏㉘。画船载得春归去，余情付、湖水湖烟。明日重扶残醉㉙，来寻陌上花钿㉚。

[注释]

①明圣：浙江杭州风景名胜，汉时称明圣湖，唐以后始称西湖，又称钱塘湖，由人工大堤分为里湖与外湖，故称明圣二湖。有苏堤春晓、曲院风荷、平湖秋月、断桥残雪、柳浪闻莺、花港观鱼、雷峰夕照、双峰插云、南屏晚钟、三潭印月等十处胜景。《西湖游览志》卷一《西湖总序》载："西湖，故明圣湖也。周绕三十里，三面环山，溪谷缕注，下有渊泉百道，潴而为湖。汉时金牛见湖中，人言明圣之瑞，遂称明圣湖；以其介于钱唐也，又称钱唐湖；以其输委于下湖也，又称上湖；以其负郭而西也，故称西湖。"②马臻：字叔荐，东汉顺帝永和五年为会稽太守，详考农田水利，整修鉴湖，使万亩良田旱涝保收。但因修湖多淹冢宅，被诬陷死，百姓怀念他，在鉴湖立庙祭祀。鉴湖：即镜湖，在今浙江绍兴会稽山北麓。东汉顺帝永和五年在会稽太守马臻主持下修建的人工湖，以水平如镜，故名。③得名：获得美名，著名。镜湖早有盛名，如晋王羲之《镜湖》诗有"山阴路上行，如坐镜中游"。④夺：压倒，胜过。北宋西湖已经是风景名胜，声名鹊起，大有盖过镜湖之势。范仲淹《忆杭州西湖》："长忆西湖胜鉴湖，春波千顷绿如铺。吾皇不让明皇美，可赐疏狂贺老无。"⑤湘湖：风景名胜，在今浙江省萧山西，四面环山，地势低洼，山水汇聚成泽，北宋政和年间县令杨时疏浚成湖。⑥齿及：提及，说起。⑦钦：尊重，尊敬。狎：亲近，戏谑。⑧曲中：妓院。⑨媟（xiè）亵：玩弄。

⑩董遇：字季直，三国时魏人，魏明帝时官大司农。为人性讷，好学。曾言读书当以三余：冬者，岁之余；夜者，日之余；阴雨者，时之余。⑪何逊：哪里逊色。⑫绰约：柔婉美好。⑬滟潋：通常作“潋滟”，形容水波荡漾的样子。⑭是在：实在。解人：见解高明，懂得理趣的人。⑮乐天：即白居易，字乐天，号香山居士、醉吟先生。⑯和靖：即林逋，字君复，钱塘人，北宋诗人。孤高自傲，不受朝廷征召，隐居杭州西湖孤山，结交高僧诗友，死后宋仁宗赐谥“和靖先生”。⑰邺侯：指唐朝李泌，字长源，唐朝京兆人，仕玄宗、肃宗、代宗、德宗四朝，位至宰相，封邺县侯。长于智谋，然而信奉黄老，喜好神仙方术。⑱东坡：苏轼号。⑲贾似道：字师宪，号悦生、秋壑，天台人。因姐姐被宋理宗宠爱，仕途亨通，官至宰相，但最终被放逐，死于漳州。⑳孙东瀛：太监孙隆，直隶三河人，万历年间任苏杭织造，在杭州大兴土木，西湖因而更加繁盛。㉑措大：贫寒失意的读书人。㉒何得：怎会，怎能。易言：轻易说。㉓菰：菰米又称雕胡米，即平常吃的茭白。㉔风露：风和露水。㉕月黑：黑天无月光。㉖据苏轼《东坡全集》，《湖上夜归》诗“依依闻暗香”下面尚有十句：“入城定何时，宾客半在亡。睡眼忽惊矍，繁灯闹河塘。市人拍手笑，状如失林麞。始悟山野姿，异趣难自强。人生安为乐，吾策殊未良。”㉗半酣：半醉。㉘篮舆：古代类似轿子的交通工具，形制不一，由人抬着走。㉙苍苍：茫无边际。㉚清吟：清雅地吟诵。梦寐：睡梦。㉛旋：不久，很快。㉜依依：依稀，隐约。暗香：幽香。㉝晁美叔：即晁端彦，字美叔，北宋苏门四学士之一晁补之的叔父。㉞狂直：疏狂率直。㉟捐：捐弃。㊱专：精力集中，专心。㊲宁：难道。非天：不是天性。㊳遂：完成，度过。穷年：不得志的时期。㊴传：说出，表达。㊵清夜：清静的夜晚。㊶芳鲜：芳香鲜美，指美食。㊷烁：照耀，闪烁。㊸妍：美丽，美好。㊹胡不：何不。屏：使退去。骑从：骑马的侍从。㊺策杖：拄杖。㊻直造：直接去拜访。意所使：意识的指使。㊼夤缘：循着、依着而行进。㊽问道：请教道理。㊾弗论：不论。㊿李奎：明代诗人，进士，河南汲县人。(51)锦帐：锦缎做的帐篷。开：张开，设置。桃岸：开着桃花的岸上。(52)兰桡（ráo）：小船的美称。系柳津：系在渡口的柳树上。(53)钟磬：佛教的法器，诵经时敲打。(54)《开西湖》：《东坡全集》题作《观开西湖次吴左丞韵》，又见于苏轼友人释道潜《参寥子诗集》卷七，

诗题为《次韵吴承老推官观开西湖》。㉕唯阿：应诺声。㊶萧苇：艾蒿和芦苇。障：遮蔽。坡：原野。㊷列星：定时出现的恒星。㊸金波：月光。宋司马光《闰正月十五日夜监直对月怀诸同舍》诗之一："雾净金波溢，天开碧幕空。"㊹周立勋：字勒西，松江华亭人，崇祯初年与陈子龙、夏允彝、徐孚远等组成几社，为"云间五子"之一，擅长诗文，风格慷慨清丽。㊺犹有：只有。㊻西泠：即西陵桥、西林桥，在杭州孤山西北，是孤山到北山的必经之地。㊼夏炜：浙江乌程人，万历三十五年进士。㊽分明：明亮。㊾莫定：不确定。㊿韶光：美好的时光，这里指春光。㊻半臂：短袖或无袖的上衣。㊼怯：怯弱，害怕。㊽行觞：行酒，依次敬酒。次第：依次。㊾莺花：莺啼花开，泛指春光。⑺金络：有金饰的马笼头。⑺驼：背负，驮负。⑺四合：四面围拢。晴沙：阳光照耀下的沙滩。⑺怪杀：非常奇怪。⑺原自：原来。⑺菡萏：荷花。香消：香气消失了，指花落了。画舸：画船。⑺宁复：哪能不再。⑺二十四桥：在扬州江都县城西。唐杜牧《寄扬州韩绰判官》诗有句："二十四桥明月夜，玉人何处教吹箫？"按，欧阳修曾任颍州知州，此诗所咏是颍州西湖而非杭州西湖，张岱误录于此。⑺赵子昂：即赵孟頫，宋太祖赵匡胤十一世孙，号松雪道人、水精宫道人、鸥波，浙江湖州人。入元受到忽必烈赏识，任兵部郎中、集贤直学士、济南路总管府事等职务，官至一品翰林承旨，书画名闻天下。⑺款段：马行迟缓的样子，借指马。⑻袁宏道：字中郎，号石公，明代著名文学家。⑻龙井：在杭州西湖西南山中，旧名龙泓，井泉清冽，四周产茶。⑻飞来：飞来峰，又名灵鹫峰，在西湖西北，与灵隐寺相对。⑻苏桥：苏轼筑堤时所修桥。北宋元祐年间苏轼知杭州修堤，分西湖为内外两湖，其间有六桥，杂种花柳。⑻胜果：胜果寺，在杭州包家山，隋代就已兴建。⑻钱祠：吴越王钱镠祠，钱镠死后被奉为江潮神。一片好石碣：张鷟《朝野佥载》卷六："梁庾信初至北方，文士多轻之。将《枯树赋》示之，自后无敢言。时温子升作《韩陵山寺碑》，信读而写其本曰：唯有韩陵一片石可共语，薛道衡、卢思道少解把笔，自余驴鸣狗吠聒耳而已。"此处赞颂苏轼《表忠观碑记》文辞优美。⑻林樾（yuè）：树林间的空隙。⑻南高：南高峰，在西湖诸峰的临界处。⑻北高：北高峰，在杭州西北十三里。⑻范景文：字梦章，号思仁、质公，河间吴桥人，万历四十一年进士，官东昌府推官、吏部文选郎中、工部尚书兼东阁大学士，明亡殉国，著有《大臣谱》《战守全书》。⑩尽：全，都。⑪凡人：普通人，平庸的人。⑫恍逢：恍惚遇到。⑬大服：非常佩服。⑭米颠：宋代书画家米芾，举止怪诞，人称米颠。⑮伯子琴：春秋时期的伯牙，擅长弹琴。⑯南华：南华真人庄子。秋水：《庄子》中有《秋水》篇。⑰淡妆脂粉无：苏轼《饮湖上初晴后雨》有句"若把西湖比西子，淡妆浓抹总相宜"。⑱髯苏：苏轼留有长髯，故称髯苏。⑲相与语：相对着讲话。⑳勾留：停留，逗留。白居易《玉莲亭》有"未能抛得杭州去，一半勾留是此湖"句。㉑杭人不看月：参本书《十锦塘》载张岱《西湖七月半记》。㉒踏雪：据此诗意，残雪乃是指月影。《十锦塘》载："堤阔二丈，遍植桃柳，一如苏堤。岁月既多，树皆合抱。行其下者，枝叶扶苏，漏下月光，碎如残雪。意向言断桥残雪，或言月影也。"㉓滃（wěng）：水汽腾涌的样子。轻岚：轻薄的雾气。㉔上方：上方寺，内有放生池。㉕微酡：微微的喝醉酒一样的红色。解颐：开颜欢笑。㉖空翠：天空。㉗诗肠：诗情，诗心。㉘藉：凭借。㉙林皋：山林。㉚柳耆卿：柳永，原名三变，字景庄，后改名永，字耆卿，排行第七，又称柳七，福建武夷山人。宋仁宗朝进士，官至屯田员外郎，故世称柳屯田。柳永是北宋婉约派词人代表，其词流传极广，人称"凡有井水饮处，皆能歌柳词"。㉛形胜：山川壮美的地方。㉜参差：繁杂不齐的样子。㉝天堑：天然的壕沟，这里指钱塘江。㉞珠玑：珠宝。㉟盈：充满。㊱叠巘：重叠险峻的山。㊲三秋：农历九月。㊳羌管：羌笛。㊴菱歌：采菱之歌。㊵莲娃：采莲的少女。㊶高牙：牙旗，大旗，借指高级将领。㊷吟赏：吟咏，欣赏。㊸异日：他日。㊹凤池：凤凰池，禁苑中的池沼，代指朝廷。㊺金主：海陵王完颜亮，女真名迪古乃，字元功，是金代第四位皇帝，在位期间颇有政绩，但因弑君夺位、残忍嗜杀，被视为暴君。㊻于国宝：当作"俞国宝"，号醒庵，江西临川人，南宋江西诗派著名诗人之一。据周密《武林旧事》卷三，俞国宝做太学生时将这首词题写在一家酒肆屏风上，宋高宗见了极度称赞，还将其中"明日再携残酒"句改为"明日重扶残醉"，俞国宝即日解褐授官。㊼玉骢：玉花马，泛指骏马。㊽鬟云：像云一样的发鬟。㊾扶：扶持。残醉：余醉。㊿陌上：路上。花钿：金玉珠宝制成的花状首饰。

[评析]

此篇是对西湖的总说，先概括了西湖声名鹊起的历史，然后用对比的手法，从鉴湖、湘湖与西湖的比较中，描述了西湖冶艳的特色。接下来是人们对西湖的态度，春夏时游人盛，花朝人盛，晴日人盛，张岱借此表达了与众不同的看法，他认为西湖冬日、夜间、雨中也都不逊色。对于西湖四贤，张岱推崇白居易的乐观旷达和苏轼的博学机敏，这其实是他个人才能和气质与二者相近的缘故。文末慨叹像南宋奸臣贾似道这类豪富之人，虽在西湖多年，实际不曾好好领略西湖的精髓，而穷书生没有资费，自然不容易游湖。通过二者的对比，反衬自己对西湖的理解之深，显示了作记的必要和自身的资本。

西湖北路

玉莲亭

白乐天守杭州，政平讼简①。贫民有犯法者，于西湖种树几株；富民有赎罪者，令于西湖开葑田数亩②。历任多年，湖葑尽拓③，树木成荫。乐天每于此地，载妓看山，寻花问柳。居民设像祀之。亭临湖岸，多种青莲，以象公之洁白④。右折而北，为缆舟亭，楼船鳞集⑤，高柳长堤，游人至此买舫入湖者，喧阗如市。东去为玉凫园，湖水一角，僻处城阿，舟楫罕到。寓西湖者，欲避嚣杂，莫于此地为宜。园中有楼，倚窗南望，沙际水明，常见浴凫数百，出没波心，此景幽绝。

白居易《玉莲亭》诗：

湖上春来似画图，乱峰围绕水平铺。松排山面千层翠，月照波心一点珠。碧毯绿头抽早麦，青罗裙带展新蒲。未能抛得杭州去，一半勾留是此湖。

孤山寺北贾亭西，水面初平云脚低。几处早莺争暖树，谁家新燕啄春泥。乱花渐欲迷人眼，浅草才能没马蹄。最爱湖东行不足，绿杨阴里白沙堤。

[注释]

①讼简：诉讼的事情很少。②葑田：把湖泽中累积的葑泥移附在水面的木架上，成为可移动的农田，也叫架田。③拓：开拓。④象：象征，喻示。⑤鳞集：众多聚集的样子。

[评析]

张岱崇拜白居易的乐观旷达，玉莲亭靠近白居易的祠堂，置于全书之首显然别有用意。张岱在这里突出的是白居易的政绩，对其被后世津津乐道的携妓游乐事却一笔带过，表现了他对这位千古名人的尊重与敬仰。玉莲亭附近是湖船聚集处，张岱善于写喧闹的场面，此处却未详细描写，而是转入寂寥的玉凫园，展现了园中宁静空明、可养性怡情的优长，从"倚窗南望，沙际水明，常见浴凫数百，出没波心"的描写中可见张岱对这里的喜爱及其淡泊的心境。

昭庆寺

昭庆寺，自狮子峰、屯霞石发脉，堪舆家谓之火龙①。石晋元年始创②，毁于钱氏乾德五年③。宋太平兴国元年重建④，立戒坛⑤。天禧初⑥，改名昭庆。是岁又火。迨明洪武至成化⑦，凡修而火者再⑧。四年奉敕再建⑨，廉访杨继宗监修⑩。有湖州富民应募挈万金来⑪。殿宇室庐⑫，颇极壮丽。嘉靖三十四年以倭乱⑬，恐贼据为巢，遽火之⑭。事平再造，遂用堪舆家说，辟除民舍，使寺门见水，以厌火灾⑮。隆庆三年复毁⑯。万历十七年⑰，司礼监太监孙隆以织造助建，悬幢列鼎⑱，绝盛一时。而两庑栉比⑲，皆市廛精肆⑳，奇货可居。春时有香市，与南海、天竺、山东香客及乡村妇女儿童，往来交易，人声嘈杂，舌敝耳聋㉑，抵夏方止。崇祯十三年又火㉒，烟焰障天，湖水为赤。及至清初，踵事增华㉓，戒坛整肃，较之前代，尤更庄严。一说建寺时为钱武肃王八十大寿，寺僧圆净订缁流古朴㉔、天香、胜莲、胜林、慈受、慈云等结莲社，诵经放生，为王祝寿。每月朔登坛设戒，居民行香礼佛，以昭王之功德㉕，因名昭庆。今以古德诸号，即为房名。

袁宏道《昭庆寺小记》：

　　从钱塘门而西，望保俶塔，突兀层崖中，则已心飞湖上也。午刻入昭庆，茶毕，即掉小舟入湖㉖。山色如娥㉗，花光似颊，温风如酒，波纹如绫，才一举头㉘，已不觉目酣神醉。此时欲下一语描写不得，大约如东阿王梦中初遇洛神时也㉙。

　　余游西湖始此，时万历丁酉二月十四日也㉚。晚同子公渡净寺觅阿宾旧住僧房㉛。取道由六桥、岳坟，石径塘而归。次早陶石篑帖子至㉜，十九日石篑兄弟同学佛人王静虚至㉝，湖山好友，一时凑集矣。

张岱《西湖香市记》㉞：

　　西湖香市，起于花朝，尽于端午。山东进香普陀者日至，嘉湖进香天竺者日至，至则与湖之人市焉，故曰香市。然进香之人市于三天竺，市于岳王坟，市于湖心亭，市于飞来峰，无不市，而独凑集于昭庆寺，昭庆两廊故无日不市者，三代八朝之古董，蛮夷闽貊之珍异，皆集焉。至香市，则殿中边甬道上下、池左右、山门内外，有屋则摊，无屋则厂，厂外又棚，棚外又摊，节节寸寸。凡胭脂簪珥、牙尺剪刀，以至经典木鱼、伢儿嬉具之类，无不集。此时春暖，桃柳明媚，鼓吹清和，岸无留船，寓无留客，肆无留酿。袁石公所谓"山色如娥，花光似颊，温风如酒，波纹如绫"，已画出西湖三月。而此以香客杂来，光景又别。士女闲都，不胜其村妆野妇之乔画；芳兰荠泽，不胜其合香芫荽之熏蒸；丝竹管弦，不胜其摇鼓合笙之聒帐；鼎彝光怪，不胜其泥人竹马之行情；宋元名画，不胜其湖景佛图之纸贵。如逃如逐，如奔如追，撩扑不开，牵挽不住。数百十万男男女女老老少少，日簇拥于寺之前后左右者，凡四阅月方罢。恐大江以东，断无此二地矣。崇祯庚辰三月，昭庆寺火。是岁及辛巳、壬午洊饥，民强半饿死。壬午道鲠山东，香客断绝，无有至者，市遂废。辛巳夏，余在西湖，但见城中饿殍舁出，扛挽相属。时杭州刘太守梦谦，汴梁人，乡里抽丰者，多寓西湖，日以民词馈送。有轻薄子改古诗诮之曰："山不青山楼不楼，西湖歌舞一时休。暖风吹得死人臭，还把杭州送汴州。"可作西湖实录。

[注释]

①堪舆家：古代为占候卜筮者中的一种，后专指以相地看风水为职业者，俗称"风水先生"。②石晋元年：后晋石敬瑭，公元936至942年在位，建元天福，石晋元年当指天福元年。③钱氏乾德五年：按，乾德为宋太祖赵匡胤年号，始于963年，共计五年，当时虽然吴越国独立称王，而国号用宋年号，乾德五年为公元967年。④宋太平兴国元年：太平兴国是宋太宗年号，元年为公元976年。⑤戒坛：僧人传戒之坛。⑥天禧：宋真宗年号。⑦洪武：明

太祖年号。成化：明宪宗年号。⑧再：两次。⑨奉敕：奉皇帝的命令。⑩杨继宗：字承芳，山西阳城人。明天顺元年进士，曾任刑部主事、嘉兴知府、浙江按察使、云南副使等职。⑪应募：响应招募。挈：带着，拿着。⑫殿宇：寺院的殿堂。⑬嘉靖三十四年：公元1555年。⑭遽火：匆忙烧毁。⑮厌：用迷信的方法辟邪。⑯隆庆三年：公元1569年。⑰万历十七年：公元1589年。⑱悬幢：悬挂经幢，经幢是佛教一种饰以杂彩的柱状标志，表示麾导群生、制伏魔众之意。后用以称写有经文的长筒圆形彩绸。⑲两庑：堂下两边的走廊。⑳市廛：市中商业集中区。精肆：精品店铺。㉑舌敝耳聋：说话很多，舌头都疲劳了。听话太多，听力也下降了。㉒崇祯十三年：公元1640年。㉓踵事：继续做。㉔订：预订。缁流：僧人，因多穿黑衣，有此称。㉕昭：彰显。㉖掉：同"棹"，划船。㉗娀：女子。㉘举头：抬头。㉙东阿王：即曹植，字子建。自幼颖慧过人，深得曹操宠爱，因此受到曹丕的妒忌。曹丕即位，曹植屡遭打击，被迁封过多次，东阿是其中之一，因称东阿王。曹植过洛水，梦见神女宓妃，惊其艳丽，因作《洛神赋》。其因辞采华赡、情思婉转，千百年来一直受到文人的推崇。㉚万历丁酉：万历二十五年，公元1597年。㉛子公：明代文人方文僎，袁宏道做吴县县令时两人结为好友。阿宾：袁中道的小名。㉜陶石篑：即绍兴文人陶望龄，字周望，号石篑。㉝佛人：佛教徒，信佛的人。王静虚：名赞化，明代山阴人。㉞《西湖香市记》：本文已见于《陶庵梦忆》，注释详见前。

[评析]

本文历叙了昭庆寺从五代至清初屡次烧毁屡次重建的历史，以及昭庆寺命名的缘由。全文主要以时间为线索，叙事简练，重在写实，对每次毁建事件的年代记载非常详细，显然经过了一番细致的稽考，体现了张岱严谨务实的史学精神。

哇哇宕

哇哇石，在棋盘山上。昭庆寺后，有石池深不可测，峭壁横空①，方圆可三四亩，空谷相传②，声唤声应，如小儿啼焉。上有棋盘石，耸立山顶。其下烈士祠③，为朱晔④、金胜、祝威诸人，皆宋时死金人难者，以其生前有护卫百姓功，故至今祀之。

屠隆《哇哇宕》诗⑤：

昭庆庄严尽佛图，如何空谷有呱呱。千儿乳坠成贤劫⑥，五觉声闻报给孤⑦。流出桃花缘古宕，飞来怪石入冰壶。隐身岩下传消息，任尔临崖动地呼。

[注释]

①横空：横亘在空中。②空谷：空旷的山谷。③烈士：忠烈之人。④朱晔：湖州安吉人，钱塘知县。高宗南渡时，金兵追到了杭州，朱晔和县尉曹金胜、祝威率军英勇抵抗，即使中箭也没有退缩，为百姓赢得了逃生的机会，可惜三人最终都牺牲了。⑤屠隆：字长卿，一字纬真，号赤水、鸿苞居士，浙江鄞县人。万历五年进士，曾任吏部主事、郎中等官职。屠隆博学多才，精通曲艺，诗如天造，散文瑰奇，著有《栖真馆集》《由拳集》《鸿苞集》等。⑥乳坠：出生。贤劫：释迦佛等千佛出世的现在劫，与过去庄严劫、未来星宿劫并称为三大劫。⑦五觉：觉悟成道之意。佛教五觉指始觉、本觉、相似觉、随分觉、究竟觉。给孤：印度的一位笃信佛法的长者，好施与孤独者，故名给孤。

[评析]

本文简要介绍了哇哇石和哇哇池的位置、深广度、名字由来。对于池附近的建筑，单单提到了宋金战争中为保护百姓而死的烈士的祠堂。写此文时张岱已入清，虽然笔墨不多，但可以推测他写及这一烈士祠，是内心情感复杂的一种反应。

大佛头

大石佛寺，考旧史，秦始皇东游入海，缆舟于此石上。后因贾平章住里湖葛岭①，宋大内在凤凰山②，相去二十余里，平章闻朝钟响即下湖船，不用篙楫，用大锦缆绞动盘车，则舟去如驶，大佛头，其系缆石桩也③。平章败，后人镌为半身佛像，饰以黄金，构殿覆之，名大石佛院。至元末毁。明永乐间④，僧志琳重建，敕赐大佛禅寺。贾秋壑为误国奸人，其于山水书画骨董，凡经其鉴赏，无不精妙。所制锦缆亦自可人⑤。一日临安失火，贾方在半闲堂斗蟋蟀，报者络绎⑥，贾殊不顾⑦，但曰："至太庙则报⑧。"俄而报者曰："火直至太庙矣！"贾从小肩舆⑨，四力士以椎剑护，异舆人里许即易⑩，倏忽至火所⑪，下令肃然，不过曰："焚太庙者，斩殿帅⑫。"于是帅率勇士数十人，飞身上屋⑬，一时扑灭。贾虽奸雄，威令必行⑭，亦有快人处。

张岱《大石佛院》诗：

　　余少爱嬉游，名山恣探讨⑮。泰岳既危峨，补陀复杳渺⑯。天竺放光明，齐云集百鸟。活佛与灵神，金身皆藐小⑰。自到南明山，石佛出云表⑱。食指及拇指，七尺犹未了。宝石更特殊，当年石工巧⑲。岩石数丈高，止塑一头脑⑳。量其半截腰，丈六犹嫌少。问佛凡许长㉑，人天不能晓。但见往来人，盘旋如虱蚤㉒。而我独不然，参禅已列老。入地而摩天，何在非佛道。色相求如来㉓，巨细皆心造。我视大佛头，仍然一茎草。

甄龙友《西湖大佛头赞》㉔：

　　色如黄金，面如满月。尽大地人，只见一橛㉕。

[注释]

①贾平章：贾似道，字师宪，号悦生、秋壑，南宋有名的奸臣。②宋大内：南宋宫廷。③石桩：石桩。④永乐：明成祖朱棣年号，公元1403至1424年。⑤可人：称人心意。⑥络绎：连续不断。⑦殊：很。⑧太庙：帝王的祖

庙。⑨肩舆：轿子。⑩舁（yú）舆人：抬轿子的人。舁，抬。即易：就换。⑪火所：着火的地方。⑫殿帅：宋代统领禁军的殿前司长官都指挥使或殿前指挥使。⑬飞身：纵身。⑭咸令：政令，命令。⑮恣：随意。⑯补陀：佛教语，又作补陀落伽、逋多罗、补怛洛迦、补陀落等。译作光明山、海岛山、小花树山等，相传在印度之南海岸，为观音居处。⑰藐小：微小。⑱云表：云外。⑲当年：往年，昔年。⑳塑：塑造。㉑凡：总共，总计。㉒盘旋：来来往往。㉓色相：形貌。㉔甄龙友：又名良友，字云卿，浙江永嘉人，南宋绍兴二十四年进士，官国子监簿，为人滑稽有文采。㉕橛：木桩。

[评析]

本文可分为两部分，前半部分是根据旧史整理的大佛头过去的功用和被雕刻事件的原委，以及大石佛寺的修建始末。这一半用的是史家思维，内容平实，语言洗练，客观性强。后半部分则是根据历史故事抒发个人看法，以贾似道处理皇城失火之事，证明奸雄也有其独到的才能，对人物的评判能够一分为二，有主有次，也体现了张岱作为史学家的良好素养。

保俶塔

宝石山，高六十三丈，周一十三里。钱武肃王封寿星宝石山，罗隐为之记①。其绝顶为宝峰②，有保俶塔，一名宝所塔。盖保俶塔也，宋太平兴国元年③，吴越王俶闻唐亡而惧④，乃与妻孙氏、子惟濬、孙承祐入朝，恐其被留，许造塔以保之。称名，尊天子也。至都，赐礼贤宅以居，赏赉甚厚⑤。留两月遣还，赐一黄袱，封识甚固⑥，戒曰："途中宜密观⑦。"及启之，则皆群臣乞留俶章疏也⑧，俶甚感惧⑨。既归，造塔以报佛恩。保俶之名，遂误为保叔。不知者遂有"保叔缘何不保夫"之句⑩。俶为人敬慎⑪，放归后，每视事⑫，徙坐东偏⑬，谓左右

西湖梦寻　237

曰："西北者，神京在焉⑭，天威不违颜咫尺⑮，俶敢宁居乎⑯！"每修省入贡⑰，焚香而后遣之⑱。未几⑲，以地归宋，封俶为淮海国王。其塔，元至正末毁⑳，僧慧炬重建。明成化间又毁，正德九年僧文镛再建㉑。嘉靖元年又毁㉒，二十二年僧永固再建。隆庆三年大风折其顶㉓，塔亦渐圮，万历二十二年重修㉔。其地有寿星石、屯霞石。去寺百步，有看松台，俯临巨壑，凌驾松杪，看者惊悸。塔下石壁孤峭，缘壁有精庐四五间㉕，为天然图画阁。

黄久文《冬日登保俶塔》诗：

当峰一塔微，落木净烟浦。日寒山影瘦，霜泐石棱苦㉖。山云自悠然，来者适为主。与子欲谈心，松风代吾语。

夏公谨《保俶塔》诗㉗：

客到西湖上，春游尚及时。石门深历险，山阁静凭危。午寺鸣钟乱，风潮去舫迟。清樽欢不极，醉笔更题诗。

钱思复《保俶塔》诗㉘：

金刹天开画㉙，铁檐风语铃。野云秋共白，江树晚逾青。凿屋岩藏雨，粘崖石坠星。下看湖上客，歌吹正沉冥。

[注释]

①罗隐：字昭谏，唐代著名诗人。屡次参加科考不中，黄巢起义，避乱隐居九华山，年老归乡，投奔吴越王钱镠，历任钱塘令、司勋郎中、给事中等职。②绝顶：山顶，最高处。③宋太平兴国元年：公元976年。④唐亡：指后唐灭亡。⑤赏赉（lài）：赏赐。⑥封识：封缄并加标记。⑦密观：秘密观看。⑧乞留：请求羁留。⑨感惧：感激和畏惧。⑩缘何：为什么。⑪敬慎：恭敬谨慎。⑫视事：处理政事。⑬徙坐：移坐。⑭神京：帝都，首都。⑮不违颜：不冒犯。⑯宁居：安居，这里指安心地坐在西北方。⑰修省：修身反省。入贡：

向朝廷进献财物特产。⑱遣：派遣使者。⑲未几：不久。⑳至正：元顺帝年号，公元1341至1368年。㉑正德九年：公元1514年。㉒嘉靖元年：公元1522年。㉓隆庆三年：公元1569年。㉔万历二十二年：公元1594年。㉕精庐：精舍，僧人居住的地方。㉖泐：石头风化形成开裂的纹理。㉗夏公谨：名夏言，字公谨，江西贵溪人。明正德进士。曾任兵科给事中，任礼部尚书兼武英殿大学士不久，擢为宰相，嘉靖二十七年因收复河套事被处死。诗文词曲都有名，著有《桂洲集》。㉘钱思复：钱惟善，字思复，自号心白道人、武夷山樵者、曲江居士，杭州人。曾任儒学副提举，入明以教授生徒为生。死后与杨维桢、陆居仁合葬于干山，人称三高士墓。著有《江月松风集》。㉙金刹：宝塔。

[评析]

　　张岱在本文中记载了保俶塔修建的缘由，民间对塔名的讹传，由宋至明，保俶塔的毁建等，年份如此详细，显然也是查询过史料的。张岱仅在文末对保俶塔的风光有所描写，而且着眼点主要在看松台，说"俯临巨壑，凌驾松杪，看者惊悸"，再联系前文，前文用了相当多的篇幅来记叙吴越王对宋朝的归附和惊恐之状，两者在一定层面上有相通之处，可以说这都是经历了社会重大变革后，张岱内心惶恐的反映。

玛瑙寺

　　玛瑙坡在保俶塔西，碎石文莹①，质若玛瑙，土人采之，以镌图篆。晋时遂建玛瑙宝胜院，元末毁，明永乐间重建。有僧芳洲仆夫艺竹得泉，遂名仆夫泉。山巅有阁，凌空特起，凭眺最胜，俗称玛瑙山居。寺中有大钟，佟弇齐适②，舒而远闻③，上铸《莲经》七卷，《金刚经》三十二分。昼夜十二时，保六僧撞之④。每撞一声，则《法华》七卷、《金刚》三十二分，字字皆声。吾想法夜闻钟⑤，起人道念⑥，一至旦昼，无不牿亡⑦。今于平明白昼时听钟声，猛为提醒，大地山河，都为震动，则铿鍧一响，是竟《法华》一转、《般若》一转矣。内典云⑧："人间钟鸣未歇际，地狱众生，刑具暂脱此间也。"鼎革以后，恐寺僧惰慢，不克如前⑨。

张岱《玛瑙寺长鸣钟》诗：

女娲炼石如炼铜，铸出梵王千斛钟⑩。仆夫泉清洗刷早，半是顽铜半玛瑙⑪。锤金琢玉昆吾刀⑫，盘旋钟纽走蒲牢⑬。十万八千《法华》字，《金刚般若》居其次。贝叶灵文满背腹⑭，一声撞破莲花狱。万鬼桁杨暂脱离⑮，不愁漏尽啼荒鸡⑯。昼夜百刻三千杵⑰，菩萨慈悲泪如雨。森罗殿前免刑戮，恶鬼狰狞弃退役。一击渊渊大地惊，青莲字字有潮音。特为众生解冤结，共听毗庐广长舌。敢言佛说尽荒唐，劳我阇黎日夜忙⑱。安得成汤开一面⑲，吉网罗钳都不见⑳。

[注释]

①文莹：五彩缤纷，光洁晶莹。②侈弇（yǎn）齐适：指钟口的大小正合适。侈，宽阔。弇，狭窄。③舒而远闻：指钟声平缓但远处都能听到。④保：保证，肯定。⑤法夜：传法的夜晚。⑥道念：修道的想法。⑦牿（gù）亡：消失。《孟子·告子上》："其日夜之所息，平旦之气，其好恶与人相近也者几希，则其旦昼之所为，有牿亡之矣。"⑧内典：佛徒称佛经为内典。宋王禹偁《左街僧录通惠大师文集序》："释子谓佛书为内典，谓儒书为外学。"⑨不克：不能。⑩梵王：色界初禅天的大梵天王，也泛指此界的众位天王。⑪顽铜：生锈的铜。⑫昆吾刀：昆吾石冶铁制成的刀，泛指锋利的宝刀，见汉东方朔《海内十洲记·凤麟洲》："昔周穆王时，西胡献昆吾割玉刀及夜光常满杯，刀长一尺，杯受三升。刀切玉如切泥。"⑬走：逃走。蒲牢：传说中生活在海边的怪兽，吼声非常洪亮，所以古人常在钟上铸蒲牢的形象。⑭贝叶：古代印度人写经的树叶，

泛指佛经。⑮桁（háng）杨：加在脚上或颈上的刑具，泛指刑具。⑯漏尽：刻漏已尽，指天快亮了。荒鸡：三更前啼叫的鸡。⑰百刻：古代用刻漏计时，一昼夜一百刻。⑱阇黎：佛教语，意谓高僧，也泛指僧人。⑲成汤：即商汤，商代的开国之君，姓子名履，又称天乙。开一面：见《史记·殷本纪》："汤出，见野张网四面，祝曰：'自天下四方皆入吾网！'汤曰：'嘻，尽之矣！'乃去其三面。"⑳吉网罗钳：唐玄宗天宝初年，李林甫为宰相，任用酷吏吉温和罗希奭为御史，陷害不服从自己的人，罗织冤狱，时称"罗钳吉网"。

[评析]

张岱在本文中记载了玛瑙寺创建的历史和命名缘由，又由此说到寺中仆夫泉，山巅高阁，最后目光集中到寺中的大钟上，大钟上刻佛经，响声绵远而闻名，张岱也曾因之猛然醒悟，参透深刻的禅理。末尾张岱写不知乱后寺僧是否还按时敲钟，表达了他对玛瑙寺的深深怀恋。

智果寺

智果寺，旧在孤山，钱武肃王建。宋绍兴间①，造四圣观，徙于大佛寺西。先是东坡守黄州，於潜僧道潜②，号参寥子，自吴中来访，东坡梦与赋诗，有"寒食清明都过了，石泉槐火一时新"之句。后七年东坡守杭，参寥卜居智果，有泉出石罅间。寒食之明日，东坡来访，参寥汲泉煮茗，适符所梦。东坡四顾坛墠③，谓参寥曰："某生平未尝至此，而眼界所视，皆若素所经历者。自此上忏堂当有九十三级。"数之，果如其言，即谓参寥子曰："某前身寺中僧也，今日寺僧皆吾法属耳④，吾死后，当舍身为寺中伽蓝⑤。"参寥遂塑东坡像，供之伽蓝之列，留偈壁间⑥，有："金刚开口笑钟楼，楼笑金刚雨打头，直待有邻通一线，两重公案一时修⑦。"后寺破败。崇祯壬申⑧，有扬州茂才鲍同德字有邻者⑨，来寓寺中。东坡两次入梦，属以修寺，鲍辞以"贫士安办此？"公曰："子第为之⑩，自有助子者。"次日，见壁间偈有"有邻"二字，遂心动立愿，作《西泠记梦》，见人辄出示之。一日至邸，遇维扬姚永言，备言其梦。座中有粤东谒选进士宋公兆禴者⑪，甚为骇异。次日，宋公筮仕⑫，遂得仁和。永言怂恿之，宋公力任其艰，寺得再葺。时有泉适出寺后，好事者仍名之参寥泉焉。

[注释]

①绍兴：南宋高宗年号，公元1131至1162年。②於潜：县名，在今浙江。③坛壝（wěi）：坛是土筑的高台，周围的矮墙称壝。④法属：僧辈，同样为僧的人。⑤伽蓝：寺院中的护法神。⑥偈：佛教的唱诵辞。⑦公案：佛家前辈祖师的言行范例。⑧崇祯壬申：崇祯五年，公元1632年。⑨茂才：明清时期进入府州县学的生员。茂才原称秀才，因避汉光武帝刘秀名讳，改秀为茂，后世沿用。⑩第：只管。⑪谒选：赴吏部备选。⑫筮仕：古人将要出仕时，预占吉凶。这里指初次做官。

[评析]

本文与前面诸篇相比，在写作方式上有了很大变化。前面将历次兴建时间和过程等基本信息介绍作为侧重点，本篇则主要叙述与智果寺相关的历史典故，而且是与苏轼密切相关的，包括苏轼生前和身后几百年托梦的虚幻故事，体现了智果寺的传奇色彩和张岱对苏轼的深深崇拜。

六贤祠

宋时西湖有三贤祠两：其一在孤山竹阁。三贤者，白乐天、林和靖、苏东坡也；其一在龙井资圣院，三贤者，赵阅道①、僧辨才②、苏东坡也。宝庆间③，袁樵移竹阁三贤祠于苏公堤④，建亭馆以沽官酒⑤。或题诗云⑥："和靖东坡白乐天，三人秋菊荐寒泉⑦。而今满面生尘土，欲与袁樵趁酒钱⑧。"又据陈眉公笔记⑨，钱塘有水仙王庙，林和靖祠堂近之。东坡先生以和靖清节映世，遂移神像配食水仙王⑩。黄山谷有《水仙花》诗⑪，用此事："钱塘昔闻水仙庙，荆州今见水仙花，暗香靓色撩诗句，宜在孤山处士家。"则宋时所祀，止和靖一人。明正德三年⑫，郡守杨孟瑛重浚西湖⑬，立四贤祠以祀李邺侯、白、苏、林四人，杭人益以杨公⑭，称五贤。而后乃祧杨公⑮，增祀周公维新⑯、王公弇州⑰，称六贤祠。张公亮曰："湖上之祠，宜以久居其地，与风流标令为山水深契者⑱，乃列之。周公冷面⑲，且为神明，有别祠矣⑳。弇州文人，与湖非久要㉑，今并四公而坐，恐难熟热也。"人服其确论。

张明弼《六贤祠》诗㉒：

　　山川亦自有声气，西湖不易与人热。五日京兆王弇州，冷面臬司号寒铁㉓。原与湖山非久要，心胸不复留风月。犹议当时李邺侯，西泠尚未通舟楫。惟有林苏白乐天，真与烟霞相接纳。风流俎豆自千秋㉔，松风菊露梅花雪。

[注释]

①赵阅道：赵抃，字阅道，号知非子，浙江衢县人，进士，北宋神宗时以太子太保致仕。居吴，乐游山水。善诗，有《清献集》传世。②僧辨才：杭州天竺寺名僧，苏轼任杭州通判期间与他结交，留下很多诗文佳话。③宝庆：南宋理宗年号，公元1225至1227年。④袁樵：南宋官员，理宗时为京尹。⑤沽：卖。⑥或：有人。⑦荐：佐餐。⑧趁：赚钱。⑨陈眉公：名继儒，以诗文、书画而闻名，明代华亭人。⑩配食：配祭，配享。汉班固《汉书·孝武李夫人》："武帝崩，大将军霍光缘上雅意，以李夫人配食，追上尊号曰孝武皇后。"⑪黄山谷：北宋黄庭坚，字鲁直，号山谷道人、涪翁，江西修水

人。历官叶县尉、北京国子监教授、校书郎、涪州别驾等,是著名文学家与书法家,诗与苏轼并称,词与秦观并称,书与苏轼、米芾、蔡襄并称。⑫正德三年:公元1508年。⑬杨孟瑛:明成化进士,四川丰都人。重浚:再次疏导。⑭益:增加。⑮祧(tiāo):撤去神主之位。⑯周公维新:即周新,广东南海人,明初进士后,任大理寺评事,以善判疑案、铁面无私著称。⑰王公弇州:即王世贞,字元美,号凤洲、弇州山人,江苏太仓人,累官刑部尚书。王世贞是明代著名文史学家,前后主盟文坛二十年,著有《弇山堂别集》《嘉靖以来首辅传》《弇州山人四部稿》等。⑱标令:俊美。⑲冷面:铁面,神情严峻。⑳别祠:专门祭祀。㉑久要:旧交。㉒张明弼:明代金坛人,崇祯年间进士。㉓臬(niè)司:明代提刑按察使司的别称,主管一省司法。㉔俎豆:古代祭祀、宴飨时盛食物用的两种礼器,代指祭祀。

[评析]

　　本文介绍了西湖的先贤祠堂。西湖旧有两处三贤祠,孤山处更为引人注目,张岱据黄庭坚诗等考证,孤山原来只祭祀林逋一人,而到了明代,孤山祠堂已从三贤祠逐渐增至六贤祠,随着官方对祭祀人物的增减,文人有不同的品评。本文重在客观介绍和记载,文中提到了若干文人诗歌、言辞以及相关文献,旁征博引,体现了张岱踏实的写作精神。

西泠桥

　　西泠桥,一名西陵,或曰即苏小小结同心处也①。及见方子公诗有云:"'数声渔笛知何处②,疑在西泠第一桥。'陵作泠,苏小恐误。"余曰:"管不得,只西陵便好。且白公断桥诗'柳色青藏苏小家',断桥去此不远,岂不可借作西泠故实耶③!"昔赵王孙孟坚子固常客武林④,值菖蒲节⑤,周公谨同好事者邀子固游西湖⑥。酒酣,子固脱帽以酒晞发,箕踞歌《离骚》,旁若无人。薄暮入西泠桥，掠孤山，舣舟茂树间⑦，指林麓最幽处⑧，瞠目叫曰："此真洪谷子⑨、董北苑得意笔也⑩。"邻舟数十，皆惊骇绝叹，以为真谪仙人。得山水之趣味者，东坡之后，复见此人。

袁宏道《西泠桥》诗：

西泠桥，水长在。松叶细如针，不肯结罗带。莺如衫，燕如钗，油壁车，砍为柴，青骢马，自西来。昨日树头花，今朝陌上土。恨血与啼魂⑪，一半逐风雨。

又《桃花雨》诗：

浅碧深红大半残，恶风催雨剪刀寒。桃花不比杭州女，洗却胭脂不耐看。

李流芳《西泠桥题画》⑫：

余尝为孟旸题扇⑬："多宝峰头石欲摧，西泠桥边树不开⑭。轻烟薄雾斜阳下，曾泛扁舟小筑来⑮。"西泠桥树色，真使人可念，桥亦自有古色。近闻且改筑，当无复旧观矣。对此怅然。

[注释]

①苏小小：南齐钱塘名妓，有才学，传说曾与豪门公子阮郁相爱，年少早夭，葬于西湖。②渔笛：渔人的笛声。③故实：出处，典故。④赵王孙孟坚子固：赵孟坚，字子固，号彝斋，宋太祖十一世孙，浙江湖州人。工诗善文，更以书画被时人推崇。因其为宋宗室，故称"王孙"。武林：杭州。⑤菖蒲节：即端午节。宋周密《齐东野语·子固类元章》："庚申岁，客辇下，会菖蒲节，余偕一时好事者邀子固，各携所藏，买舟湖上，相与评赏。"⑥周公谨：即周密，字公谨，号草窗、四水潜夫、弁阳老人，祖籍济南，流寓浙江湖州，以词著称，入元与众多遗民在杭州一带结社唱和。⑦舣（yǐ）舟：划船靠岸。⑧林麓：山林。⑨洪谷子：名荆浩，字浩然，后梁时避乱隐居太行山洪谷，故自号"洪谷子"。荆浩擅画山水，得吴道子神韵。⑩董北苑：即董源，南唐时曾任北苑副

使，著名画家。他开创了南方山水画派，影响深远，与学生巨然并称董巨。⑪恨血：屈死者的血，语本《庄子·外物》："苌弘死于蜀，藏其血，三年而化为碧。"啼魂：杜鹃。传说杜鹃是上古蜀王望帝杜宇死后所化，到了春天就啼鸣不止，因口中发红，被认为啼血。⑫李流芳：字长蘅，明代诗人、书画家。⑬孟阳：明人程嘉燧，字孟阳，著有《偈庵集》。⑭不开：不成排。开，排列。唐李白《古风》二十四："中贵多黄金，连云开甲宅。"⑮小筑：规模小而雅致的住宅，多在幽静之地建造。宋汪藻《题伯禹给事漫吾亭》："中年拂衣归，绝意向钟鼎。泽幽成小筑，胜会已独领。清寒把湍濑，秀色揽诸岭。"

[评析]

本文可分为两个层次。一是关于"西陵"和"西泠"说法的辩证，张岱认为两者都有诗可证，在情理上也都说得过去，不是一般讹传，因此无需过多计较。其二是关于西泠山水的一则典故。南宋灭亡后，王室后裔、著名画家赵孟坚与著名遗民周密游湖，醉后对孤山林麓大声慨叹，被张岱引为东坡知音。其实从张岱文中最后一句话来看，赵孟坚对山水的痴情又何尝不与张岱自己相似？

岳王坟

岳鄂王死①，狱卒隗顺负其尸，逾城至北山以葬。后朝廷购求葬处，顺之子以告。及启棺如生，乃以礼服殓焉。隗顺，史失载。今之得以崇封祀享②，胙蠁千秋③，皆顺力也。倪太史元璐曰④："岳王祠泥范忠武⑤，铁铸桧、卨，人之欲不朽桧、卨也，甚于忠武。"按公之改谥忠武，自隆庆四年⑥。墓前之有秦桧、王氏、万俟卨三像⑦，始于正德八年⑧，指挥李隆以铜铸之，旋为游人挞碎。后增张俊一像⑨。四人反接⑩，跪于丹墀⑪。自万历二十六年⑫，按察司副使范涞易之以铁，游人椎击益狠，四首齐落，而下体为乱石所掷，止露肩背。旁墓为银瓶小姐。王被害，其女抱银瓶坠井中死。杨铁崖乐府曰[13]:"岳家父,国之城;秦家奴,城之倾。皇天不灵,杀我父与兄。嗟我银瓶为我父,缇萦生不赎父死[14],不如无生。千尺井,一尺瓶,瓶中之水精卫鸣[15]。"墓前有分尸桧。天顺八年[16],杭州同知马伟锯而植之,首尾分处,以示磔桧状[17]。隆庆五年[18],大雷击折之。朱太史之俊曰[19]:"一秦桧耳,铁首木心,俱不能保至此。"天启丁卯[20],浙抚造祠媚珰[21],穷工极巧,徙苏堤第一桥于百步之外,数日立成,骇其神速。崇祯改元[22],魏珰败,毁其祠,议以木石修王庙。卜之王,王弗许。

岳云,王之养子,年十二从张宪战,得其力,大捷,号曰"赢官人",军中皆呼焉。手握两铁锤,重八十斤。王征伐,未尝不与,每立奇功,王辄隐之。官至左武大夫、忠州防御使。死年二十二,赠安远军承宣使。所用铁锤犹存。

张宪为王部将,屡立战功。绍兴十年[23],兀术屯兵临颍[24],宪破其兵,追奔十五里,中原大振。秦桧主和班师。桧与张俊谋杀岳飞,诱飞部曲能告飞事者[25],卒无人应。张俊锻炼宪[26],被掠无完肤[27],强辩不伏,卒以冤死。景定二年[28],追封烈文侯。正德十二年,布衣王大祐发地得碣石,乃崇封焉。郡守梁材建庙,修撰唐皋记之。

牛皋墓在栖霞岭上。皋字伯远,汝州人,岳鄂王部将,素立战功。秦桧惧其怨己,一日大会众军士,置毒害之。皋将死,叹曰:"吾年近六十,官至侍从郎,一死何恨,但恨和议一成,国家日削。大丈夫不能以马革裹尸报君父,是为叹耳!"

张景元《岳坟小记》:

岳少保坟祠,祠南向,旧在阛阓[29]。孙中贵为买民居[30],

开道临湖,殊惬大观。祠右衣冠葬焉。石门华表㉛,形制不巨,雅有古色。

周诗《岳王坟》诗㉜:

将军埋骨处,过客式英风㉝。北伐生前烈,南枝死后忠㉞。干戈戎马异,涕泪古今同。目断封丘上㉟,苍苍夕照中。

高启《岳王坟》诗㊱:

大树无枝向北风,千年遗恨泣英雄。班师诏已成三殿,射房书犹说两宫㊲。每忆上方谁请剑㊳,空嗟高庙自藏弓㊴。栖霞岭上今回首,不见诸陵白雾中㊵。

唐顺之《岳王坟》诗㊶:

国耻犹未雪,身危亦自甘。九原人不返㊷,万壑气长寒。岂恨藏弓早,终知借剑难。吾生非壮士,于此发冲冠。

蔡汝南《岳王墓》诗㊸:

谁将三字狱㊹,堕此一长城㊺。北望真堪泪,南枝空自荣。国随身共尽,君恃相为生。落日松风起,犹闻剑戟鸣。

王世贞《岳坟》诗:

落日松杉覆古碑,英风飒飒动灵祠。空传赤帝中兴诏㊻,自折黄龙大将旗。三殿有人朝北极,六陵无树对南枝㊼。莫将乌喙论勾践㊽,鸟尽弓藏也不悲。

徐渭《岳坟》诗㊾:

墓门惨淡碧湖中,丹艧朱扉射水红。四海龙蛇寒食后㊿,六陵风雨大江东。英雄几夜乾坤博,忠孝传家俎豆同。肠断两宫终朔雪㉛,年年麦饭隔春风㉜。

张岱《岳王坟》诗:

西泠烟雨岳王宫,鬼气阴森碧树丛。函谷金人长堕泪㊼，昭陵石马自嘶风㊽。半天雷电金牌冷㊾，一族风波夜蹙红㊿。泥塑岳侯铁铸桧，只令千载骂奸雄。

董其昌《岳坟柱对》㊼：

> 南人归南，北人归北，小朝廷岂求活耶。孝子死孝，忠臣死忠，大丈夫当如是矣。

张岱《岳坟柱铭》：

> 呼天悲铁像，此冤未雪，常闻石马哭昭陵。拓地饮黄龙㊽，厥志当酬㊾，尚见泥兵湿蒋庙。

[注释]

①岳鄂王：即岳飞，字鹏举。南宋抗金名将，被秦桧谗杀，宁宗嘉定四年，追封鄂王。②崇封祀享：修坟墓，建庙宇祭祀。③肸（xī）蠁（xiǎng）千秋：神灵感应，绵延不绝。④倪太史元璐：即倪元璐，字汝玉，号鸿宝，浙江上虞人。明天启二年进士，历官至户、礼两部尚书。李自成入京，自缢殉国。倪元璐擅长诗文，又书画俱工。⑤泥范：泥做的塑像。⑥隆庆四年：公元1570年。⑦王氏：秦桧的妻子。万（mò）俟（qí）高（xiè）：字元忠，开封人。官枢密院编修、湖北转运判官、监察御史等职，主治岳飞之狱，杀害了岳飞父子。后升任右相。⑧正德八年：公元1513年。⑨张俊：字伯英，甘肃天水人，骁勇有谋略，与岳飞、韩世忠合称三大将，所部称张家军。后来为了迎合高宗旨意，参与谋杀岳飞，以此显贵，死后追封循王。⑩反接：反绑两手。⑪丹墀：祠庙的台阶，一般涂成红色，因称丹墀。⑫万历二十六年：公元1598年。⑬杨铁崖：元末明初著名诗人杨维祯，字廉夫，号铁崖、东维子等，铁崖诗派领袖，擅长古乐府。⑭缇萦生不赎父死：汉文帝四年，临淄淳于意行医遭人陷害，官吏把他押解到长安去受刑。他的小女儿缇萦年方十三岁，为救父亲，千里迢迢向文帝上书，愿意舍身为奴，免去父亲的刑罚，汉文帝为此感动，将肉刑彻底废除。⑮精卫：古代神话中的一种鸟，相传是炎帝的女儿，在东海溺死后化为鸟，名叫精卫，为了报复，它不停地到西山衔木石以填东海。⑯天顺八年：公元1464年。⑰磔（zhé）：斩杀。⑱隆庆五年：公元1571年。⑲朱太史之俊：朱之俊，字擢秀，号沧起，又号羼摄居士，山西省汾阳人。明

天启二年进士，曾任国子监司业、翰林院侍讲等职，魏忠贤一党覆灭，受牵连罢官。入清，寄情山水林泉，以诗文唱和自娱。⑳天启丁卯：天启七年，公元1627年。㉑浙抚：浙江巡抚。珰：这里指明末太监魏忠贤。㉒改元：采用新年号纪年，年号以一为元，所以称"改元"。㉓绍兴十年：公元1140年。㉔兀术：即金兀术，金太祖完颜阿骨打第四子。有胆略，善射，是金代著名军事家，开国功臣。㉕部曲：古代军队中大将军营有五部，部有曲，所以部曲指部下、属下。㉖锻炼：拷打折磨。㉗掠：拷打。㉘景定二年：公元1261年，宋理宗在位。㉙阛（huán）阓（huì）：街市。㉚孙中贵：即孙隆，明太监。㉛华表：陵墓前用作装饰的石柱，上面刻有纹饰。㉜周诗：字兴叔，钱塘人。嘉靖丙辰进士，曾任通政使，有《与鹿集》。㉝式：行礼。英风：勇武的气概。㉞南枝：故土，故国，这里指南宋。源自《古诗十九首·行行重行行》："胡马依北风，越鸟巢南枝。"㉟封丘：坟墓。㊱高启：字季迪，号槎轩、青丘子，苏州人。明洪武初任翰林院国史编修官、户部右侍郎。元末明初著名诗人，与杨基、张羽、徐贲并称"吴中四杰"。㊲两宫：指被金兵俘虏到北方的宋徽宗和宋钦宗。㊳请剑：请诛杀奸佞之臣。典出《汉书·朱云传》："愿赐尚方斩马剑，断佞臣一人以厉其余。"㊴高庙：宋高宗赵构。自藏弓：自己诛杀了忠臣即岳飞。语出《史记·淮阴侯列传》："狡兔死，走狗烹。高鸟尽，良弓藏。"㊵诸陵：南宋众位帝王的陵墓。㊶唐顺之：字应德，号荆川。江苏常州人。嘉靖八年进士，历官右佥都御史、凤阳巡抚。唐顺之是文武全才，文学上以散文见长，是"唐宋派"代表人物之一。㊷九原：九泉，黄泉，指死去。㊸蔡汝南：字子木，号抱石，浙江德清人。嘉靖年间进士，年少有诗名，后专攻经学。㊹三字狱：《宋史全文》卷二十一载秦桧陷害岳飞，"韩世忠不能平，以问秦桧，桧曰：'飞子云与张宪书，虽不明，其事体莫须有。'世忠怫然曰：'相公"莫须有"三字，何以服天下乎？'"因称岳飞冤狱为"三字狱"。㊺长城：可以倚重的功臣。《宋书》卷四十三载功臣檀道济被诬陷逮捕，"脱帻投地曰：'乃复坏汝万里之长城。'"㊻赤帝：炎帝神农氏，这里代指宋高宗。㊼六陵：南宋诸帝陵寝，高宗永思陵、孝宗永阜陵、光宗永崇陵、宁宗永茂陵、理宗永穆陵、度宗永绍陵，在绍兴东宝山。这里指六位皇帝。无树对南枝：比喻南宋六帝都不思恢复故土。㊽乌喙：乌鸦的嘴，形容人嘴外凸，史载勾践形象就是如此,见汉赵晔《吴越春秋·勾践伐吴外传》:"夫越王为人长颈乌喙、鹰视狼步,可以共患难而不可共处乐。"㊾徐渭:字文长,明代著名书画家,诗人。㊿龙蛇:豪杰。㋛两宫终朔雪:指宋徽宗和钦宗被金人囚禁在北方风雪苦寒之地,最终没有放归。㋜麦饭:祭祀。㋝"函谷"句:汉武帝迷信长生之说,在长安建章宫造神门台上铸金铜仙人,以掌承露盘,取露和玉屑饮之以求仙。唐李贺《金铜仙人辞汉歌序》:"魏明帝青龙元年八月,诏宫官牵车西取汉孝武捧露盘仙人,欲立置前殿。宫官既拆盘,仙人临载,乃潸然泪下。"中有"东关酸风射眸子"句,东关即函谷关。㋞昭陵:唐太宗墓,在陕西省礼泉县九嵕山,祭坛东西有著名的昭陵六骏石刻。前蜀韦庄《闻再幸梁洋》诗:"兴庆玉龙寒自跃,昭陵石马夜空嘶。"㋟金牌:古代遇到紧急军事时所用的金字牌。㋠风波:杭州风波亭,岳飞父子遇害处。㋡董其昌:字玄宰,号思白、香光居士,华亭人。万历十七年进士,累官南京礼部尚书,以书画著称后世,著作有《画禅室随笔》《容台文集》等。㋢拓地:扩展疆域。饮黄龙:指最终的胜利。见《宋史》卷三百六十五:"金将军韩常欲以五万众内附,飞大喜,语其下曰:'直抵黄龙府,与诸君痛饮尔。'"㋣厥志:这一志向。

[评析]

  本文较为完整地记载了岳王坟建造的历史和涉及的人物。先提及岳飞被害后,隗顺冒险埋葬的义举,这是岳飞得以被祭祀的前提。接下来介绍塑像的原料质地、岳飞谥号忠武的时间、墓前人像、墓旁桧树等,通过对游人屡次捶碎秦桧等人塑像这些愤激行为的描写,表现了人们对岳飞的怀念和敬仰,对奸臣的唾弃痛恨之情。在岳王坟之后,张岱还附带介绍了岳飞的义子岳云、部下张宪和牛皋的忠贞事迹,表达了他对忠良的敬慕、对其惨遭不幸的无限同情。

紫云洞

  紫云洞在烟霞岭右。其地怪石苍翠,劈空开裂,山顶层层,如厦屋天构。贾似道命工疏剔建庵,刻大士像于其上①。双石相倚为门,清风时来,谽𧯺透出②,久坐使人寒栗。又有一坎突出洞中③,蓄水澄洁,莫测其底。洞下有懒云窝,四山围合,竹木掩映,结庵其中。名贤游览至此,每有遗世之思④。洞旁一壑幽深,昔人凿石,闻金鼓声而止,遂名"金鼓洞"。洞下有泉,曰"白沙"。好事者取以瀹茗⑤,与虎跑齐名。

王思任诗:
　　笋舆幽讨遍⑥,大壑气沉沉。山叶逢秋醉,溪声入午喑⑦。是泉从竹护,无石不云深。沁骨凉风至,僧寮絮碧阴⑧。

[注释]

①大士:菩萨。②谽𧯺:山谷空阔貌。③坎:这里指条状突起的石头。④遗世:超脱尘世,避世隐居。⑤瀹(yuè)茗:煮茶。⑥笋舆:竹子做的轿子。⑦喑(yīn):哑,不响。⑧僧寮:僧舍。陆游《湖山杂赋》其三:"买酒每寻村市步,煮蔬时就野僧寮。"

[评析]

本文以紫云洞为中心,描写了周围的景物,个别景点的历史、命名缘由等。张岱发挥了善于描景状物的长处,用了很多精练的短句,如"怪石苍翠,劈空开裂,山顶层层,如厦屋天构",生动形象地展现了山石的陡峭峻拔和被风雨侵蚀的巨石横贯山顶的景象。再如"清风时来,谽𧯺透出,久坐使人寒栗"、"蓄水澄洁,莫测其底"、"每有遗世之思"等语,渲染出幽美凄清的境界,与唐代著名散文家柳宗元的《小石潭记》神似。

卷 二

西湖西路

玉泉寺

　　玉泉寺为故净空院。南齐建元中①，僧昙起说法于此②，龙王来听，为之抚掌出泉③，遂建龙王祠。晋天福三年④，始建净空院于泉左。宋理宗书"玉泉净空院"额⑤。祠前有池亩许，泉白如玉，水望澄明，渊无潜甲⑥。中有五色鱼百余尾，投以饼饵，则奋鬐鼓鬣⑦，攫夺盘旋，大有情致。泉底有孔，出气如橐籥⑧，是即神龙泉穴。又有细雨泉，晴天水面如雨点，不解其故。泉出可溉田四千亩。近者曰鲍家田，吴越王相鲍庆臣采地也⑨。万历二十八年⑩，司礼孙东瀛于池畔改建大士楼居。春时，游人甚众，各携果饵到寺观鱼，喂饲之多，鱼皆餍饫⑪，较之放生池，则侏儒饱欲死矣⑫。

道隐《玉泉寺》诗⑬：

在昔南齐时，说法有昙起。天花堕碧空⑭，神龙听法语⑮。抚掌一赞叹，出泉成白乳。澄洁更空明，寒凉却酷暑。石破起冬雷，天惊逗秋雨⑯。如何烈日中，水纹如碎羽。言有橐籥声，气孔在泉底。内多海大鱼，狰狞数百尾。饼饵骤然投，要遮全振旅⑰。见食即忘生，无怪盗贼聚。

[注释]

①建元：南齐高帝萧道成年号，公元479至482年。②昙起：南齐高僧，俗姓张，清河人。③抚掌：拍手，表示高兴。出泉：有泉水涌出。④天福三年：公元938年。⑤宋理宗：原名赵与莒，后立为宁宗皇子，赐名昀，是南宋的第五位皇帝。⑥渊无潜甲：极言水之清。潜甲，潜藏在水中的有鳞甲的生物。⑦奋鬐鼓鬣：指鱼争抢食物时鱼鳍张开，胡须飘动起来。⑧橐（tuó）籥（yuè）：鼓风的用具。⑨采地：卿大夫的封地。宋李觏《平土书》："家邑，大夫之采地。小都，卿之采地。大都，公之采地，王子弟所食邑也。"⑩万历二十八年：公元1600年。⑪餍（yàn）饫（yù）：吃得很饱，感到饱足。⑫侏儒饱欲死：汉荀悦《前汉纪》卷十："朔字曼倩，平原人也，好学，称为滑稽。年二十二，初为郎中，上书自称待诏公车奉禄薄。朔谓侏儒曰：'上欲尽杀汝。'侏儒大恐，皆叩头号泣。上召问朔。朔对曰：'侏儒长三尺，臣朔长九尺。三寸俸禄正等侏儒，侏儒饱欲死，臣朔饥欲死。臣言可用，宜异其禄；不可用，罢之，无但虚索长安米也。'上大笑，使待诏金马门。"⑬道隐：即金堡，字道隐，崇祯十三年进士，曾任礼科给事中，明亡为僧，名澹归。⑭天花：天界的仙花。⑮法语：讲说佛法的话。⑯逗：引起。唐李贺《李凭箜篌引》："女娲炼石补天处，石破天惊逗秋雨。"⑰"要遮"句：形容游鱼结队而来。振旅：整队班师。

[评析]

张岱喜欢品茶，所以对泉水情有独钟。玉泉寺得名于泉，而此泉具有传奇色彩，据说南齐名僧昙起说法，龙王听得高兴，鼓掌激出了一股泉水，所以张岱尤感兴趣，除了简要介绍玉泉寺的建构，张岱的着眼点都集中在泉水和水中鱼儿，亭台楼阁、竹木花石等无一字提及，这在他的散文中是极少见的，不过玉泉寺以鱼泉见长的特色也因此得以凸现。

集庆寺

九里松，唐刺史袁仁敬植①。松以达天竺，凡九里，左右各三行，每行相去八九尺。苍翠夹道，藤萝冒涂②，走其下者，人面皆绿。行里许，有集庆寺，乃宋理宗所爱阎妃功德院也。淳祐十一年建造。阎妃，鄞县人，以妖艳专宠后宫。寺额皆御书，巧丽冠于诸刹。经始时③，望青采斫，勋旧不保，鞭笞追逮，扰及鸡豚。时有人书法堂鼓云④："净慈灵隐三天竺，不及阎妃好面皮。"理宗深恨之，大索不得。此寺至今有理宗御容两轴。六陵既掘，冬青不生，而帝之遗像竟托阎妃之面皮以存，何可轻诮也。元季毁⑤，明洪武二十七年重建。

张京元《九里松小记》⑥：

九里松者，仅见一株两株，如飞龙劈空，雄古奇伟。想当年，万绿参天，松风声壮于钱塘潮，今已化为乌有。更千百岁，桑田沧海，恐北高峰头有螺蚌壳矣，安问树有无哉！

陈玄晖《集庆寺》诗⑦：

玉钩斜内一阎妃⑧，姓氏犹传真足奇。宫嫔若非能佞佛，御容焉得在招提⑨。

布地黄金出紫薇⑩，官家不若一阎妃⑪。江南赋税凭谁用，日纵平章恣水嬉⑫。

开荒筑土建坛追，功德巍峨在石碑。集庆犹存宫殿毁，面皮真个属阎妃。

昔日曾传九里松，后闻建寺一朝空。放生自出罗禽鸟，听信阇黎说有功。

[注释]

①袁仁敬：开元中为杭州刺史，行前，玄宗赐诗并诏宰相、诸王送于洛滨。②冒涂：遮掩道路。③经始：开始营建。④法堂：演说佛法的讲堂。⑤元季：元末。⑥张京元：字无始，泰兴人，万历进士，是明清之际著名文史学家，收藏家。⑦陈玄晖：浙江海盐人，万历四十一年进士，曾任翰林院编修等职。⑧玉钩斜：原指古代著名的游宴之地，在江苏江都县境内，相传为隋炀帝埋葬宫人处，后泛指埋葬宫人的地方。⑨招提：寺院的别称。⑩紫薇：帝王宫殿。⑪官家：旧时对皇帝的称呼。⑫平章：指贾似道。贾似道身为宰相，恣意行乐，府第与宫廷隔湖相对，听到上朝的钟声才划船入朝，当时有人嘲讽说"朝中无宰相，湖上有平章"。

[评析]

张岱描写过很多寺院，因为他也是一个虔诚的佛教徒，所以对寺院的描写叙述中经常带着崇拜、赞扬，欲神化之的心理。此篇与众不同，借集庆寺讽刺了昏庸误国的宋理宗为阎妃建寺扰民害民不浅。文中"六陵既掘，冬青不生，而帝之遗像竟托阎妃之面皮以存，何可轻诮也"一句，直接表明了对宋理宗的嘲讽与讥笑。

飞来峰

飞来峰，棱层剔透，嵌空玲珑，是米颠袖中一块奇石①。使有石癖者见之，必具袍笏下拜②，不敢以称谓简亵③，只以石丈呼之也④。深恨杨髡⑤，遍体俱凿佛像，罗汉世尊，栉比皆是，如西子以花艳之肤，莹白之体，刺作台池鸟兽，乃以黔墨涂之也⑥。奇格天成⑦，妄遭锥凿，思之骨痛。翻恨其不匿影西方⑧，轻出灵鹫⑨，受人戮辱。亦犹士君子生不逢时，不束身隐遁，以才华杰出，反受摧残，郭璞、祢衡并受此惨矣⑩。慧理一叹⑪，谓其何事飞来，盖痛之也，亦惜之也。且杨髡沿溪所刻罗汉，皆貌己像，骑狮骑象，侍女皆裸体献花，不一而足。田公汝成锥碎其一⑫；余少年读书岣嵝，亦碎其一。闻杨髡当日住德藏寺，专发古冢⑬，喜与僵尸淫媾。知寺后有来提举夫人与陆左丞化女，皆以色夭，用水银灌殓。杨命发其冢。有僧真谛者，性呆戆，为寺中樵汲⑭，闻之大怒，枭呼诟誶⑮。主僧惧祸，锁禁之。及五鼓，杨髡起，趣众发掘⑯，真谛逾垣而出⑰，抽韦驮木杵奋击杨髡⑱，裂其脑盖，从人救护⑲，无不被伤⑳。但见真谛于众中跳跃，每逾寻丈㉑，若隼撇虎腾㉒，飞捷非人力可到。一时灯炬皆灭，耰锄畚插都被毁坏。杨髡大惧，谓是韦驮显圣，不敢往发，率众遽去，亦不敢问此僧也。洵为山灵吐气㉓。

袁宏道《飞来峰小记》：

> 湖上诸峰，当以飞来为第一。峰石逾数十丈，而苍翠玉立。渴虎奔蜺㉔，不足为其怒也；神呼鬼立，不足为其怪也；秋水暮烟，不足为其色也；颠书吴画㉕，不足为其变幻诘曲也㉖。石上多异木，不假土壤㉗，根生石外。前后大小洞四五，窈窕通明，溜乳作花㉘，若刻若镂。壁间佛像，皆杨髡所为，如美人面上癜痕，奇丑可厌。余前后登飞来者五：初次与黄道元㉙、方子公同登，单衫短后㉚，直穷莲花峰顶。每遇一石，无不发狂大叫。次与王闻溪同登㉛；次为陶石篑、周海宁；次为王静虚、陶石篑兄弟；次为鲁休宁㉜。每游一次，辄思作一诗，卒不可得。

又《戏题飞来峰》诗：

　　试问飞来峰，未飞在何处。人世多少尘，何事飞不去。高古而鲜妍，扬班不能赋㉝。

　　白玉簇其颠，青莲借其色。惟有虚空心，一片描不得。平生梅道人㉞，丹青如不识。

张岱《飞来峰》诗：

　　石原无此理，变幻自成形。天巧疑经凿，神功不受型。搜空或洴水㉟，开辟必雷霆。应悔轻飞至，无端遭巨灵㊱。石意犹思动，躞跜势若撑。鬼工穿曲折，儿戏斫珑玲。深入营三窟，蛮开倩五丁㊲。飞来或飞去，防尔为身轻。

[注释]

①米颠：即米芾，见《西湖总记·明圣二湖》注。②具袍笏：穿上官服，表敬重。③简褻：不尊重。④石丈：奇石的代称。宋叶梦得《石林燕语》卷十载米芾："知无为军，初入州廨，见立石颇奇，喜曰：此足以当我拜。遂命左右取袍笏拜之，每呼曰'石丈'。"⑤杨髡：指元代和尚杨琏真伽。⑥黔墨：黑墨。⑦奇格天成：不同一般的天然品质。⑧翻恨：反过来为之遗憾。⑨灵鹫：又称灵山或鹫峰，在古印度摩揭陀国王舍城之东北，山中多鹫，因而得名，如来曾在此讲经，所以佛教把这里当作圣地。⑩郭璞：字景纯。山西闻喜人，算命如神，因反对王敦谋反遇害。祢衡：字正平，东汉末年名士，性格桀骜狷介，因出言不逊、裸体击鼓触怒了曹操，被遣往荆州，刘表也不喜欢他，把他送到江夏太守黄祖那里，被黄祖杀害时才26岁。⑪慧理：晋代西印度僧人。晋咸和三年到杭州灵隐、天竺诸山，见飞来峰，叹息说："这是灵鹫峰的一个小岭，不知何代飞来，佛在世的时候，很多仙灵都隐身在这里。"⑫田公汝成：即田汝成，字叔禾，杭州人，明嘉靖五年进士，曾任南京刑部主事、礼部主事、祠祭郎中等，著述非常丰富，如《西湖游览志余》等。⑬发：盗挖。古冢：古墓。⑭樵汲：干粗活的僧人。⑮诟谇：诟骂。⑯趣：驱赶。⑰逾垣：跳墙。⑱韦驮：佛徒的护法神，身披盔甲、手持宝杵。⑲从人：跟从、侍从的人。⑳被伤：受伤。㉑每逾：一次越过。㉒隼：鹰类中最小的鹘。撇：

掠过。㉓洵：诚然，实在。㉔渴虎奔蜺：饥渴的虎，飞腾的龙。㉕颠书吴画：张旭的书，吴道子的画。唐代著名书法家张旭经常喝得大醉，大呼小叫，用头发沾墨写字，故人们称之张颠。吴道子是河南阳翟人，是唐代第一大画家，画史上尊称他为画圣。㉖诘曲：曲折。㉗假：凭借。㉘溜乳：钟乳石。㉙黄道元：明代文人，袁宏道为吴县令时所交的朋友。㉚短后：后幅短的上衣，便于活动。㉛王闻溪：名禹声，吴县人，万历进士，曾任承天府知府。㉜鲁休宁：字子与，号乐同，万历进士，曾任休宁县尹。㉝扬班：汉代文学家扬雄与班固的并称。㉞梅道人：即吴镇，字仲圭，号梅花道人，浙江嘉兴人。元代画家。㉟泽水：洪水。㊱"无端"句：指飞来峰石壁无故饱受雕凿。巨灵，传说中凿山通河的人。㊲倩：请。五丁：神话中的五个大力士。《艺文类聚》卷七引汉扬雄《蜀王本纪》："天为蜀王生五丁力士，能献山，秦王献美女与蜀王，蜀王遣五丁迎女。见一大虵入山穴中，五丁并引虵，山崩，秦五女皆上山，化为石。"

[评析]

此文是对西湖飞来峰的描写，开篇对飞来峰的妙处着墨不多，而是通过写有石癖的人定然下拜，体现了飞来峰的不同寻常。接下来没写山上的风光，而是写到了杨琏真伽在飞来峰大肆雕刻佛像，毁坏了岩石的天然玲珑。张岱不禁顿足叹息，恨飞来峰不该从灵鹫山飞来受罪。其实张岱不是反对在飞来峰刻佛像，而是讨厌恶僧杨琏真伽，讨厌他把佛像刻成自己的样子。之后他又说到了真谛和尚袭击杨琏真伽事迹，不觉心中大快。以上描写表现了张岱爱憎分明、嫉恶如仇的性格特征。

冷泉亭

冷泉亭在灵隐寺山门之左。丹垣绿树，翳映阴森。亭对峭壁，一泓泠然，凄清入耳。亭后西栗十余株，大皆合抱，冷飔暗槭，遍体清凉。秋初栗熟，大若樱桃，破苞食之，色如蜜珀，香若莲房。天启甲子①，余读书岣嵝山房，寺僧取作清供。余谓鸡头实无其松脆，鲜胡桃逊其甘芳也。夏月乘凉，移枕簟就亭中卧月，涧流淙淙，丝竹并作。张公亮听此水声，吟林丹山诗②："流向西湖载歌舞，回头不似在山时。"言此水声带金石，已先作歌舞矣，不入西湖安入乎！余尝谓住西湖之人，无人不带歌舞，无山不带歌舞，无水不带歌舞，脂粉纨绮，即村妇山僧，亦所不免。因忆眉公之言曰："西湖有名山，无处士③；有古刹，无高僧；有红粉，无佳人；有花朝，无月夕。"曹娥雪亦有诗嘲之曰④："烧鹅羊肉石灰汤，先到湖心次岳王。斜日未曛客未醉，齐抛明月进钱塘。"余在西湖，多在湖船作寓，夜夜见湖上之月，而今又避嚣灵隐，夜坐冷泉亭，又夜夜对山间之月，何福消受。余故谓西湖幽赏，无过东坡，亦未免遇夜入城。而深山清寂，皓月空明，枕石漱流，卧醒花影，除林和靖、李岣嵝之外⑤，亦不见有多人矣。即慧理、宾王⑥，亦不许其同在卧次。

袁宏道《冷泉亭小记》：

灵隐寺在北高峰下，寺最奇胜，门景尤好。由飞来峰至冷泉亭一带，涧水溜玉，画壁流香，是山之极胜处。亭在山门外，尝读乐天记有云⑦："亭在山下水中，寺西南隅，高不倍寻，广不累丈，撮奇搜胜，物无遁形。春之日，草薰木欣，可以导和纳粹⑧；夏之日，风冷泉渟，可以蠲烦析酲⑨。山树为盖，岩石为屏，云从栋出，水与阶平。坐而玩之，可濯足于床下；卧而狎之，可垂钓于枕上。潺湲洁澈，甘粹柔滑，眼目之昏，心舌之垢，不待盥涤，见辄除去。"观此记，亭当在水中，今依涧而立。涧阔不丈余，无可置亭者。然则冷泉之景，比旧盖减十分之七矣。

[注释]

①天启甲子：天启四年，公元1624年。②林丹山：南宋诗人林稹。③处士：有才德的隐士，泛指没当过官的文人。④曹娥雪：名曹勋，字允大，号娥雪，又作峨雪，晚号东干钓叟，历官翰林学士、礼部右侍郎，遭人诽谤，弃官归乡读书，入清创办了"小兰亭诗社"。著述丰富，有《易说》《通史纪略》《曹宗伯集》《东干集》《竹筐集》等。⑤林和靖：即林逋。李峋嵝：明人李苓，杭州人。⑥慧理：晋代西印度僧人，咸和初年来中国，驻足杭州。宾王：即骆宾王，浙江义乌人。唐初诗人，与王勃、杨炯、卢照邻合称"初唐四杰"。徐敬业起兵讨伐武则天，骆宾王在其幕下，起草了《讨武瞾檄》，后兵败不知去向，相传隐居杭州为僧。⑦乐天记：白居易写有一篇《冷泉亭记》。⑧导和：疏导平和之气。纳粹：吸纳精华。⑨蠲烦析酲：去除烦恼，解掉酒病。

[评析]

冷泉亭是西湖最著名的景致之一，高爽清凉，是避暑胜地。苏轼在杭州做官时，曾将卷宗带到这里批阅，因此冷泉亭更加名声大振。张岱此文夹叙夹议，先描述了冷泉亭的茂树、泉亭、香甜的栗子，然后回忆年少时在此读书，吃栗子乘凉的情形。接下来都是议论，论泉水之音、论西湖之人、论西湖喧闹的白天与冷清的夜晚，时间忽然又转到乱后，再次到这里隐居读书，产生了别样的感受，对古今人物幽赏西湖有了更深刻的区分与认识。此文涉及的时间跨度较大，虽然感情基调整体平稳，但仍能让人体会到张岱入清后孤独凄凉的心境。

灵隐寺

明季昭庆寺火①，未几而灵隐寺火②，未几而上天竺又火，三大寺相继而毁。是时唯具德和尚为灵隐住持，不数年而灵隐早成。盖灵隐自晋咸和元年③，僧慧理建，山门匾曰"景胜觉场"，相传葛洪所书④。寺有石塔四，钱武肃王所建。宋景德四年⑤，改景德灵隐禅寺，元至正三年毁⑥。明洪武初再建，改灵隐寺。宣德七年⑦，僧昙赞建山门，良玠建大殿。殿中有拜石，长丈余，有花卉鳞甲之文，工巧如画。正统十一年⑧，玹理建直指堂，堂文额为张即之所书⑨，隆庆三年毁⑩。万历十二年⑪，僧如通重建；二十八年司礼监孙隆重修，至崇祯十三年又毁⑫。具和尚查如通旧籍，所费八万，今计工料当倍之。具和尚惨淡经营⑬，咄嗟立办。其因缘之大，恐莲池金粟，所不能逮也⑭。具和尚为余族弟⑮，丁酉岁⑯，余往候之⑰，则大殿、方丈尚未起工，然东边一带，阆阁精蓝⑱，凡九进⑲，客房僧舍百什余间，栾几藤床⑳，铺陈器皿，皆不移而具。香积厨中㉑，初铸三大铜锅，锅中煮米三担，可食千人㉒。具和尚指锅示余曰："此弟十余年来所挣家计也㉓。"饭僧之众，亦诸刹所无。午间方陪余斋㉔，见有沙弥持赫蹄送看㉕，不知何事，第对沙弥曰㉖："命库头开仓。"沙弥去。及余饭后出寺门，见有千余人蜂拥而来，肩上担米，顷刻上廪，斗斛无声，忽然竟去。余问和尚，和尚曰："此丹阳施主某，岁致米五百担，水脚挑钱，纤悉自备㉗，不许饮常住勺水㉘，七年于此矣。"余为嗟叹。因问大殿何时可成，和尚对以："明年六月，为弟六十，法子万人㉙，人馈十金，可得十万，则吾事济矣㉚。"逾三年而大殿方丈俱落成焉。余作诗以记其盛。

张岱《寿具和尚并贺大殿落成》诗：

飞来石上白猿立，石自呼猿猿应石。具德和尚行脚来㉛，山鬼啾啾寺前泣。生公叱石同叱羊㉜，沙飞石走山奔忙。驱使万灵皆辟易㉝，火龙为之开洪荒㉞。正德初年有簿对，八万今当增一倍。谈笑之间事已成，和尚功德可思议㉟。黄金大地破悭贪㊱，聚米成丘粟若山。万人团簇如蜂蚁，和尚植杖意自闲。余见催科只数贯㊲，县官敲扑加锻炼。白粮升合尚怒呼，如坻如京不盈半㊳。忆昔访师坐法堂，赫蹄数寸来丹阳。和尚声色不易动，第令侍者开仓场。去不移时阶屺乱㊴，白粲驮来五百担㊵。上仓斗斛寂无声，千百人夫顷刻散。米不追呼人不系，送到座前犹屏气。公侯福德将相才，罗汉神通菩萨慧。如此工程非戏谑，向师颂之师不诺㊶。但言佛自有因缘，老僧只怕因果错。余自闻言请受记，阿难本是如来弟㊷。与师同住五百年，挟取飞来复飞去。

张祜《灵隐寺》诗㊸：

峰峦开一掌，朱槛几环延。佛地花分界，僧房竹引泉。五更楼下月，十里郭中烟。后塔笋亭后，前山横阁前。溪沙涵水静，洞石点苔鲜。好是呼猿父，西岩深响连㊹。

贾岛《灵隐寺》诗㊺：

峰前峰后寺新秋，绝顶高窗见沃洲㊻。人在家中闻蟋蟀，鹤于栖处挂猕猴。山钟夜度空江水，汀月寒生古石楼。心欲悬帆身未逸，谢公此地昔曾游。

周诗《灵隐寺》诗：

灵隐何年寺，青山向此开。涧流原不断，峰石自飞来。树覆空王苑㊼，花藏大士台。探冥有玄度㊽，莫遣夕阳催。

[注释]

①明季：明末。②未几：不久。③晋咸和元年：公元326年，东晋成帝在位。④葛洪：字稚川，自号抱朴子，江苏句容县人，东晋道教人物，著有《神仙传》《抱朴子》《西京杂记》等。⑤宋景德四年：公元1007年。⑥至正三年：公元1343年。⑦宣德七年：公元1432年。⑧正统十一年：公元1446

年。⑨张即之：字温夫，号樗寮，安徽和县人，南宋参知政事张孝伯之子。历官监平江府粮科院、司农寺丞等，书法闻名于时。⑩隆庆三年：公元1569年。⑪万历十二年：公元1584年。⑫崇祯十三年：公元1640年。⑬惨淡经营：费尽苦心，用心谋划促成。⑭逮：赶上。⑮族弟：同一宗族的弟弟。⑯丁酉：顺治十四年，公元1657年。⑰候：问候，探望。⑱闼阁：隐蔽幽静的房舍。精蓝：佛寺，僧舍。⑲九进：九排。⑳枱：通"櫃"，木名，即香櫃。㉑香积厨：寺院的厨房，又简称香积。㉒食：喂养。㉓家计：家产，财产。㉔斋：吃斋饭。㉕赫蹄：书写用的小幅绢帛，代指纸张，便条。㉖第：只是。㉗纤悉：细微、全部。㉘常住：寺的田地、物品等为常住物，简称常住。㉙法子：佛的弟子。㉚济：成。㉛行脚：行走，奔走，游方。㉜叱石同叱羊：《莲社高贤传》载道生法师入虎丘山聚石为徒，讲《涅槃经》，群石皆为点头。叱羊，传说晋皇初平牧羊，入一石室，只见白石不见羊。初平对石叱曰："羊起！"于是白石皆变为羊。㉝辟易：避开，退避。㉞洪荒：荒芜的旷野。㉟思议：理解，想象。㊱悭贪：吝啬和贪婪。㊲催科：按科条催收租税。㊳如坻（chí）如京：像小山一样。㊴阶庋（shì）：台阶和门槛。㊵白粲：白米。㊶诺：许可。㊷阿难本是如来弟：阿难陀是如来佛从弟，出家后侍从如来二十多年。㊸张祜：字承吉，唐代邢台清河人，唐代著名诗人，家世显赫但仕途不顺，隐居以终。㊹"好是"二句：南宋淳祐《临安志》卷八："陆羽云：宋僧智一善啸，有哀松之韵。尝养猿于山间，临涧长啸，众猿毕集，谓之猿父。"㊺贾岛：字阆仙，河北涿州人，早年为僧，法名无本，还俗后屡举进士不第，唐文宗时任长江主簿，故被称为"贾长江"。贾岛作诗以苦吟见称，人称"诗囚""诗奴"。㊻沃洲：在浙江新昌县东的一座山，上有古迹放鹤亭、养马坡，相传为晋代支遁放鹤养马处。㊼空王：佛说世间一切皆空，故被尊称"空王"。㊽玄度：月亮。唐骆宾王《秋日饯陆道士陈文林诗》："惟当玄度月，千载与君同。"

[评析]

张岱此文是诗序，先以明末战乱中杭州昭庆寺、灵隐寺、上天竺三大佛寺焚毁而灵隐寺最先重建开篇，突出了具德和尚的功劳。接下来历叙灵隐寺千年来的毁建过程，使人对灵隐寺的历史有了大致的了解。然后写亲眼所见的灵隐寺重建的进展情况，寺中修行的富人，说明灵隐寺香火已重新旺盛起来。最后写按具德的计划，大殿等三年后如期落成，这也是张岱作诗的缘由。全文叙事完整，思路清晰，结构合理，井然有序。诗歌也完整地体现了灵隐寺重建的过程，热烈歌颂了具德和尚的功德，风格飘逸飞扬，气韵流畅。

北高峰

北高峰在灵隐寺后，石磴数百级，曲折三十六湾，上有华光庙，以祀五圣。山半有马明王庙①，春日祈蚕者咸往焉②。峰顶浮屠七级③，唐天宝中建，会昌中毁，钱武肃王修复之，宋咸淳七年复毁④。此地群山屏绕，湖水镜涵⑤，由上视下，歌舫渔舟，若鸥凫出没烟波，远而益微⑥，仅睹其影⑦。西望罗刹江，若匹练新濯⑧，遥接海色⑨，茫茫无际。张公亮有句："江气白分海气合，吴山青尽越山来。"诗中有画。郡城正值江潮之间，委蛇曲折，左右映带⑩，屋宇鳞次，竹木云蓊，郁郁葱葱，凤舞龙盘，真有王气蓬勃。山麓有无着禅师塔。师名文喜，唐肃宗时人也，瘗骨于此⑪。韩侂胄取为葬地⑫，启其塔，有陶龛焉。容色如生，发垂至肩，指爪盘屈绕身，舍利数百粒，三日不坏，竟荼毗之⑬。

苏轼《游灵隐高峰塔》诗：
　　言游高峰塔，蓐食始野装⑭。火云秋未衰⑮，及此初旦凉⑯。雾霏岩谷暗，日出草木香。嘉我同来人，又便云水乡。相劝小举足，前路高且长。古松攀龙蛇，怪石坐牛羊。渐闻钟磬音，飞鸟皆下翔。入门空无有，云海浩茫茫。惟见聋道人,老病时绝粮。问年笑不答,但指穴梨床。心知不复来,欲归更彷徨。赠别留匹布,今岁天早霜。

[注释]

①马明王:即马头娘,马首人身的少女,神话中的蚕神。晋干宝《搜神记》卷十四记载:古代高辛氏时,蜀中有一个少女,她的父亲被人劫走,剩下所骑的马。她的母亲发誓说谁能把人救回来,就把女儿许配给他。话音刚落,马就奔驰而去,并且很快就把主人救了回来。从此以后,马每天只是大声嘶鸣而不肯吃草。少女的父亲知道缘故后非常生气,把马杀了,皮晾在院子里,可巧少女由此经过,被马皮卷上桑树变成了蚕,于是人们奉之为蚕神,称马头娘。②咸往:都去。③浮屠:佛塔。④宋咸淳七年:公元1271年。⑤镜涵:像镜子一样包容万物。⑥益微:更加微小。⑦睹:看见。⑧匹练:白绢。⑨海色:海面上的景色。⑩映带:景物相互衬托。⑪瘗骨:埋葬。⑫韩侂(tuō)胄:字节夫,安阳人,南宋时曾任枢密都承旨,力主北伐抗金,曾请宁宗追封岳飞为鄂王,为人称道。⑬茶毗:火化。⑭蓐食:早晨未起身,就在床上进餐,说明早餐时间很早。⑮火云:红色的云彩,是炎热的表象。⑯初旦:拂晓。

[评析]

本文采用了自上而下的描写方式。先写北高峰的位置,以石磴的级数和曲度点出北高峰的高峻,接下来是山顶华光庙,山半马明王庙的功用及历史,妙在此时插入远眺的风光,然后才写山麓的僧塔,使全文不至于呆板。两个生动贴切的比喻:"歌舫渔舟,若鸥凫出没烟波,远而益微,仅睹其影。西望罗刹江,若匹练新濯,遥接海色,茫茫无际",将船在雾气笼罩的水波中漂流动荡、渐行渐远和罗刹江清净绵长的状态逼真地体现了出来,真是神来之笔。

韬光庵

韬光庵在灵隐寺右之半山,韬光禅师建。师,蜀人,唐太宗时辞其师出游，师嘱之曰："遇天可留，逢巢即止。"师游灵隐山巢沟坞，值白乐天守郡，悟曰："吾师命之矣。"遂卓锡焉①。乐天闻之，遂与为友，题其堂曰"法安"。内有金莲池、烹茗井，壁间有赵阅道②、苏子瞻题名。庵之右为吕纯阳殿③，万历十二年建④，参政郭子章为之记⑤。骆宾王亡命为僧，匿迹寺中。宋之问自谪所还至江南⑥，偶宿于此。夜月极明，之问在长廊索句⑦，吟曰："鹫岭郁岧峣，龙宫锁寂寥。"后句未属⑧，思索良苦。有老僧点长明灯问曰："少年夜不寐，而吟讽甚苦，何耶？"之问曰："适欲题此寺，得上联而下句不属。"僧请吟上句，宋诵之。老僧曰："何不云'楼观沧海日，门对浙江潮'？"之问愕然，讶其遒丽⑨，遂续终篇⑩。迟明访之⑪，老僧不复见矣。有知者曰：此骆宾王也。

袁宏道《韬光庵小记》：

　　韬光在山之腰，出灵隐后二三里，路径甚可爱。古木婆娑，草香泉渍，淙淙之声，四分五络⑫，达于山厨⑬。庵内望钱塘江，浪纹可数。余始入灵隐，疑宋之问诗不似⑭，意古人取景⑮，或亦如近代词客⑯，捃拾帮凑⑰。及登韬光，始知"沧海""浙江""扪萝""刳木"数语，字字入画，古人真不可及矣。

　　宿韬光之次日，余与石篑、子公同登北高峰，绝顶而下。

张京元《韬光庵小记》：

　　韬光庵在灵鹫后。鸟道蛇盘⑱，一步一喘。至庵入坐一小室，峭壁如削，泉出石罅汇为池⑲，蓄金鱼数头。低窗曲槛，相向啜茗⑳，真有武陵世外之想㉑。

萧士玮《韬光庵小记》[22]：

初二，雨中上韬光庵。雾树相引，风烟披薄[23]，木末飞流[24]，江悬海挂。倦时踞石而坐，倚竹而息。大都山之姿态，得树而妍[25]；山之骨格，得石而苍；山之营卫[26]，得水而活。惟韬光道中，能全有之。初至灵隐，求所谓"楼观沧海日，门对浙江潮"，竟无所有。至韬光，了了在吾目中矣。白太傅碑可读[27]，雨中泉可听，恨僧少可语耳。枕上沸波[28]，竟夜不息，视听幽独，喧极反寂。益信声无哀乐也[29]。

受肇和《自韬光登北高峰》诗[30]：

高峰千仞玉嶙峋，石磴攀跻翠蔼分[31]。一路松风长带雨，半空岚气自成云[32]。上方楼阁参差见[33]，下界笙歌远近闻。谁似当年苏内翰[34]，登临处处有遗文[35]。

白居易《招韬光禅师》诗：

白屋炊香饭，荤膻不入家。滤泉澄葛粉[36]，洗手摘藤花。青菜除黄叶，红姜带紫芽。命师相伴食，斋罢一瓯茶。

韬光禅师《答白太守》诗：

山僧野性爱林泉[37]，每向岩阿倚石眠[38]。不解栽松陪玉勒[39]，惟能引水种青莲。白云乍可来青嶂[40]，明月难教下碧天。城市不能飞锡至[41]，恐妨莺啭翠楼前。

杨蟠《韬光庵》诗[42]：

寂寂阶前草，春深鹿自耕。老僧垂白发，山下不知名。

王思任《韬光庵》诗：

云老天穷结数楹，涛呼万壑尽松声。鸟来佛座施花去[43]，泉入僧厨漉菜行[44]。一捺断山流海气，半株残塔插湖明。灵峰占绝杭州妙，输与韬光得隐名。

又《韬光涧道》诗：

灵隐入孤峰，庵庵叠翠重。僧泉交竹驿㊺，仙屋破云封。绿暗天俱贵，幽寒月不浓。涧桥秋倚处，忽一响山钟。

[注释]

①卓锡：僧人外出带锡杖，卓为直立之意，所以卓锡代指僧人留居某地。②赵阅道：赵抃，自号知非子。北宋名臣，官至参知政事。③吕纯阳：字洞宾，别号纯阳子，唐代官宦家之子，修炼成仙，为道教八仙之首，被尊称为吕祖师。④万历十二年：公元1584年。⑤郭子章：字相奎，号青螺、蚍衣生，江西泰和人。曾任福建建宁府推官、广东潮州府知府、浙江参政等职务，官至兵部尚书、右都御史。⑥宋之问：字延清，一名少连，初唐著名诗人。以巧思文华受到武则天宠信，任尚书监丞、司礼主簿、考功员外郎等职，唐玄宗即位，赐死于流放地。⑦索句：思索诗句。⑧属：撰写，作出。⑨遒丽：刚劲华丽。⑩终篇：全篇结束。⑪迟明：黎明。⑫四分五络：形容泉水分成很多小支流。⑬山厨：僧厨。⑭不似：不与现实的景象相似。⑮意：认为，推测。⑯词客：写诗词的文人。⑰捃拾帮凑：收集，凑集。⑱鸟道：只有鸟能通过的路，形容山路险峻狭窄。蛇盘：形容山路像蛇一样蜿蜒曲折。⑲石罅：石头缝。⑳啜茗：喝茶。㉑武陵：晋陶潜《桃花源记》载晋太元中，武陵人误入桃花源，后以"武陵"借指避世隐居的地方。㉒萧士玮：字伯玉，江西泰和人。曾任光禄寺典簿、礼部主事、吏部主事、南京吏部考功司郎中等职务。明亡归乡著述，著有《春浮园集》《起信论解》等。㉓披薄：弥漫。《水经注》卷十一："二馆之城，涧曲泉清，山高林茂，风烟披薄，触可栖情。"㉔木末：树梢。㉕妍：美丽，美好。㉖营卫：中医指血气的作用，这里是拟人用法，指山的生机。㉗白太傅：指白居易。㉘沸波：翻滚的波涛。㉙益信：更加相信。㉚受肇和：《西湖游览志》卷十为"姚肇和"。㉛攀跻：攀登。翠蔼：青绿的山林和云气。㉜岚气：雾气。㉝参差：不齐的样子。㉞苏内翰：指苏轼，苏轼曾任翰林学士，唐宋时称翰林为内翰。㉟遗文：遗留的诗文。㊱葛粉：葛根中提出的白粉，可食用、药用。㊲野性：热爱自然的本性。㊳岩阿：山的曲折之处。㊴玉勒：玉饰的马衔，代指贵客的骏马。㊵青嶂：像屏障一样的青山。㊶飞锡：佛教语，僧人在空中执杖飞行。㊷杨蟠：字公济，别号浩然居士，北宋庆历六年进士，苏轼知杭州时，杨蟠为通判，两人为诗文友。㊸施：施放。

㊹渫菜：洗菜。㊺竹驿：传送山泉的竹筒。

[评析]

本文的写作特色在于，仅简单介绍韬光庵的所在，没有涉及风景建构，而重在写它的各种秘闻。如唐代韬光禅师因为到灵隐山巢沟坞时赶上白居易在这里做官，领悟了师傅的预言而在这里修行建寺；宋之问遇赦，返途中与在此逃亡隐居的骆宾王讨论诗篇等，渲染出韬光庵的神秘色彩，体现了张岱博古尚奇的个性。

岣嵝山房

李茇号岣嵝，武林人，住灵隐韬光山下。造山房数楹，尽驾回溪绝壑之上①。溪声淙淙出阁下，高厓插天，古木蓊蔚②，大有幽致。山人居此，孑然一身。好诗，与天池徐渭友善。客至，则呼僮驾小舫，荡桨于西泠断桥之间，笑咏竟日。以山石自磈生圹③，死即埋之。所著有《岣嵝山人诗集》四卷。天启甲子④，余与赵介臣、陈章侯、颜叙伯、卓珂月⑤、余弟平子读书其中。主僧自超，园蔬山蔌⑥，淡薄凄清。但恨名利之心未净，未免唐突山灵，至今犹有愧色。

张岱《岣嵝山房小记》：

岣嵝山房，逼山、逼溪、逼韬光路，故无径不梁，无屋不阁。门外苍松傲睨，蓊以杂木，冷绿万顷，人面俱失。石桥低磴，可坐十人。寺僧刳竹引泉，桥下交交牙牙，皆为竹节。天启甲子，余键户其中者七阅月，耳饱溪声，目饱清樾。山上下多西粟、边笋，甘芳无比。邻人以山房为市，蔬果、羽族日致之，而独无鱼。乃潴溪为壑，系巨鱼数十头，有客至，辄取鱼给鲜。日晡必出，步冷泉亭、包园、飞来峰。一日缘溪走看佛像，口口骂杨髡。见一波斯胡坐龙象，蛮女四五献花果，皆裸形，勒石志之，乃真伽像也。余椎落其首，并碎诸蛮女，置溺溲处以报之。寺僧以余为椎佛也，咄咄怪事，及知为杨髡，皆欢喜赞叹。

徐渭《访李岣嵝山人》诗：

岣嵝诗客学全真[7]，半日深山说鬼神。送到涧声无响处，归来明月满前津[8]。七年火宅三车客[9]，十里荷花两桨人。两岸鸥凫仍似昨，就中应有旧相亲。

王思任《岣嵝僧舍》诗：

乱苔膏古荫[10]，惨绿蔽新芊。鸟语皆番异，泉心即佛禅。买山应较尺[11]，赊月敢辞钱[12]。多少清凉界，幽僧抱竹眠。

[注释]

①驾：通"架"，架设，构筑。②蓊蔚：茂盛的样子。③生圹：生前建造的坟墓。④天启甲子：天启四年，公元1624年。⑤卓珂月：名人月，字珂月，明代杭州贡生。⑥山蔌（sù）：山间的野菜。⑦全真：道教一派。⑧前津：山前的渡口。⑨火宅：佛教比喻充满众苦的尘世。三车：指羊车、鹿车、牛车，以喻三乘，据说能引人脱离火宅。⑩膏：使丰润、滑润。⑪较：计算，计数，同"校"。⑫赊月：欣赏月色不用花钱。

[评析]

本文记载了居住在韬光山下的隐士李芝，通过他在溪谷上建山房，无妻无子，和以狂放闻名的徐渭交好，生前自己建造坟墓这些描写，表现了李芝的旷达洒脱。

青莲山房

青莲山房，为涵所包公之别墅也。山房多修竹古梅，倚莲花峰，跨曲涧，深岩峭壁，掩映林麓间。公有泉石之癖，日涉成趣，台榭之美，冠绝一时。外以石屑砌坛，柴根编户，富贵之中，又着草野。正如小李将军作丹青界画①，楼台细画，虽竹篱茅舍，无非金碧辉煌也。曲房密室，皆储侍美人，行其中者，至今犹有香艳。当时皆珠翠团簇，锦绣堆成。一室之中，宛转曲折，环绕盘旋，不能即出。主人于此，精思巧构，大类迷楼②。而后人欲如包公之声伎满前，则亦两浙荐绅先生所绝无者也。今虽数易其主，而过其门者必曰"包氏北庄"。

陈继儒《青莲山房》诗③：

造园华丽极，反欲学村庄。编户留柴叶，磊坛带石霜。梅根常塞路，溪水直穿房。觅主无从入，裴回走曲廊。

主人无俗态，筑圃见文心。竹暗常疑雨，松梵自带琴。牢骚寄声伎，经济储山林④。久已无常主，包庄说到今。

[注释]

①小李将军：唐代著名画家、左武卫大将军李思训之子李昭道也擅长画丹青山水，故称小李将军。界画：以界尺直笔精准画线的绘画种类。②迷楼：隋炀帝所建。韩偓《迷楼记》载："人误入者，虽终日不能出。帝幸之，大喜，顾左右曰：'使真仙游其中，亦当自迷也。可目之曰迷楼。'"③陈继儒：字仲醇，号眉公、麋公，松江人。屡辞朝廷征辟，隐居著述，工诗善文，书画妙绝。④经济：经纶济世之才。

[评析]

此文记载了明末退隐的士大夫包涵所的别墅青莲山房。山房建于山林间，泉石与台榭相映成趣。楼阁不但金碧辉煌，设计上还宛若迷楼，美女居住其间，留香久远。张岱通过一系列描写，展现了包涵所奢华精致的生活，称赞了他在建筑艺术上的天分。

呼猿洞

呼猿洞在武林山。晋慧理禅师,常畜黑白二猿①,每于灵隐寺月明长啸,二猿隔岫应之②,其声清皦③。后六朝宋时,有僧智一,仿旧迹而畜数猿于山,临洞长啸,则群猿毕集,谓之猿父。好事者施食以斋之,因建饭猿堂。今黑白二猿尚在。有高僧住持,则或见黑猿,或见白猿。具德和尚到山间,则黑白皆见。余于方丈作一对送之:"生公说法,雨堕天花,莫论飞去飞来,顽皮石也会点头。慧理参禅,月明长啸,不问是黑是白,野心猿都能答应。"具和尚在灵隐,声名大著。后以径山佛地④,谓历代祖师多出于此,徙往径山。事多格迕⑤,为时无几,遂致涅槃。方知盛名难居,虽在缁流,亦不可多取。

陈洪绶《呼猿洞》诗:
  慧理是同乡,白猿供使令。以此后来人,十呼十不应。
  明月在空山,长啸是何意。呼山山自来,麾猿猿不去⑥。
  痛恨遇真伽,斧斤残怪石。山亦悔飞来,与猿相对泣。
  洞黑复幽深,恨无巨灵力。余欲锤碎之,白猿当自出。

张岱《呼猿洞》对:
  洞里白猿呼不出,崖前残石悔飞来。

[注释]

①畜:畜养。②岫(xiù):山峰。③清皦(jiǎo):清亮,响亮。④径山:在浙江余杭西北,有径上山,历代均有高僧居此。⑤格迕:抵触不合。⑥麾:挥动,指挥。

[评析]

本文主要写了呼猿洞的历史渊源和现状。先征引了晋宋时期的名僧畜养猿猴的典故，将黑白猿神化，作为高僧道行高深的一种象征。具德和尚在清初苦心经营，重建了灵隐寺，功德无量，张岱说黑白猿都现身，蕴含着对具德和尚的赞美。文末写具德和尚不久去世是因名声太盛，体现了受佛教影响的虚无幻灭感。

三生石

三生石在下天竺寺后。东坡《圆泽传》曰：洛师惠林寺，故光禄卿李憕居第。禄山陷东都①，憕以居守死之。子源，少时以贵游子豪侈善歌闻于时。及憕死，悲愤自誓，不仕，不娶，不食肉，居寺中五十余年。寺有僧圆泽，富而知音②。源与之游甚密，促膝交语竟日③，人莫能测。一日相约游蜀青城、峨嵋山，源欲自荆州溯峡④，泽欲取长安斜谷路。源不可，曰："吾以绝世事，岂可复到京师哉！"泽默然久之，曰："行止固不由人⑤。"遂自荆州路。舟次南浦⑥，见妇人锦裆负罂而汲者⑦，泽望而叹曰："吾不欲由此者⑧，为是也。"源惊问之。泽曰："妇人姓王氏，吾当为之子。孕三岁矣，吾不来，故不得乳⑨。今既见，无可逃者。公当以符咒助吾速生。三日浴儿时，愿公临我⑩，以笑为信。后十三年中秋月夜，杭州天竺寺外，当与公相见。"源悲悔，而为具沐浴易服。至暮，泽亡而妇乳。三日，往观之，儿见源果笑。具以语王氏，出家财葬泽山下。源遂不果行⑪。返寺中，问其徒，则既有治命矣⑫。后十三年，自洛还吴，赴其约。至所约，闻葛洪川畔有牧童扣角而歌之曰⑬："三生石上旧精魂，赏月吟风不要论。惭愧情人远相访⑭，此身虽异性长存⑮。"呼问:"泽公健否?"答曰:"李公真信士⑯,然俗缘未尽,慎弗相近⑰,惟勤修不堕⑱,乃复相见。"又歌曰:"身前身后事茫茫,欲话因缘恐断肠。吴越山川寻已遍,却回烟棹上瞿唐。"遂去,不知所之。后二年,李德裕奏源忠臣子⑲,笃孝,拜谏议大夫⑳。不就㉑,竟死寺中㉒,年八十一。

王元章《送僧归中竺》诗㉓:

天香阁上风如水,千岁岩前云似苔。明月不期穿树出,老夫曾此听猿来。相逢五载无书寄,却忆三生有梦回。乡曲故人凭问讯,孤山梅树几番开。

苏轼《赠下天竺惠净师》诗:

予去杭十六年而复来,留二年而去。平生自觉出处老少㉔,粗似乐天,虽才名相远㉕,而安分寡求亦庶几焉㉖。三月六日,来别南北山诸道人㉗,而下天竺惠净师以丑石赠,作三绝句:

当年衫鬓两青青,强说重来慰别情。衰鬓只今无可白㉘,故应相对说来生。

出处依稀似乐天㉙,敢将衰朽较前贤㉚。便从洛社休官去,犹有闲居二十年㉛。

在郡依前六百日,山中不记几回来㉜。还将天竺一峰去,欲把云根到处栽。

[注释]

①禄山陷东都:安禄山攻下洛阳,在天宝十四年(755)。②知音:精通音乐。③交语:交谈。④峡:特指长江三峡。⑤固:本来。⑥次:停泊。⑦锦裆:锦制的类似背心的上衣。负:背着。罂(yīng):小口大腹的陶瓦器。⑧由此:从这里经过。⑨乳:生产。⑩临:见,看。⑪不果行:没有完成行程。⑫治命:遗嘱。⑬扣角:击牛角。⑭情人:感情深厚的友人。唐王勃《山

扉夜坐》："抱琴开野室，携酒对情人。林塘花月下，别是一家春。"⑮性：本性。⑯信士：诚实可信的人。⑰慎弗相近：无论如何不要相互亲近。⑱勤修不堕：刻苦修炼不懈怠。⑲李德裕：字文饶，河北赞皇人，父李吉甫是晚唐名相。文宗、武宗时，李德裕也两度入相，执政期间功绩显赫，进封太尉、赵国公。⑳拜：授职。㉑不就：不赴任。㉒竟：最终。㉓王元章：即王冕，字元章，号梅花屋主。浙江诸暨人，明初画家。㉔出处：出仕和隐居。老少：年老和年少时。㉕相远：相差很远。㉖安分寡求：规矩老实，欲望很少。庶几：差不多，类似。㉗道人：僧人。㉘衰鬓：稀疏而花白的鬓发。㉙依稀：差不多。㉚较：比较。㉛"便从"二句：仿效白居易晚年休官闲居于洛，与僧如满结香火社，文酒娱乐二十年。㉜"在郡"二句：语出白居易《留题天竺灵隐两寺》诗：在郡六百日，入山十二回。

[评析]

　　此文中张岱除了指出三生石的位置，没有作其他的任何描述，而是引苏轼《圆泽传》原文，借以说明关于三生石的故事，渗透了浓郁的佛教轮回思想。

上天竺

　　上天竺，晋天福间①，僧道翊结茅庵于此②。一夕，见毫光发于前涧③，俛视之，得一奇木，刻画观音大士像。后汉乾祐间④，有僧从勋自洛阳持古佛舍利来，置顶上，妙相庄严，端正殊好，昼放白光，士民崇信。钱武肃王常梦白衣人求葺其居，寤而有感⑤，遂建天竺观音看经院。宋咸平中⑥，浙西久旱，郡守张去华率僚属具幡幢华盖⑦，迎请下山，而澍雨沾足⑧。自是有祷辄应，而雨每滂薄不休⑨，世传烂稻龙王焉。南渡时，施舍珍宝，有日月珠、鬼谷珠、猫睛等，虽大内亦所罕见⑩。嘉祐中⑪，沈文通治郡⑫，谓观音以声闻宣佛力，非禅那所居⑬，乃以教易禅，令僧元净号辨才者主之。凿山筑室，几至万础[14]。治平中[15]，郡守蔡襄奏赐"灵感观音"殿额[16]。辨才乃益凿前山[17]，辟地二十有五寻，殿加重檐。建咸四年[18]，兀术入临安，高宗航海。兀术至天竺，见观音像喜之，乃载后车，与《大藏经》并徙而北。时有比丘知完者[19]，率其徒以从。至燕，舍于都城之西南五里[20]，曰玉河乡，建寺奉之。天竺僧乃重以他木刻肖前像，诡曰[21]："藏之井中，今方出现"，其实并非前像也。乾道三年[22]，建十六观堂，七年，改院为寺，门匾皆御书。庆元三年[23]，改天台教寺。元至元三年毁[24]。五年，僧庆思重建，仍改天竺教寺。元末毁。明洪武初重建，万历二十七年重修[25]。崇祯末年又毁，清初又建。时普陀路绝，天下进香者皆近就天竺，香火之盛，当甲东南。二月十九日[26]，男女宿山之多，殿内外无下足处，与南海潮音寺正等[27]。

张京元《上天竺小记》：

  天竺两山相夹，回合若迷。山石俱骨立，石间更绕松篁。过下竺，诸僧鸣钟肃客[28]，寺荒落不堪入[29]。中竺如之。至上竺，山峦环抱，风气甚固，望之亦幽致。

萧士玮《上天竺小记》[30]：

  上天竺叠嶂四周，中忽平旷，巡览迎眺，惊无归路。余知身之入而不知其所由入也。从天竺抵龙井[31]，曲涧茂林，处处有之。一片云、神运石，风气道逸[32]，神明刻露[33]。选石得此，亦娶妻得姜矣[34]。泉色绀碧[35]，味淡远，与他泉迥矣[36]。

苏轼《记天竺诗引》：

  轼年十二，先君自虔州归[37]，谓予言："近城山中天竺寺，有乐天亲书诗云：'一山门作两山门，两寺原从一寺分。东涧水流西涧水，南山云起北山云。前台花发后台见，上界钟鸣下界闻。遥想吾师行道处㊳，天香桂子落纷纷。'笔势奇逸，墨迹如新。"今四十七年，予来访之，则诗已亡，有刻石在耳。感涕不已，而作是诗。

又《赠上天竺辨才禅师》诗：

南北一山门，上下两天竺。中有老法师，瘦长如鹳鹄。不知修何行，碧眼照山谷。见之自清凉，洗尽烦恼毒。坐令一都会㊴，方丈礼白足㊵。我有长头儿㊶，角频峙犀玉㊷。四岁不知行，抱负烦背腹。师来为摩顶，起走趁奔鹿。乃知戒律中，妙用谢羁束。何必言法华，佯狂啖鱼肉。

张岱《天竺柱对》：

佛亦爱临安，法像自北朝留住。山皆学灵鹫，洛伽从南海飞来。

[注释]

①晋天福：后晋石敬瑭年号。②结：建造。③毫光：像毫毛一样四射的光。④后汉乾祐：五代后汉高祖年号（948～950）。⑤寤：醒来。⑥宋咸平：宋真宗年号（998～1003）。⑦幡幢：佛教的彩旗。⑧澍（shù）雨：降雨。沾足：雨量充沛。⑨不休：不止。⑩大内：皇宫。⑪嘉祐：宋仁宗年号（1056～1063）。⑫沈文通：即沈遘，杭州人，与沈辽、沈括俱有文名，称为三沈。北宋时曾任江宁通判、集贤校理、起居舍人、尚书礼部郎中、龙图阁直学士等职。著有《西溪集》。⑬禅那：佛教用语，简称禅，佛教有六度：布施、持戒、忍辱、精进、静虑、智慧。禅那为静虑即禅定之义。⑭础：柱子下的石墩。⑮治平：北宋英宗赵曙年号，公元1064至1067年。⑯蔡襄：字君谟，仙游人，曾任馆阁校勘、知制诰、龙图阁直学士、知杭州府事等职。卒赠礼部侍郎，谥号忠。书法与苏轼、黄庭坚、米芾并称四大家，有"苏、黄、米、蔡"之称。⑰益：增加。⑱建咸四年：南宋无建咸年号，金兀术攻陷临安是高宗建炎三年冬事，张岱此处记载有误。⑲比丘：僧人。⑳舍：居住。㉑诡：诈称。

㉒乾道三年：公元1167年。㉓庆元三年：公元1197年。㉔至元三年：公元1266年。㉕万历二十七年：公元1599年。㉖二月十九日：相传是观世音生日。㉗正等：相同，相等。㉘肃客：招待客人。㉙荒落：荒凉破败。㉚萧士玮：字伯玉，江西泰和人。万历进士，曾任礼部主事、吏部主事、南京吏部考功司郎中等职务。明亡隐居著述。㉛抵：抵达，到。㉜道逸：雄健飘逸。㉝刻露：毕露。㉞娶妻得姜：齐国姜氏以出美女著称，当时上流社会男子都以迎娶齐国姜姓女子为荣。㉟绀碧：深青透红的颜色。㊱迥：不同。㊲先君：对死去的父亲的称呼。㊳行道：修道。㊴坐令：致使，空使。都会：聚会，集会。㊵白足：南朝梁慧皎《高僧传》载后秦鸠摩罗什弟子昙始，足白于面，光脚走泥途也不会污湿，时称"白足和尚"，后用以指高僧。㊶长头：高个子。《后汉书·贾逵传》："自为儿童，常在太学，不通人间事。身长八尺二寸，诸儒为之语曰：'问事不休贾长头。'"㊷峙：耸立。犀玉：以犀牛角和玉制作的头饰。

[评析]

本文记载了上天竺寺从晋代到清初一千多年间的兴建、焚毁、再兴建的过程和历代帝王、贤臣、僧人与上天竺寺的兴起变迁等。全文以时间为单一线索，记叙详细，体现了张岱博学强记的才华和扎实平稳的文风。文中还简要插入上天竺寺祷雨灵验，宋金鼎革之际僧人从金兀术手中机智骗回观音像的故事，使文章无平铺直叙、过于质实之感，读来颇有趣味。

卷 三

西湖中路

秦 楼

秦楼初名水明楼,东坡建,常携朝云至此游览。壁上有三诗,为坡公手迹。过楼数百武①,为镜湖楼,白乐天建。宋时宦杭者②,行春则集柳洲亭③,竞渡则集玉莲亭,登高则集天然图画阁,看雪则集孤山寺,寻常宴客则集镜湖楼。兵燹之后,其楼已废,变为民居。

苏轼《水明楼》诗:
　　黑云翻墨未遮山,白雨跳珠乱入船。卷地风来忽吹散,望湖楼下水连天。
　　放生鱼鸟逐人来,无主荷花到处开。水浪能令山俯仰,风帆似与月裴回。

　　未成大隐成中隐，可得长闲胜暂闲。我本无家更焉往，故乡无此好湖山。

［注释］

①武：六尺为步，半步为武。②宦：做官。③行春：游春。

［评析］

　　古代文人中，张岱最崇拜苏轼和白居易，其敬意在文章中屡有表现，这篇散文仍然体现了这一点，文中刻意提到的水明楼和镜湖楼，恰好一为苏轼建，一为白居易建。张岱好学博古，因此能够对宋代士大夫在西湖的活动了如指掌。文末笔锋一转，说乱后楼废，与"旧时王谢堂前燕，飞入寻常百姓家"同样，蕴含着深沉的历史兴亡之感。

片石居

　　由昭庆缘湖而西，为餐香阁，今名片石居。阒阁精庐，皆韵人别墅。其临湖一带，则酒楼茶馆，轩爽面湖，非惟心胸开涤，亦觉日月清朗①。张谓"昼行不厌湖上山，夜坐不厌湖上月"②，则尽之矣。再去则桃花港，其上为石函桥，唐刺史李邺侯所建，有水闸泄湖水以入古荡。沿东西马塍、羊角埂，至归锦桥，凡四派焉③。白乐天记云："北有石函南有笕④，决湖水一寸，可溉田五十余顷。"闸下皆石骨磷磷，出水甚急。

　　徐渭《八月十六片石居夜泛》词：

　　月倍此宵多，杨柳芙蓉夜色蹉。鸥鹭不眠如昼里，舟过，向前惊换几汀莎⑤。　筒酒觅稀荷，唱尽塘栖白苎歌⑥。天为红妆重展镜，如磨，渐照胭脂奈褪何。

[注释]

①"非惟"二句：不仅觉得心胸开朗清爽，还觉得日月清净明亮。出自南朝宋刘义庆《世说新语·言语》："王司州至吴兴印渚中看。叹曰：'非唯使人情开涤，亦觉日月清朗。'"②张谓：字正言，唐代河南人，曾为礼部侍郎。③派：江河的支流。④石函：石头匣子。笕（jiǎn）：对剖并内节贯通的毛竹连成的引水管道。⑤汀莎：汀上的莎草。⑥白苎：乐府吴舞曲名。

[评析]

本文以片石居为中心，介绍了临湖一带的酒楼茶馆、桃花港、石函桥等景致，及桥下水分流的情况。在简短的篇幅中，两处征引古人诗文以证，体现了张岱善于稽考，将实物与文献相印证的扎实文风。

十锦塘①

十锦塘，一名孙堤，在断桥下。司礼太监孙隆于万历十七年修筑②。堤阔二丈，遍植桃柳，一如苏堤。岁月既多③，树皆合抱。行其下者，枝叶扶苏④，漏下月光，碎如残雪。意向言断桥残雪⑤，或言月影也。苏堤离城远，为清波孔道⑥，行旅甚稀。孙堤直达西泠，车马游人，往来如织。兼以两湖光艳，十里荷香，如入山阴道上，使人应接不暇。湖船小者，可入里湖，大者缘堤倚徙，由锦带桥循至望湖亭，亭在十锦塘之尽。渐近孤山，湖面宽厂。孙东瀛修葺华丽，增筑露台，可风可月，兼可肆筵设席。笙歌剧戏，无日无之。今改作龙王堂，旁缀数楹，咽塞离披⑦，旧景尽失。再去，则孙太监生祠，背山面湖，颇极壮丽。近为卢太监舍以供佛，改名卢舍庵，而以孙东瀛像置之佛龛之后。孙太监以数十万金钱装塑西湖，其功不在苏学士之下，乃使其遗像不得一见湖光山色，幽囚面壁，见之大为鲠闷。

袁宏道《断桥望湖亭小记》：

　　湖上由断桥至苏公堤一带，绿烟红雾，弥漫二十余里。歌吹为风⑧，粉汗为雨，罗绮之盛，多于堤畔之柳，艳冶极矣。然杭人游湖，止午、未、申三时，其实湖光染翠之工，山岚设色之妙，全在朝日始出、夕舂未下⑨，始极其浓媚。月景尤不可言，花态柳情，山容水意，别是一种趣味。此乐留与山僧游客受用，安可为俗士道哉！

　　望湖亭即断桥一带，堤甚工致，比苏堤犹美。夹道种绯桃、垂柳、芙蓉、山茶之属二十余种。堤边白石砌如玉，布地皆软沙如茵。杭人曰："此内使孙公所修饰也。"此公大是西湖功德主。自昭庆、天竺、净慈、龙井及山中庵院之属，所施不下数十万。余谓白、苏二公，西湖开山古佛，此公异日伽蓝也。腐儒几败乃公事，可厌可厌。

张京元《断桥小记》：

　　西湖之胜，在近；湖之易穷，亦在近。朝车暮舫，徒行缓步，人人可游，时时可游。而酒多于水，肉高于山，春时肩摩趾错，男女杂沓，以挨簇为乐。无论意不在山水⑩，即桃容柳眼，自与东风相倚，游者何曾一着眸子也。

李流芳《断桥春望图题词》：

　　往时至湖上，从断桥一望，便魂消欲死。还谓所知⑪，湖之潋滟熹微，大约如晨光之着树，明月之入庐。盖山水映发，他处即有澄波巨浸，不及也。壬子正月⑫，以访旧重至湖上，辄独往断桥，裴回终日，翌日为杨谳西题扇云："十里西湖意，都来到断桥。寒生梅萼小，春入柳丝娇。乍见应疑梦，重来不待招。故人知我否，吟望正萧条。"又明日作此图。小春四月，同孟旸、子与夜话，题此。

谭元春《湖霜草序》：

予以己未九月五日至西湖⑬，不寓楼阁，不舍庵刹，而以琴尊书札，托一小舟。而舟居之妙，在五善焉。舟人无酬答，一善也。昏晓不爽其候，二善也。访客登山，恣意所如，三善也。入断桥，出西泠，午眠夕兴，四善也。残客可避⑭，时时移棹，五善也。挟此五善，以长于湖。僧上凫下，舫止茗生，篙楫因风，渔茭聚火。盖以朝山夕水，临涧对松，岸柳池莲，藏身接友，早放孤山，晚依宝石，足了吾生，足济吾事矣。

王叔杲《十锦塘》诗⑮：

横截平湖十里天，锦桥春接六桥烟。芳林花发霞千树，断岸光分月两川。几度舫飞堤外景⑯，一清棹发镜中船。奇观妆点知谁力，应有歌声被管弦。

白居易《望湖楼》诗：

尽日湖亭卧，心闲事亦稀。起因残醉醒，坐待晚凉归。松雨飘苏帽，江风透葛衣。柳堤行不厌，沙软絮霏霏。

徐渭《望湖亭》诗：

亭上望湖水，晶光淡不流。镜宽万影落，玉湛一矶浮⑰。寒入沙芦断，烟生野鹜投⑱。若从湖上望，翻羡此亭幽。

张岱《西湖七月半记》：

西湖七月半，一无可看，止可看看七月半之人。看七月半之人，以五类看之。其一，楼船箫鼓，峨冠盛筵，灯火优傒，声光相乱，名为看月而实不见月者，看之；其一，亦船亦楼，名娃闺秀，携及童娈，笑啼杂之，环坐露台，左右盼望，身在月下而实不看月者，看之；其一，亦船亦声歌，名妓闲僧，浅酌低唱，弱管轻丝，竹肉相发，亦在月下，亦看月而欲人看其看月者，看之；其一，不舟不车，不衫不帻，酒醉饭饱，呼群三五，挤入人丛，昭庆、断桥，嚣呼嘈杂，装假醉，唱无腔曲，月亦看，看月者亦看，不看月者亦看，而实无一看者，看之；其一，小船轻幌，净几暖炉，茶铛旋煮，素瓷静递，好友佳人，邀月同坐，或匿影树下，或逃嚣里湖，看月而人不见其看月之态，亦不作意看月者，看之。

杭人游湖，巳出酉归，避月如仇。是夕好名，逐队争出，多犒门军酒钱，轿夫擎燎，列俟岸上。一入舟，速舟子急放断桥，赶入胜会。以故二鼓以前，人声鼓吹，如沸如撼，如魇如呓，如聋如哑，大船小船一齐凑岸，一无所见，止见篙击篙，舟触舟，肩摩肩，面看面而已。少刻兴尽，官府席散，皂隶喝道去，轿夫叫船上人，怖以关门，灯笼火把如列星，一一簇拥而去。岸上人亦逐队赶门，渐稀渐薄，顷刻散尽矣。吾辈始舣舟近岸，断桥石磴始凉，席其上，呼客纵饮。此时，月如镜新磨，山复整妆，湖复颒面。向之浅斟低唱者出，匿影树下者亦出，吾辈往通声气，拉与同坐。韵友来，名妓至，杯箸安，竹肉发。月色苍凉，东方将白，客方散去。吾辈纵舟，酣睡于十里荷花之中，香气拂人，清梦甚惬。

[注释]

①十锦塘：即白堤。明万历年间，孙隆以沙石花草修治白堤，更名十锦塘。②万历十七年：公元1589年。③岁月既多：已经很多年了。④扶苏：枝叶繁茂纷披的样子。⑤意：推测。向言：向来说的。⑥孔道：必经之地。⑦咽塞：原指喉咙梗塞，这里指房屋之间的通道被堵住，相互不通。离披：衰残凋敝的样子。⑧歌吹：歌唱和吹奏。⑨夕舂：古代日落时舂米。舂，代指夕阳。⑩无论：不要说，不必说。⑪所知：相好、要好的人。⑫壬子：万历四十年，

西湖梦寻

公元1612年。⑬己未：万历四十七年，公元1619年。⑭残客：《梁书·张缵传》："缵与参掌何敬容意趣不协，敬容居权轴，宾客辐凑，有过诣缵者，辄距不前，曰：'吾不能对何敬容残客。'"后多以残客指趋炎附势的人。⑮王叔果：字阳德，永嘉人。曾授常州靖江知县，后为兵部车驾司主事、湖广按察使司副使等职务，著有《三吴水利考》《玉介园存稿》。⑯觞飞：举杯或行酒令。⑰湛：澄澈。⑱野鹜：野鸭子。投：投宿。

[评析]

本文通过对十锦塘今昔风光的对比描写，表彰了太监孙隆为西湖做出的贡献，否定今人的胡乱改造，并对卢太监幽闭孙隆塑像表示不满。本文中，十锦塘"遍植桃柳，一如苏堤。岁月既多，树皆合抱。行其下者，枝叶扶苏，漏下月光，碎如残雪。意向言断桥残雪，或言月影也"，这段话值得注意和品味，张岱以自己的切身感受，对"断桥残雪"的内涵提出疑义，表现了他勤于思考的良好思维习惯，而这段话无疑也可作为今人考究"断桥残雪"历史含义的重要依据。

孤　山

《水经注》曰①：水黑曰卢，不流曰奴；山不连陵曰孤②。梅花屿介于两湖之间，四面岩峦，一无所丽③，故曰孤也。是地水望澄明，皦焉冲照④，亭观绣峙⑤，两湖反景⑥，若三山之倒水下⑦。山麓多梅，为林和靖放鹤之地。林逋隐居孤山，宋真宗征之不就，赐号和靖处士。常畜双鹤，豢之樊中。逋每泛小艇，游湖中诸寺，有客来，童子开樊放鹤，纵入云霄，盘旋良久，逋必棹艇遄归⑧，盖以鹤起为客至之验也⑨。临终留绝句曰："湖外青山对结庐，坟前修竹亦萧疏。茂陵他日求遗稿，犹喜曾无封禅书⑩。"绍兴十六年建四圣延祥观⑪，尽徙诸院刹及士民之墓，独逋墓诏留之，弗徙。至元，杨连真伽发其墓，唯端砚一、玉簪一。明成化十年⑫，郡守李瑞修复之。天启间，有王道士欲于此地种梅千树。云间张侗初太史补《孤山种梅序》。

袁宏道《孤山小记》：

孤山处士，妻梅子鹤，是世间第一种便宜人。我辈只为有了妻子，便惹许多俗事，撇之不得，傍之可厌，如衣败絮，行荆棘中，步步牵挂。近日雷峰下有虞僧儒，亦无妻室，殆是孤山后身。所著《溪上落花诗》，虽不知于和靖如何，然一夜得百五十首，可谓迅捷之极。至于食淡参禅，则又加孤山一等矣，何代无奇人哉！

张京元《孤山小记》：

孤山东麓，有亭翼然。和靖故址⑬，今悉编篱插棘⑭。诸巨家规种桑养鱼之利⑮，然亦赖其稍葺亭榭，点缀山容。楚人之弓⑯，何问官与民也。

又《萧照画壁》：

西湖凉堂，绍兴间所构。高宗将临观之。有素壁四堵⑰，高二丈，中贵人促萧照往绘山水⑱。照受命，即乞尚方酒四斗⑲，夜出孤山，每一鼓即饮一斗，尽一斗则一堵已成，而照亦沉醉。上至，览之叹赏，宣赐金帛。

沈守正《孤山种梅疏》⑳：

西湖之上，葱蒨亲人㉑，亦爽朗易尽。独孤山盘郁重湖之间，水石草木，皆有幽色。唐时楼阁参差，诗歌点缀，冠于两湖。读"不雨山常润，无云水自阴"之句㉒，犹可想见当时。道孤山者，不径西泠㉓，必沿湖水，不似今从望湖折阛闠而入也。此地尚有古梅偃蹇㉔，云是和靖故居。

李流芳《题孤山夜月图》：

　　曾与印持诸兄弟，醉后泛小艇，从孤山而归。时月初上新堤，柳枝皆倒影湖中，空明摩荡㉕，如镜中，复如画中。久怀此胸臆㉖，壬子在小筑㉗，忽为孟旸写出㉘，真画中矣。

苏轼《书林逋诗后》：

　　吴侬生长湖山曲，呼吸湖光饮山渌㉙。不论世外隐君子，佣儿贩妇皆冰玉㉚。先生可是绝俗人，神清骨冷无由俗。我不识见曾梦见，瞳子了然光可烛㉛。遗篇妙字处处有，步绕西湖看不足。诗如东野不言寒㉜，书似西台差少肉㉝。平生高节已难继㉞，将死微言犹可录㉟。自言不作封禅书，更肯悲吟白头曲㊱。我笑吴人不好事，好作祠堂傍修竹。不然配食水仙王㊲，一盏寒泉荐秋菊㊳。

张祐《孤山》诗：

　　楼台耸碧岑㊴，一径入湖心。不雨山常润，无云水自阴。断桥荒藓合，空院落花深。犹忆西窗月，钟声出北林。

徐渭《孤山玩月》诗：

　　湖水淡秋空，练色澄初静㊵。倚棹激中流，幽然适吾性。举酒忽见月，光与波相映。西子拂淡妆，遥岚挂孤镜。座客本玉姿，照耀几筵莹。暇时吐高怀㊶，四座尽倾听。却言处士疏㊷，徒抱梅花咏㊸。如以径寸鱼，蹄涔即成泳㊹。论久兴弥洽㊺，返棹堤逾迥㊻。自顾纵清谈，何嫌麈尘柄㊼。

卓敬《孤山种梅》诗㊽：

　　风流东阁题诗客，潇洒西湖处士家。雪冷江深无梦到，自锄明月种梅花。

王稚登《赠林纯卿卜居孤山》诗㊾：

　　藏书湖上屋三间，松映轩窗竹映关㊿。引鹤过桥看雪去，送僧归寺带云还。轻红荔子家千里，疏影梅花水一湾。和靖高风今已远，后人犹得住孤山。

陈鹤《题孤山林隐君祠》诗(51)：

孤山春欲半，犹及见梅花。笑踏王孙草(52)，闲寻处士家。尘心莹水镜(53)，野服映山霞(54)。岩壑长如此，荣名岂足夸(55)。

王思任《孤山》诗：

淡水浓山画里开，无船不署好楼台(56)。春当花月人如戏，烟入湖灯声乱催。万事贤愚同一醉，百年修短未须哀(57)。只怜逋老栖孤鹤，寂寞寒篱几树梅。

张岱《补孤山种梅叙》：

盖闻：地有高人，品格与山川并重；亭遗古迹，梅花与姓氏俱香。名流虽以代迁，胜事自须人补(58)。在昔西泠逸老，高洁韵同秋水，孤清操比寒梅。疏影横斜，远映西湖清浅；暗香浮动，长陪夜月黄昏。今乃人去山空，依然水流花放。瑶葩洒雪，乱飘冢上苔痕；玉树迷烟，恍堕林间鹤羽。兹来韵友，欲步前贤(59)，补种千梅，重修孤屿。凌寒三友，早连九里松篁；破腊一枝(60)，远谢六桥桃柳(61)。伫想水边半树，点缀冰花；待将雪后横枝，低昂铁干。美人来自林下，高士卧于山中。白石苍崖，拟筑草亭招放鹤；浓山淡水，闲锄明月种梅花。有志竟成，无约不践(62)。将与罗浮争艳(63)，还期庾岭分香(64)。实为林处士之功臣，亦是苏长公之胜友。吾辈常劳梦想，应有宿缘。哦曲江诗（曲江张九龄有《庭梅吟》），便见孤芳风韵；读《广平赋》(65)，尚思铁石心肠。共策灞水之驴(66)，且向断桥踏雪；遥瞻漆园之蝶，群来林墓寻梅。莫负佳期，用追芳躅(67)。

张岱《林和靖墓柱铭》：

云出无心，谁放林间双鹤。月明有意，即思冢上孤梅。

[注释]

①《水经注》：北魏郦道元认为古代地理书籍或杂乱，或不详备，于是以个人实地考察为基础，选定《水经》一书为纲来系统描述全国地理情况。《水经注》共四十卷，三十多万字，这部巨著详细介绍了中国境内一千多条河流及相关地区的物产、风俗、传说、历史等，文笔雄健俊美，是一部杰出的具有文学价值的地理著作。②陵：山头。③丽：连接。④皦（jiǎo）：清白。冲：涌动。照：光明。⑤绣：华丽。峙：耸立。⑥反景：倒影。⑦三山：海上的三座神山。晋王嘉《拾遗记·高辛》："三壶，则海中三山也。一曰方壶，则方丈也；二曰蓬壶，则蓬莱也；三曰瀛壶，则瀛洲也。"⑧遄归：急忙回来。⑨验：信号，验证。⑩"茂陵"二句：《汉书·司马相如传》：相如病重，武帝遣人取其遗稿，"而相如已死，家无遗书……其遗札书言封禅事"。封禅书是为武帝歌功颂德之作。茂陵，汉武帝生前为自己预造的陵墓。⑪绍兴十六年：公元1146年。⑫明成化十年：公元1474年。⑬故址：故居的遗址。⑭编篱插棘：编上篱笆，插上有刺的草木，指有人家居住。⑮巨家：大家族，豪门。规：谋求，谋划。⑯楚人之弓：典出汉代刘向《说苑·至公》："楚共王出猎而遗其弓，左右请求之。共王曰：'止！楚人遗弓，楚人得之，又何求焉？'"⑰素壁：白色的墙壁。⑱萧照：南宋画院待诏，擅画山水人物，异松怪石，苍凉古野，有云屯风卷之势。⑲尚方酒：宫廷内酿制的御酒。⑳沈守正：字无回，钱塘人。高才博学，诗文隽爽，万历年间曾任黄岩教谕，讲论道义，使当地学风蔚然。后迁国子监博士，擢都察院司务。㉑葱蒨：草木青翠茂盛。㉒"不雨山常润，无云水自阴"：出自唐代张祜《孤山寺》，原诗见下文。㉓不径：不经过。㉔偃蹇：屈曲。㉕摩荡：摩擦震荡。㉖胸臆：内心所藏。㉗小筑：规制较小的建筑。㉘写出：画出。㉙山渌：山中的清水。㉚佣儿贩妇：佣人和卖东西的女商贩。㉛烛：照耀。㉜东野：唐代诗人孟郊。㉝西台：宋代李建中，字得中，蜀人，曾掌管西京留守御史台，御史台又称西台。李建中擅长书法，行书瘦硬有骨力。㉞高节：高尚的品格。㉟微言：精深微妙的言辞。犹：仍然。㊱白头曲：《白头吟》，乐府《楚调曲》调名。原为卓文君因

司马相如想要纳妾，对爱情不忠而作，后人引申为叹老嗟卑、自伤不遇之辞。㊲水仙王：西湖有水仙王庙，祭祀的是钱塘龙君，故钱塘龙君为水仙王。㊳荐：祭祀时献上。㊴碧岑：青山。㊵练色：白色。㊶暇时：闲暇的时候。高怀：不俗的情怀。㊷疏：稀少。㊸徒：只。㊹蹄涔：语出《淮南子·泛论训》："夫牛蹄之涔，不能生鳣鲔。"高诱注："涔，雨水也，满牛蹄迹中，言其小也。""蹄涔"指容量、体积等微小。㊺弥洽：更加和谐融洽。㊻迥：遥远。㊼麈柄：麈尾的柄，借指麈尾。魏晋名士常执麈尾以助清谈。㊽卓敬：字惟恭，瑞安卓岙人。聪颖多才，明洪武二十一年进士，授户科给事中，靖难之役后被杀。㊾王稚登：字百谷，号半偈长者、青羊君等。明末江苏武进人，善诗。著作主要有《王百谷集》《晋陵集》等。㊿关：门。㉛陈鹤：字鸣野、九皋，号海樵、水樵生，绍兴人，明代书画家。㉜王孙草：典出汉淮南小山《招隐士》："王孙游兮不归，春草生兮萋萋。"㉝尘心：凡俗之心。㉞野服：村野平民的服装。㉟荣名：美名，好名声。㊱署：布置，安排。㊲修短：寿命的长短。㊳胜事：美好的事情。㊴步：步武，效仿。㊵破腊：指梅花在腊月破蕊绽放。㊶谢：拒绝，不用。㊷践：实践，实现。㊸罗浮：罗浮山，在广东省东江北岸，是著名游览胜地。晋代葛洪曾在此修炼，因此道教称为"第七洞天"。又传隋代赵师雄在罗浮山松林酒店旁遇仙女，共饮大醉，醒来却在梅花树下，所以罗浮成为咏梅的典实。㊹庾岭：大庾岭在江西省大余县南，岭上多植梅树，故又名梅岭。㊺《广平赋》：唐玄宗时名相宋璟，以刚正不阿著称于世，封广平郡公。宋璟曾作《梅花赋》。㊻策灞水之驴：《韵府群玉》中载："孟浩然尝于灞水冒雪骑驴寻梅花，曰：'吾诗思在风雪中驴子背上。'"㊼芳躅（zhuó）：前贤的踪迹。

[评析]

本文通过对孤山景致和林逋生前身后诸多事迹的描写，表达了对林逋淡泊世事、清高出尘、飘逸达观等隐士风度的赞赏与崇拜。开篇引古代著名地理学著作郦道元《水经注》中语，说梅花屿因在湖中间，与四面山峦不相连，所以有孤山之称，论证极有说服力，表现了张岱深厚的文史功底。

关王庙

北山两关王庙。其近岳坟者,万历十五年为杭民施如忠所建[1]。如忠客燕,涉潞河[2],飓风作[3],舟将覆[4],恍惚见王率诸河神拯救获免,归即造庙祝之,并祀诸河神。冢宰张瀚记之[5]。其近孤山者,旧祠卑隘。万历四十二年[6],金中丞为导首鼎新之[7]。太史董其昌手书碑石记之,其词曰:"西湖列刹相望[8],梵宫之外[9],其合于祭法者,岳鄂王、于少保与关神而三尔。甲寅秋[10],神宗皇帝梦感圣母中夜传诏,封神为伏魔帝君,易兜鍪而衮冕[11],易大纛而九旒[12]。五帝同尊,万灵受职。视操、懿、莽、温偶奸大物[13],生称贼臣,死堕下鬼,何啻天渊[14]。顾旧祠湫隘[15],不称诏书播告之意[16]。金中丞父子,爰议鼎新,时维导首,得孤山寺旧址,度材垒土,勒墙墉,庄像设,先后三载而落成。中丞以余实倡议,属余记之。余考孤山寺且名永福寺。唐长庆四年[17],有僧刻《法华》于石壁。会元微之以守越州[18],道出杭,而杭守白乐天为作记。有九诸侯率钱助工,其盛如此。成毁有数,金石可磨,越数百年而祠帝君。以释典言之[19],则旧寺非所谓现天大将军身,而今祠非所谓现帝释身者耶。至人舍其生而生在,杀其身而身存。孔曰成仁,孟曰取义,与《法华》一大事之旨何异也。彼谓忠臣义士犹待坐蒲团、修观行而后了生死者,妄矣。然则石壁岿然[20],而石经初未泐也[21]。顷者四川奸叛[22],神为助力,事达宸聪[23],非同语怪。惟辽西黠卤[24],尚缓天诛,帝君能报曹而有不报神宗者乎[25]?左挟鄂王,右挟少保,驱雷部[26],掷火铃[27],昭陵之铁马嘶风,蒋庙之塑兵濡露[28],谅荡魔皆如蜀道矣[29]。先是金中丞抚闽[30],藉神之告[31],屡歼倭夷[32],上功盟府,敌建祠之费,视众差巨㉝,盖有夙愿云。"寺中规制精雅㉞,庙貌庄严,兼之碑碣清华㉟,柱联工确㊱,一以文理为之,较之施庙,其雅俗真隔霄壤。

董其昌《孤山关王庙柱铭》:

忠能择主,鼎足分汉室君臣。德必有邻,把臂呼岳家父子。

宋兆禴《关帝庙柱联》㊲:

从真英雄起家,直参圣贤之位㊳。以大将军得度㊴,再现帝王之身。

张岱《关帝庙柱对》:

统系让偏安,当代天王归汉室。春秋明大义㊵,后来夫子属关公。

[注释]

①万历十五年:公元1587年。②涉:渡河。③飓风:大风。④覆:翻船。⑤冢宰:吏部尚书。张翰:字子文,杭州人,嘉靖年间进士,万历时期曾任吏部尚书。⑥万历四十二年:公元1614年。⑦导首:领头,领首。⑧列刹:众寺院。⑨梵宫:佛寺。⑩甲寅:万历四十二年。⑪兜鍪(móu):头盔。⑫纛(dào):旗帜。斿(liú):旗帜下的飘带,泛指旌旗。⑬操、懿、莽、温:指曹操、司马懿、王莽、桓温。⑭何啻:何止。⑮湫隘:低下狭小。⑯不称:不匹配。⑰唐长庆四年:公元824年。⑱元微之:即元稹,字微之,唐代诗人。累官至宰相。越州:绍兴。⑲释典:佛经。⑳岿(kuī)然:屹立的样子。㉑泐:同"勒",铭刻。㉒歼叛:平定叛乱。㉓宸聪:皇帝的听闻。㉔黠卤:狡猾的叛军。卤,对少数民族或敌人的蔑称。㉕曹:指辽西的叛军。㉖雷部:雷神。㉗火铃:道士所持的法器。㉘濡露:沾上露水。㉙荡魔:纵恣的妖魔。如:去。蜀道:泛指蜀地险峻易避难的地方。㉚抚闽:抚定闽地。㉛藉:依靠。㉜倭夷:倭寇。㉝差巨:差别非常大。㉞规制:规模形制。㉟清华:清秀华丽。㊱工确:文辞巧妙,属对妥帖。㊲宋兆禴:又名尔孚,号喜公,潮汕

后七贤之一。崇祯元年进士,曾任江西广昌县令、杭州仁和令。㊳参:列。㊴度:超度。㊵春秋:相传为孔子所作的鲁国编年体史书。

[评析]

本文记载了西湖北山的两处关王庙。靠近岳王坟的庙宇是杭州富民施如忠建,简记其建造者、建造始末、作记人而已。有关孤山关王庙的篇幅较长,因董其昌手书碑文所云详细,所以全部征引于此。张岱没有细致描写孤山关王庙的景象,但"规制精雅,庙貌庄严,兼之碑碣清华,柱联工确,一以文理为之"的概括足以使人了解其壮丽辉煌的整体面貌。张岱开篇对施如忠所建关王庙风格无正面描述,令人有些狐疑,而末尾"较之施庙,其雅俗真隔霄壤",轻巧地点出了施庙的俗气,可谓用笔精练,技法高妙。

苏小小墓

苏小小者,南齐时钱塘名妓也。貌绝青楼,才空士类①,当时莫不艳称②。以年少早卒,葬于西泠之坞。芳魂不泯,往往花间出现。宋时有司马槱者,字才仲,在洛下梦一美人,搴帷而歌③,问其名,曰:"西陵苏小小也。"问歌何曲?曰:"《黄金缕》。"后五年,才仲以东坡荐举,为秦少章幕下官④,因道其事。少章异之,曰:"苏小之墓,今在西泠,何不酹酒吊之⑤。"才仲往寻其墓拜之。是夜梦与同寝,曰:"妾愿酬矣⑥。"自是幽昏三载⑦,才仲亦卒于杭,葬小小墓侧。

西陵苏小小诗:

妾乘油壁车,郎跨青骢马。何处结同心,西陵松柏下。

又词:

妾本钱塘江上住,花落花开,不管流年度。燕子衔将春色去,纱窗几阵黄梅雨。 斜插玉梳云半吐,檀板轻敲,唱彻《黄金缕》。梦断彩云无觅处,夜凉明月生南浦。

李贺《苏小小》诗:

幽兰露,如啼眼。无物结同心,烟花不堪剪。草如茵,松如盖。风为裳,水为珮。油壁车,久相待。冷翠烛,劳光彩⑧。西陵下,风吹雨。

沈原理《苏小小歌》:

歌声引回波,舞衣散秋影。梦断别青楼,千秋香骨冷。青铜镜里双飞鸾,饥乌吊月啼勾栏。风吹野火火不灭,山妖笑入狐狸穴。西陵墓下钱塘潮,潮来潮去夕复朝。墓前杨柳不堪折,春风自绾同心结。

元遗山《题苏小像》⑨:

槐荫庭院宜清昼,帘卷香风透。美人图画阿谁留,都是宣和名笔内家收。 莺莺燕燕分飞后,粉浅梨花瘦。只除苏小不风流,斜插一枝萱草凤钗头⑩。

徐渭《苏小小墓》诗:

一抔苏小是耶非,绣口花腮烂舞衣⑪。自古佳人难再得,从今此翼罢双飞。薤边露眼啼痕浅⑫,松下同心结带稀。恨不颠狂如大阮⑬,欠将一曲恸兵闺⑭。

[注释]

①才空士类:才能超过一般的读书人。②艳称:称赞,羡慕。③搴帷:撩起帷幕。④秦少章:北宋著名词人、苏门四学士之一秦观的弟弟,名秦觏,字少章,进士出身,也擅长文学。⑤酹酒:以酒浇地,表示祭奠。⑥酬:实现。⑦幽昏:即幽婚,人与鬼结合。⑧劳光彩:指蜡烛燃烧,白白地浪费光彩。⑨元遗山:即元好问,字裕之,号遗山,太原秀容人。金元之际著名诗人。⑩萱草:黄花菜,古人认为种植此草可以解忧,因此又称忘忧草。⑪烂舞衣:绚烂的舞衣。⑫薤(xiè):草本植物,《薤露》是古代的挽歌。⑬大阮:

晋代诗人阮籍及其侄阮咸,都名列"竹林七贤",世称阮籍为大阮,阮咸为小阮。⑭恸兵闺:《晋书·阮籍传》:"兵家女有才色,未嫁而死。籍不识其父母,径往哭之。尽哀而还。"

[评析]

本文从记载苏小小的身份、生平与才华入手,转入一代才女芳魂不灭,与世间才子演绎的爱情故事。情节曲折,对话简练,深受神怪小说的影响。

陆宣公祠①

孤山何以祠陆宣公也?盖自陆少保炳为世宗乳母之子,揽权怙宠②,自谓系出宣公,创祠祀之。规制宏厂③,吞吐湖山。台榭之盛,概湖无比。炳以势焰,孰有美产,即思攫夺。旁有故锦衣王佐别墅壮丽,其孽子不肖,炳乃罗织其罪,勒以献产。捕及其母,故佐妾也。对簿时,子强辩。母膝行前,道其子罪甚详。子泣,谓母忍陷其死也。母叱之曰:"死即死,尚何说!"指炳座顾曰:"而父坐此非一日,作此等事亦非一日,而生汝不肖子,天道也,汝死犹晚!"炳颊发赤,趣遣之出④,弗终夺。炳物故⑤,祠没入官,以名贤得不废。隆庆间,御史谢廷杰以其祠后增祀两浙名贤,益以严光⑥、林逋、赵忭、王十朋⑦、吕祖谦⑧、张九成⑨、杨简⑩、宋濂⑪、王琦⑫、章懋⑬、陈选⑭。会稽进士陶允宜以其父陶大临自制牌版,令人匿之怀中,窃置其旁。时人笑其痴孝。

祁彪佳《陆宣公祠》诗:

东坡佩服宣公疏,俎豆西泠蘋藻香⑮。泉石苍凉存意气,山川开涤见文章。画工界画增金碧,庙貌巍峨见斋皇⑯。陆炳湖头夸势焰,崇韬乃敢认汾阳⑰。

[注释]

①陆宣公:唐代陆贽,嘉兴人,字敬舆,曾任宰相,后贬充忠州别驾,谥号宣。②揽权怙宠:仗着皇帝的恩宠把揽大权。③宏厂:宏大宽敞。④趣遣:驱赶。⑤物故:去世,死亡。⑥严光:字子陵,浙江余姚人。年少时与光武帝刘秀为同学、好友,刘秀即位,屡次征召都不肯出仕,隐居富春江垂钓。⑦王十朋:字龟龄,号梅溪,浙江乐清人,南宋状元。曾任饶州等处知州,以龙图阁学士致仕。⑧吕祖谦:字伯恭,浙江金华人,进士出身。南宋时任国史院编修官。世称东莱先生。⑨张九成:字子韶,钱塘人,南宋状元,官至礼部侍郎,卒赠太师。⑩杨简:字敬仲,浙江慈溪人,南宋乾道进士,官至宝谟阁学士。⑪宋濂:字景濂,浙江浦江人,明代开国功臣,文学上是明初大家。⑫王琦:字文璲,钱塘人,明永乐间曾任汝州学正、监察御史等职,为官清廉,有名于朝。⑬章懋:字德懋,浙江兰溪人,曾任庶吉士、国史院编修官等职务,在文坛上颇有声望。⑭陈选:字士贤,浙江临海人,官至广东布政使,为人正直,政绩颇佳。⑮俎豆:祭祀用的礼器,代指祭祀。⑯矞皇:辉煌,光彩。⑰"崇韬"句:五代时后唐郭崇韬功勋卓越,位极人臣,为满足虚荣之心,冒称唐代汾阳王郭子仪是自己祖先。

[评析]

本文记叙了陆宣公祠的建造缘由,由此引出明世宗乳母之子陆炳仗势欺人,强夺他人财产,王佐妾借训子之言痛骂陆炳的故事,歌颂了王佐妾身为女流,却不畏权贵、刚烈不屈的可贵精神。后文又提到御史谢廷杰在陆宣公祠增祀两浙名贤事,会稽进士陶允宜为了虚邀名声,竟将父亲排位偷偷放入,张岱借当时人的评价表达了嘲讽之意。

六一泉

六一泉在孤山之南,一名竹阁,一名勤公讲堂。宋元祐六年①,东坡先生与惠勤上人同哭欧阳公处也②。勤上人讲堂初构③,掘地得泉,东坡为作泉铭。以两人皆列欧公门下,此泉方出,适哭公讣,名以六一,犹见公也。其徒作石屋覆泉,且刻铭其上。南渡高宗为康王时,常使金,夜行,见四巨人执殳前驱④。登位后,问方士⑤,乃言紫微垣有四大将⑥,曰:天蓬、天猷、翊圣、真武。帝思报之,遂废竹阁,改延祥观,以祀四巨人。至元初,世祖又废观为帝师祠⑦。泉没于二氏之居二百余年⑧。元季兵火,泉眼复见,但石屋已圮,而泉铭亦为邻僧舁去。洪武初,有僧名行升者,锄荒涤垢,图复旧观。仍树石屋,且求泉铭,复于故处。乃欲建祠堂以奉祀东坡、勤上人,以参寥故事⑨,力有未逮⑩。教授徐一夔为作疏曰⑪:"睠兹胜地⑫,实在名邦。勤上人于此幽栖⑬,苏长公因之数至。迹分缁素⑭,同登欧子之门;谊重死生,会哭孤山之下⑮。惟精诚有感通之理,故山岳出迎劳之泉⑯。名聿表于怀贤⑰,忱式昭于荐菊⑱。虽存古迹,必肇新祠⑲。此举非为福田⑳,实欲共成胜事。儒冠僧衲,请恢雅量以相成㉑;山色湖光,行与高峰而共远㉒。愿言乐助,毋诮滥竽。"

苏轼《六一泉铭》:

欧阳文忠公将老,自谓六一居士。予昔通守钱塘㉓,别公于汝阴而南㉔。公曰:"西湖僧惠勤,甚文而长于诗㉕。吾昔为《山中乐》三章以赠之。子闲于民事,求人于湖山间而不可得,则往从勤乎?"予到官三日,访勤于孤山之下,抵掌而论人物㉖,曰:"六一公,天人也。人见其暂寓人间,而不知其乘云驭风,历五岳而跨沧海也。此邦之人,以公不一来为恨。公麾斥八极,何所不至。虽江山之胜,莫适为主,而奇丽秀绝之气,常为能文者用。故吾以为西湖盖公几案间一物耳。"勤语虽怪幻,而理有实然者。明年公薨,予哭于勤舍。又十八年,予为钱塘守,则勤亦化去久矣。访其旧居,则弟子二仲在焉。画公与勤像,事之如生。舍下旧无泉,予未至数月,泉出讲堂之后,孤山之趾,汪然溢流,甚白而甘。即其地凿岩架石为室,二仲谓:"师闻公来,出泉以相劳苦,公可无言乎?"乃取勤旧语,推本其意,名之曰"六一泉"。且铭之曰:"泉之出也,去公数千里,后公之没十八年,而名之曰'六一',不几于诞乎?曰:君子之泽,岂独五世而已,盖得其人,则可至于百传。常试与子登孤山而望吴越,歌山中之乐而饮此水,则公之遗风余烈,亦或见于此泉也。"

白居易《竹阁》诗:

> 晚坐松檐下,宵眠竹阁间。清虚当服药,幽独抵归山。巧未能胜拙,忙应不及闲。无劳事修炼,只此是玄关。

[注释]

①元祐六年:公元1091年,宋哲宗在位。②哭:祭奠。欧阳公:即欧阳修。③初构:刚刚修建。④殳(shū):古代兵器,以竹或木制成的八棱杖,顶端装有圆筒形金属,或金属刺球,多用于仪仗。⑤方士:从事星象、占卜等活动的人。⑥紫微垣:古代把若干颗恒星合起来称一个星官,众星官中有三垣紫微垣、太微垣、天市垣,紫微垣以北极星为中枢,包括十五颗星。⑦帝师:元代僧官名。元代皇帝即位初,例从梵僧受戒,这个僧人就是帝师。帝师权力较大,掌管全国佛教和藏区的政教事务,兼领宣政院。⑧二氏:指佛、道二教。⑨以:若,如。参寥:即僧道潜。故事:旧例。⑩未逮:不及。⑪徐一夔:字大章,天台人。明初入朝修礼书,后为杭州府学教授。博学善文,有名于时,著有《始丰稿》《艺圃搜奇》。⑫瞥:同"眷",回视,回顾。⑬幽栖:幽居。⑭缁素:僧徒衣缁,俗众服素,故缁素代指僧人和普通人。⑮会:会

集。⑯迎劳：迎接，慰劳。⑰名：起名，命名。聿（yù）：助词。⑱忱式：表达情意的方式。⑲肇：创立。⑳福田：佛教认为行善受到福报，好比种田有收获，故称福田。㉑恢雅量：弘扬宽广的气度。相成：帮助成全。㉒行：即将。㉓通守：隋代开皇时期开始设置的官职，辅佐治理郡务，官位略低于太守。㉔南：到南方去。㉕甚文：非常有文采。㉖抵掌：击掌，谈话时非常高兴的表现。

[评析]

此文记载了六一泉出现和命名的缘由，以及南宋至明初六一泉建筑的历次废兴和改建，时间上跨度很大，而表述非常清晰，令人对六一泉的历史有了较为全面的了解。张岱为撰此文，当查阅了很多资料，表现了他善于稽古、博闻强记的能力。

葛　岭

葛岭者，葛仙翁稚川修仙地也。仙翁名洪，号抱朴子，句容人也。从祖葛玄①，学道得仙术，传其弟子郑隐。洪从隐学，尽得其秘。上党鲍玄妻以女②。咸和初③，司徒导招补主簿④，干宝荐为大著作⑤，皆同辞。闻交趾出丹砂，独求为勾漏令⑥。行至广州，刺史郑岳留之，乃炼丹于罗浮山中。如是者积年⑦。一日，遗书岳曰⑧："当远游京师，克期便发⑨。"岳得书，狼狈往别⑩，而洪坐至日中⑪，兀然若睡⑫，卒年八十一。举尸入棺⑬，轻如蝉蜕，世以为尸解仙去⑭。智果寺西南为初阳台，在锦坞上，仙翁修炼于此。台下有投丹井，今在马氏园。宣德间大旱，马氏甃井得石匣一，石瓶四。匣固不可启。瓶中有丸药若芡实者，啖之，绝无气味，乃弃之。施渔翁独啖一枚，后年百有六岁。浚井后，水遂淤恶不可食⑮，以石匣投之，清洌如故。

祁豸佳《葛岭》诗：

抱朴游仙去有年，如何姓氏至今传。钓台千古高风在⑯，汉鼎虽迁尚姓严。

勾漏灵砂世所稀，携来烹炼作刀圭⑰。若非渔子年登百，几使还丹变井泥。

平章甲第半湖边⑱，日日笙歌入画船。循州一去如烟散⑲，葛岭依然还稚川。

葛岭孤山隔一丘，昔年放鹤此山头。高飞莫出西山缺，岭外无人勿久留。

[注释]

①从祖：祖父的弟弟。②妻以女：把女儿嫁给他做妻子。③咸和：东晋成帝司马衍年号（326～334）。④司徒导：晋代司徒王导。⑤干宝：字令升，新蔡人，好阴阳之术，著有《搜神记》。大著作：著作郎别称。⑥勾漏：广西北流县东北有群山耸立如林，山中溶洞勾曲穿漏，故名勾漏，是道家三十六小洞天中的第二十二洞天。⑦积年：多年，累年。⑧遗书：留下一封书信。⑨克期：约定日期。⑩狼狈：急速，急忙。⑪日中：正午。⑫兀然：静止的样子。⑬举尸：抬起尸体。⑭尸解仙去：道教的说法，遗留形骸，成仙而去。⑮淤恶：污浊，气味不好。⑯"钓台"：相传为东汉严光垂钓处。⑰刀圭：古代药物计量器。此借指药物。⑱"平章"句：指沿湖一半都是南宋丞相贾似道的宅第。⑲循州：贾似道后来被贬，安置循州。

[评析]

此文写葛岭，因为晋代名士葛洪在这里修行过，因而得名，也是这个原因，张岱本文所写都和葛洪有关，介绍了葛洪学道的渊源，一生的经历，最终在广州罗浮山离奇升仙的始末。然后返回再写葛岭山中葛洪修仙处，投丹井中的神丹到了明代还使人长寿等故事。全文大抵来自传说，虚无缥缈，但是给葛岭披上了一层神奇浪漫的色彩，使人印象尤深。

苏公堤

　　杭州有西湖,颍上亦有西湖①,皆为名胜,而东坡连守二郡。其初得颍,颍人曰:"内翰只消游湖中②,便可以了公事。"秦太虚因作一绝云③:"十里荷花菡萏初,我公身至有西湖。欲将公事湖中了,见说官闲事亦无。"后东坡到颍,有谢执政启云④:"入参两禁⑤,每玷北扉之荣⑥;出典二帮⑦,迭为西湖之长⑧。"故其在杭,请浚西湖,聚葑泥,筑长堤,自南之北,横截湖中,遂名苏公堤。夹植桃柳,中为六桥。南渡之后,鼓吹楼船,颇极华丽。后以湖水漱啮⑨,堤渐凌夷⑩。入明成化以前,里湖尽为民业⑪,六桥水流如线。正德三年⑫,郡守杨孟瑛辟之,西抵北新堤为界,增益苏堤,高二丈,阔五丈三尺,增建里湖六桥,列种万柳,顿复旧观。久之,柳败而稀,堤亦就圮。嘉靖十二年⑬,县令王钶令犯罪轻者种桃柳为赎,红紫灿烂,错杂如锦。后以兵火,砍伐殆尽⑭。万历二年⑮,盐运使朱炳如复植杨柳,又复灿然⑯。迨至崇祯初年,堤上树皆合抱。太守刘梦谦与士夫陈生甫辈时至。二月,作胜会于苏堤。城中括羊角灯⑰、纱灯几万盏,遍挂桃柳树上,下以红毡铺地,冶童名妓,纵饮高歌。夜来万蜡齐烧,光明如昼。湖中遥望堤上万蜡,湖影倍之。箫管笙歌,沉沉昧旦。传之京师,太守镌级⑱。因想东坡守杭之日,春时每遇休暇,必约客湖上,早食于山水佳处。饭毕,每客一舟,令队长一人,各领数妓,任其所之。晡后鸣锣集之,复会望湖亭或竹阁,极欢而罢。至一、二鼓,夜市犹未散,列烛以归。城中士女夹道云集而观之。此真旷古风流,熙世乐事⑲,不可复追也已。

张京元《苏堤小记》：

　　苏堤度六桥，堤两旁尽种桃柳，萧萧摇落[20]。想二三月，柳叶桃花，游人阗塞[21]，不若此时之为清胜。

李流芳《题两峰罢雾图》：

　　三桥龙王堂，望西湖诸山，颇尽其胜。烟林雾障，映带层叠；淡描浓抹，顷刻百态。非董、巨妙笔[22]，不足以发其气韵[23]。余在小筑时，呼小舟桨至堤上，纵步看山，领略最多。然动笔便不似甚矣，气韵之难言也。予友程孟旸《湖上题画》诗云："风堤露塔欲分明，阁雨萦阴雨未成。我试画君团扇上，船窗含墨信风行。"此景此诗，此人此画，俱属可想。癸丑八月清晖阁题[24]。

苏轼《筑堤》诗：

　　六桥横截天汉上[25]，北山始与南屏通。忽惊二十五万丈，老葑席卷苍烟空。

　　昔日珠楼拥翠钿，女墙犹在草芊芊[26]。东风第六桥边柳，不见黄鹂见杜鹃。

又诗：

　　惠勤、惠思皆居孤山。苏子倅郡[27]，以腊日访之，作诗云：

　　天欲雪时云满湖，楼台明灭山有无。水清石出鱼可数，林深无人鸟相呼。腊月不归对妻孥[28]，名寻道人实自娱。道人之居在何许，宝云山前路盘纡。孤山孤绝谁肯庐，道人有道山不孤。纸窗竹屋深自暖，拥褐坐睡依团蒲[29]。天寒路远愁仆夫，整驾催归及未晡[30]。出山回望云水合，但见野鹤盘浮屠[31]。兹游淡泊欢有余，到家恍如梦蘧蘧[32]。作诗火急追亡逋[33]，清景一失后难摹[34]。

王世贞《泛湖度六桥堤》诗：

　　拂幰莺啼出谷频[35]，长堤天矫跨苍旻[36]。六桥天阔争虹影，五马飙开散曲尘[37]。碧水乍摇如转盼，青山初沐竞舒颦[38]。莫轻杨柳无情思，谁是风流白舍人[39]？

李鉴龙《西湖》诗：

　　花柳曾闻暗六桥，近来游舫甚萧条。折残画阁堤边失，倒入山光波上摇。秋水湖心眸一点，夜潭塔影黛双描。兰亭感慨今移此，痴对雷峰话寂寥。

[注释]

①颍上：县名，今在安徽。②内翰：苏轼曾为翰林学士，故称。③秦太虚：北宋著名词人秦观，字子游，号太虚，是苏门四学士之一。④执政：宋代部分高级官员的通称。启：公文，书函。⑤两禁：禁指宫禁，北宋翰林学士直舍在皇宫北门两侧，因此"两禁"借指翰林院。⑥北扉：唐代为便于应召，学士院开北门，因此"北扉"借指翰林学士院。⑦典：掌管，主持。帮：即邦，地区，城市。⑧迭：屡次，连续。⑨漱啮：侵蚀。⑩凌夷：衰败，倾颓。⑪民业：民众从事的事业。⑫正德三年：公元1508年。⑬嘉靖十二年：公元1533年。⑭殆尽：差不多没有了。⑮万历二年：公元1574年。⑯灿然：鲜亮的样子。⑰括：结扎，捆束。⑱镌级：降低官阶，官职。⑲熙世：太平盛世。⑳萧萧：象声词，草木摇落的声音。㉑阗塞：拥挤。㉒董、巨：南唐著名山水画家董源和他的弟子巨然的并称。㉓气韵：绘画的意境和韵味。㉔癸丑：万历四十一年，公元1613年。㉕天汉：天河。㉖女墙：矮墙。㉗倅郡：担任郡守的副职，这里指通判。㉘妻孥：妻子和儿女。《诗经·常棣》："宜尔家室，乐尔妻孥。"㉙团蒲：僧人跪拜或诵经时所用的用蒲草编成的圆垫子，也用来当坐具。㉚整驾：备好车马，准备出发。㉛浮屠：佛塔。㉜蘧蘧：悠然自得的样子。㉝亡逋：逃亡的人，逃犯。㉞清景：清雅的景象。㉟幰（xiǎn）：车上的帷帐。㊱天矫：屈伸的样子。苍旻：苍天。㊲飙（biāo）：迅疾。㊳舒颦：舒展眉毛。㊴白舍人：白居易，曾任中书舍人。

[评析]

欣赏西湖胜景其实并不容易，从张岱文中追溯的从北宋到明末苏堤屡次兴建的历史中可以明确感到这一点。明末崇祯初，虽然社会已有衰退迹象，但是文人士大夫的游乐兴致一点儿不减，这也就成就了西湖湖堤的空前美景与享乐文化，从文中描写的盛会来看，所谓"旷古风流，熙世乐事"诚非虚言，只可惜这一切随着明王朝的覆灭很快就消失了，正印证了孟子"生于忧患，死于安乐"的至理名言。

湖心亭

湖心亭旧为湖心寺，湖中三塔，此其一也。明弘治间，按察司佥事阴子淑，秉宪甚厉①。寺僧怙镇守中官②，杜门不纳官长，阴廉其奸事③，毁之，并去其塔。嘉靖三十一年④，太守孙孟寻遗迹，建亭其上。露台亩许，周以石栏，湖山胜概⑤，一览无遗。数年寻圮。万历四年⑥，佥事徐廷裸重建。二十八年，司礼监孙东瀛改为清喜阁，金碧辉煌，规模壮丽，游人望之如海市蜃楼。烟云吞吐，恐滕王阁、岳阳楼，俱无甚伟观也。春时，山景睒烁⑦，书画古董，盈砌盈阶，喧阗扰嚷，声息不辨。夜月登此，阒寂凄凉⑧，如入鲛宫海藏⑨。月光晶沁，水气滃之，人稀地僻，不可久留。

张京元《湖心亭小记》：

湖心亭，雄丽空阔。时晚照在山，倒射水面，新月挂东，所不满者半规⑩，金盘玉饼，与夕阳彩翠，重轮交网，不觉狂叫欲绝。恨亭中四字匾、隔句对联，填楣盈栋，安得借咸阳一炬⑪，了此业障。

张岱《湖心亭小记》：

> 崇祯五年十二月，余住西湖。大雪三日，湖中人鸟声俱绝。是日更定矣，余拏一小舟，拥毳衣炉火，独往湖心亭看雪。雾淞沆砀，天与云、与山、与水，上下一白。湖上影子，惟长堤一痕，湖心亭一点，与余舟一芥，舟中人两三粒而已。到亭上，有两人铺毡对坐，一童子烧酒炉正沸。见余大惊喜曰："湖中焉得更有此人！"拉余同饮。余强饮三大白而别。问其姓氏，是金陵人，客此。及下船，舟子喃喃曰："莫说相公痴，更有痴似相公者。"

胡来朝《湖心亭柱铭》⑫：

> 四季笙歌，尚有穷民悲夜月。六桥花柳，浑无隙地种桑麻⑬。

郑烨《湖心亭柱铭》：

> 亭立湖心，俨西子载扁舟，雅称雨奇晴好⑭。席开水面，恍东坡游赤壁，偏宜月白风清⑮。

张岱《清喜阁柱对》：

> 如月当空，偶似微云点河汉⑯。在人为目，且将秋水剪瞳神⑰。

[注释]

①秉宪：执掌法令。②怙：依仗。镇守中官：朝廷派驻外地监督地方官员的太监。③廉：考察，查访。④嘉靖三十一年：公元1552年。⑤胜概：美景，美好的境界。⑥万历四年：公元1576年。⑦睺罗：释迦牟尼佛的独生子名罗睺罗，这里指泥塑小孩像。⑧阒（qù）寂：寂静。⑨鲛（jiāo）宫：龙宫。"鲛"通"蛟"。⑩半规：半圆形。⑪咸阳一炬：咸阳的一把大火，指项羽到咸阳后将秦宫烧毁，泛指一把火烧光。见《史记·项羽本纪》："项羽引兵西屠咸阳，杀秦降王子婴，烧秦宫室，火三月不灭。"⑫胡来朝：字杼丹，

号光六,赞皇人,万历二十六年进士,累官都察院右佥都御史,有清廉刚正之名。⑬隙地:空地。⑭"俨西子"二句:苏轼《饮湖上初晴后雨》:"湖光潋滟晴方好,山色空濛雨亦奇。欲把西湖比西子,淡妆浓抹总相宜。"⑮"恍东坡"二句:见苏轼《后赤壁赋》:"已而叹曰:'有客无酒,有酒无肴,月白风清,如此良夜何。'"⑯"如月"二句:语出《世说新语·言语》:"司马太傅斋中夜坐,于时天月明净,都无纤翳,太傅叹以为佳。谢景重在坐,答曰:'意谓乃不如微云点缀。'"⑰"在人"二句:《世说新语·言语》:"徐孺子年九岁,尝月下戏。人语之曰:'若令月中无物,当极明邪?'徐曰:'不然,譬如人眼中有瞳子,无此必不明。'"瞳神即瞳孔,看人的时候瞳孔中有人像,故瞳孔又称"瞳人",泛指眼珠。唐李贺《杜家唐儿歌》:"骨重神寒天庙器,一双瞳人剪秋水。"

[评析]

　　本文记载了湖心亭的历史变迁,盛赞万历二十八年以后太监孙隆改造清喜阁后的盛况,展现了此地春时的喧嚣和静夜的幽僻。

放生池

　　宋时有放生碑,在宝石山下。盖天禧四年①,王钦若请以西湖为放生池②,禁民网捕,郡守王随为之立碑也③。今之放生池,在湖心亭之南。外有重堤,朱栏屈曲,桥跨如虹,草树蓊翳,尤更岑寂④。古云三潭印月,即其地也。春时游舫如鹜,至其地者,百不得一。其中佛舍甚精,复阁重楼,迷禽闇日,威仪肃洁,器钵无声。但恨鱼牢幽闭,涨腻不流⑤,刿鬐缺鳞⑥,头大尾瘠⑦,鱼若能言,其苦万状。以理揆之⑧,孰若纵壑开樊,听其游泳,则物性自遂,深恨俗僧难与解释耳。昔年余到云栖,见鸡鹅豚羖⑨,共牢饥饿,日夕挨挤,堕水死者不计其数。余向莲池师再四疏说,亦谓未能免俗,聊复尔尔⑩。后见兔鹿猢狖亦受禁锁,余曰:"鸡凫豚羖,皆借食于人,若兔鹿猢狲,放之山林,皆能自食,何苦锁禁,待以胥縻⑪。"莲师大笑,悉为撤禁,听其所之,见者大快。

陶望龄《放生池》诗:

　　介卢晓牛鸣⑫,冶长识雀哓⑬。吾愿天耳通⑭,达此音声类。群鱼泣妻妾,鸡鹜呼弟妹。不独死可哀,生离亦可慨。闽语既嘤咿,吴听了难会⑮。宁闻闽人肉,忍作吴人脍。可怜登陆鱼,唵喁向人评⑯。人曰鱼口瘖,鱼言人耳背。何当破网罗,施之以无畏。

　　昔有二勇者,操刀相与酤。曰子我肉也,奚更求食乎。互割还互啖,彼尽我亦屠。食彼同自食,举世嗤其愚。还语血食人⑰,有以异此无?

　　吴越王钱镠于西湖上税渔,名"使宅渔"。一日,罗隐入谒,壁有《磻溪垂钓图》,王命题之。题云:"吕望当年展庙谟⑱,直钩钓国又何如?假令身住西湖上,也是应供使宅鱼。"王即罢渔税。

放生池柱对:

　　天地一网罟,欲度众生谁解脱。飞潜皆性命,但存此念即菩提。

[注释]

①天禧四年:公元1020年,宋真宗在位。②王钦若:字定国,谥文穆,江西省新余人,北宋真宗、仁宗时期的宰相,主编了大型政书《册府元龟》。③王随:字子正,北宋时曾任杭州知州。④岑寂:寂静,清静。⑤涨腻:浮在水面的泡沫。⑥刿(guì):割伤,刺伤。⑦瘠:瘦弱。⑧揆:推测,揣测。⑨豚羖(gǔ):猪和羊。⑩未能免俗,聊复尔尔:见《世说新语·任诞》。⑪胥縻:奴隶。⑫介卢:即介葛卢,春秋时期介国的国君。《春秋左传注疏》

卷十六："介葛卢闻牛鸣，曰：'是生三牺，皆用之矣，其音云。'问之而信。"⑬冶长识雀哕：公冶长懂得鸟雀的叫声。⑭天耳：保持本真的天然之耳。⑮难会：难以听懂。⑯谇：咒骂。⑰血食人：吃荤的人。⑱庙谟：谋划国家大事。

[评析]

本文介绍了宋代放生碑的所在并考索了它的来源，以区别明代的放生池。张岱在称赞了放生池佛舍精致和肃穆幽静的氛围之后，转而写其不足之处，即放生池禁闭，鱼儿拥挤在内不得出，导致身体畸形的苦状。张岱又回忆起往年到云栖寺，要求寺僧给家禽家畜自由遭到婉拒，后来再三陈述游说，总算兔鹿等野兽被解除禁锢事，反映了他的纯真与善良。

醉白楼

杭州刺史白乐天啸傲湖山时①，有野客赵羽者②，湖楼最畅，乐天常过其家，痛饮竟日，绝不分官民体③。羽得与乐天通往来④，索其题楼。乐天即颜之曰"醉白"⑤。在茅家埠，今改吴庄。一松苍翠，飞带如虬⑥，大有古色，真数百年物。当日白公，想定盘礴其下。

倪元璐《醉白楼》诗：

　　金沙深处白公堤，太守行春信马蹄。冶艳桃花供祗应⑦，迷离烟柳藉提携。闲时风月为常主，到处鸥凫是小俟。野老偶然同一醉，山楼何必更留题。

[注释]

①啸傲：放歌长啸，放旷不受拘束。②野客：村野之人，借指隐逸者。③体：体统，体制，礼制。④通：往来，交好。⑤颜：题匾。⑥虬（qiú）：传说中的无角龙。⑦祗应：恭敬地伺候，照应。

[评析]

此文通过白居易在杭州任职期间,与隐士赵羽往来的逸事,引出醉白楼得名缘起、醉白楼的位置和现今楼旁松树的虬劲之状,并想象了当日白居易在树下游乐的情景。张岱欣赏白居易的乐观潇洒,而此文也写得飘逸奔放,明白晓畅,堪与白居易的个性及文学风格匹配。

小青佛舍

小青,广陵人[①]。十岁时遇老尼,口授《心经》,一过成诵。尼曰:"是儿早慧福薄,乞付我作弟子。"母不许。长好读书,解音律,善奕棋。误落武林富人,为其小妇。大妇奇妒,凌逼万状。一日携小青往天竺,大妇曰:"西方佛无量,乃世独礼大士,何耶?"小青曰:"以慈悲故耳。"大妇笑曰:"我亦慈悲若。"乃匿之孤山佛舍,令一尼与俱。小青无事,辄临池自照,好与影语,絮絮如问答,人见辄止。故其诗有"瘦影自临春水照,卿须怜我我怜卿"之句。后病瘵[②],绝粒,日饮梨汁少许,奄奄待尽。乃呼画师写照,更换再三,都不谓似。后画师注视良久,匠意妖纤[③]。乃曰:"是矣。"以梨酒供之榻前,连呼:"小青!小青!"一恸而绝,年仅十八。遗诗一帙。大妇闻其死,立至佛舍,索其图并诗焚之,遽去。

小青《拜慈云阁》诗:
　　稽首慈云大士前[④],莫生西土莫生天。愿将一滴杨枝水,洒作人间并蒂莲。
又《拜苏小小墓》诗:

西泠芳草绮粼粼⑤，内信传来唤踏青。杯酒自浇苏小墓，可知妾是意中人。

[注释]

①广陵：扬州。②瘵（zhài）：病，多指痨病。③匠意：刻意，措意。妖纤：妖媚柔弱。④慈云大士：观音菩萨。⑤粼粼：形容草像绿水一样闪映。

[评析]

本文记载了一个天生聪慧但命运不幸的年轻女子小青的故事。小青天生有奇才，却不幸嫁给富人做了妾室，又不幸遇上一个阴险狠毒的正房夫人，最终被幽闭在孤山佛舍，郁郁而死。张岱通过记叙这个故事，表达了对这位年轻才女的真切同情。

卷 四

西湖南路

柳洲亭

柳洲亭，宋初为丰乐楼。高宗移汴民居杭地嘉、湖诸郡，时岁丰稔①，建此楼以与民同乐，故名。门以左，孙东瀛建问水亭。高柳长堤，楼船画舫，会合亭前，雁次相缀。朝则解维，暮则收缆。车马喧阗，驺从嘈杂②，一派人声，扰嚷不已。堤之东尽为三义庙。过小桥折而北，则吾大父之寄园③、铨部戴斐君之别墅④。折而南则钱麟武阁学⑤、商等轩冢宰⑥、祁世培柱史、余武贞殿撰⑦、陈襄范掌科各家园亭⑧，鳞集于此。过此，则孝廉黄元辰之池上轩、富春周中翰之芙蓉园，比间皆是⑨。今当兵燹之后，半椽不剩，瓦砾齐肩，蓬蒿满目。李文叔作《洛阳名园记》⑩，谓以名园之兴废，卜洛阳之盛衰；以洛阳之盛衰，卜天下之治乱。诚哉言也！余于甲午年⑪，偶涉于此，故宫离黍⑫，荆棘铜驼⑬，感慨悲伤，几效桑苎翁之游苕溪⑭，夜必恸哭而返。

张杰《柳洲亭》诗⑮：

> 谁为鸿濛凿此陂⑯，涌金门外即瑶池。平沙水月三千顷，画舫笙歌十二时。今古有诗难绝唱，乾坤无地可争奇。溶溶漾漾年年绿⑰，销尽黄金总不知⑱。

王思任《问水亭》诗：

> 我来一清步⑲，犹未拾寒烟。灯外兼星外，沙边更槛边。孤山供好月，高雁语空天⑳。辛苦西湖水，人还即熟眠。

赵汝愚《丰乐楼柳梢青》词㉑：

> 水月光中，烟霞影里，涌出楼台。塞外笙箫，云间笑语，人在蓬莱。　天香暗逐风回，正十里荷花盛开。买个小舟，山南游遍，山北归来。

[注释]

①丰稔（rěn）：丰收。②驺从：贵族骑马的侍从。③大父：祖父。④铨部：吏部。⑤钱麟武阁学：东阁大学士钱象坤，字弘载，号麟武，会稽人，明万历进士。⑥商等轩冢宰：吏部尚书商周祚。⑦余武贞殿撰：即余煌，字武贞，天启五年状元，曾任翰林修撰。⑧掌科：各科的都给事中。⑨比间：比、间是古代户籍编制的基本单位，五家为比，五比为间，因此比间泛指乡里。⑩李文叔：著名女词人李清照的父亲李格非，字文叔。北宋进士，官吏部员外郎。有《洛阳名园记》一卷。⑪甲午：顺治十一年，公元1654年。⑫故宫离黍：《诗经·黍离》序："黍离，闵宗周也。周大夫行役至于宗周，过故宗庙宫室，尽为禾黍。闵周室之颠覆，彷徨不忍去而作是诗也。"喻指亡国。⑬荆棘铜驼：典出《晋书》卷六十："靖有先识远量，知天下将乱，指洛阳宫门铜驼叹曰：'会见汝在荆棘中耳。'"喻指亡国。⑭"桑苎翁"句：《新唐书》卷

一百九十六：陆羽"上元初更隐苕溪，自称桑苎翁。阖门著书，或独行野中。诵诗击木，裴回不得意，或恸哭而归，故时谓今接舆也"。⑮张杰：字子兴，号平洲生，明代杭州人。⑯鸿濛：宇宙形成前的混沌状态。陂：水池。⑰溶溶漾漾：水流盛大，漂荡闪烁的样子。⑱销尽黄金：西湖旧有号"销金锅儿"。⑲一清步：又作"一清埠"，西湖游船的出发地。⑳高雁：高飞的大雁。空天：辽阔的天空。㉑赵汝愚：字子直，饶州余干人，南宋时官至右丞相。

[评析]

本文从柳洲亭的历史和风景描绘出发，转而介绍亭边长堤东侧张岱祖父及各士大夫的园亭，文中未及介绍园亭如何繁华，又马上转入时变世衰造成的满目疮痍之境，再言及乱后亲自到访事，触景生情，痛哭流涕，表达了沉痛的亡国思家之感。

灵芝寺

灵芝寺，钱武肃王之故苑也①。地产灵芝，舍以为寺②。至宋而规制浸宏③，高、孝两朝，四临幸焉。内有浮碧轩、依光堂，为新进士题名之所。元末毁，明永乐初僧竺源再造，万历二十二年重修④。余幼时至其中看牡丹，干高丈余，而花蕊烂熳，开至数千余朵，湖中夸为盛事。寺畔有显应观，高宗以祀崔府君也。崔名子玉，唐贞观间为磁州滏阳令，有异政⑤，民生祠之⑥，既卒，为神。高宗为康王时，避金兵，走巨鹿，马毙，冒雨独行，路值三歧⑦，莫知所往。忽有白马在道，鞯驭乘之⑧，驰至崔祠，马忽不见。但见祠马赭汗如雨⑨，遂避宿祠中。梦神以杖击地，促其行。趋出门⑩，马复在户，乘至斜桥，会耿仲南来迎，策马过涧⑪，见水即化。视之，乃崔府君祠中泥马也。及即位，立祠报德，累朝崇奉异常。六月六日是其生辰，游人阗塞。

张岱《灵芝寺》诗:

项羽曾悲骓不逝⑫,活马犹然如泥塑。焉有泥马去如飞,等闲直至黄河渡⑬。一堆龙骨蜕厓前,迢递芒砀迷云路⑭。茕茕一介走亡人⑮,身陷柏人脱然过⑯。建炎尚是小朝廷,百灵亦复加呵护⑰。

[注释]

①故苑:曾经拥有的苑囿。②舍:出让,施舍。③浸宏:逐渐宏大。④万历二十二年:公元1594年。⑤异政:出色的政绩。⑥生祠:供奉活人的祠堂。⑦歧:岔路口。⑧鞚(kòng)驭:控制、驾驭马匹。⑨赭汗:红色的汗滴。⑩趋:快步走,小跑。⑪策:驱赶。⑫项羽曾悲骓不逝:见《史记·项羽本纪》:"项王军壁垓下,兵少食尽,汉军及诸侯兵围之数重,夜闻汉军四面皆楚歌,项王乃大惊曰:'汉皆已得楚乎?是何楚人之多也?'项王则夜起,饮帐中,有美人名虞,常幸从,骏马名骓,常骑之。于是项王乃悲歌忼慨,自为诗曰:力拔山兮气盖世,时不利兮骓不逝。骓不逝兮可奈何,虞兮虞兮奈若何!歌数阕,美人和之,项王泣数行下。"⑬等闲:无端,平白。⑭迢递:遥远。芒砀:广阔无边。⑮茕茕:孤独无依的样子。一介:一个。⑯柏人:皇帝行止戒备,出自《史记·张耳陈馀列传》:"汉八年,上从东垣还,过赵,贯高等乃壁人柏人,要之置。上过欲宿,心动,问曰:'县名为何?'曰:'柏人。''柏人者,迫于人也!'不宿而去。"⑰百灵:各种神灵。

[评析]

本文介绍了灵芝寺构建、扩建和名声渐盛的历史,以及幼年亲见灵芝寺牡丹的盛况,突出了灵芝寺的特色。接下来是与灵芝寺相邻的显应观,相传主神崔子玉在南渡时救过高宗,因而得以兴盛。张岱叙述神异故事语言精练,情节起伏,引人入胜,与神怪小说风格无二,本文仍体现了这一长处。

钱王祠

钱镠,临安石鉴乡人,骁勇有谋略①。壮而微②,贩盐自活③。唐僖宗时，平浙寇王仙芝，拒黄巢，灭董昌，积功自显。梁开平元年④，封镠为吴越王。有讽镠拒梁命者⑤，镠笑曰："吾岂失一孙仲谋耶！"遂受之。改其乡为临安县，军为锦衣军。是年，省茔垄⑥，延故老⑦，旌钺鼓吹，振耀山谷。自昔游钓之所，尽蒙以锦绣，或树石至有封官爵者，旧贸盐担，亦裁锦韬之⑧。一邻媪九十余⑨，携壶浆迎于道左，镠下车亟拜⑩。媪抚其背，以小字呼之曰："钱婆留，喜汝长成。"盖初生时，光怪满室⑪，父惧，将沉于了溪，此媪苦留之，遂字焉。为牛酒大陈⑫，以饮乡人；别张蜀锦为广幄⑬，以饮乡妇。年上八十者饮金爵，百岁者饮玉爵。镠起劝酒，自唱还乡歌以娱宾，曰："玉节还乡兮挂锦衣⑭，父老远近来相随。斗牛光起天无欺，吴越一王驷马归⑮。"时将筑宫殿，望气者言⑯："因故府大之⑰，不过百年；填西湖之半，可得千年。"武肃笑曰："焉有千年而其中不出真主者乎⑱？奈何困吾民为⑲！"遂弗改造。宋熙宁间，苏子瞻守郡，请以龙山废祠妙音院者，改为表忠观以祀之。今废。明嘉靖三十九年⑳，督抚胡宗宪建祠于灵芝寺址㉑，塑三世五王像，春秋致祭，令其十九世孙德洪者守之。郡守陈柯重镌表忠观碑记于祠。

苏轼《表忠观碑记》：

熙宁十年十月戊子㉒，资政殿大学士、右谏议大夫、知杭州军事臣抃言："故越国王钱氏坟庙，及其父、祖、妃、夫人、子孙之坟，在钱塘者二十有六，在临安者十有一，皆芜秽不治㉓，父老过之，有流涕者。谨按：故武肃王镠，始以乡兵破走黄巢㉔，名闻江淮。复以八都兵讨刘汉宏㉕，并越州以奉董昌㉖，而自居于杭。及昌以越叛，则诛昌而并越,尽有浙东西之地,传其子文穆王元瓘,至其孙忠献王仁佐,遂破李景兵而取福州[22]。而仁佐之弟忠懿王俶又大出兵攻景,以迎周世宗之师[23],其后,卒以国入觐[29]。三世四王,与五代相为终始。天下大乱,豪杰蜂起,方是时,以数州之地盗名字者不可胜数[30]。既覆其族[31],延及于无辜之民,罔有子遗[32]。而吴越地方千里,带甲十万,铸山煮海,象犀珠玉之富甲于天下,然终不失臣节,贡献相望于道[33]。是以其民至于老死不识兵革[34],四时嬉游,歌舞之声相闻,至于今不废。其有德于斯民甚厚。皇帝受命,四方僭乱[35],以次削平[36]。西蜀江南[37],负其险远,兵至城下,力屈势穷,然后束手。而河东刘氏[38],百战守死,以抗王师,积骸为城,洒血为池,竭天下之力,仅乃克之[39]。独吴越不待告命[40],封府库,籍郡县,请吏于朝,视去国如传舍[41],其有功于朝廷甚大。昔窦融以河西归汉[42],光武诏右扶风修其父祖坟茔[43],祀以太牢[44]。今钱氏功德殆过于融,而未及百年,坟庙不治,行道伤嗟[45],甚非所以劝奖忠臣、慰答民心之义也。臣愿以龙山废佛寺曰妙音院者为观,使钱氏之孙为道士曰自然者居之。凡坟庙之在钱塘者,以付自然。其在临安者,以付其县之净土寺僧曰道微。岁各度其徒一人[46],使世掌之。籍其地之所入,以时修其祠宇,封植其草木。有不治者,县令丞察之,甚者易其人,庶几永终不堕,以称朝廷待钱氏之意。臣昧死以闻[47]。"制曰:可。其妙音院赐改名表忠观。

铭曰:天目之山,苕水出焉。龙飞凤舞,萃于临安[48]。笃生异人[49],绝类离群。奋挺大呼[50],从者如云。仰天誓江[51],月星晦蒙。强弩射潮[52],江海为东。杀宏诛昌,奄有吴越。金券玉册[53],虎符龙节[54]。大城其居,包络山川。左江右湖，控引岛蛮㊽。岁时归休㊾，以燕父老。眸如神人㊿，玉带球马㊽。四十一年，寅畏小心㊾。厥篚相望㊿，大贝南金㉛。五胡昏乱㉜，罔堪托国㉝。三王相承，以符有德。既获所归，弗谋弗咨。先王之志，我维行之。天祚忠孝㉞，世有爵邑。允文允武，子孙千亿。帝谓守臣，治其祠坟。毋俾樵牧㉟，愧其后昆㊱。龙山之阳，㲋焉斯宫。匪私于钱，惟以劝忠。非忠无君，非孝无亲。凡百有位，视此刻文。

张岱《钱王祠》诗：

扼定东南十四州，五王并不事兜鍪。英雄球马朝天子，带砺山河拥冕旒㊲。大树千株被锦绂，钱塘万弩射潮头。五胡纷扰中华地，歌舞西湖近百秋㊳。

又《钱王祠柱铭》：

力能分土㊴，提乡兵杀宏诛昌；一十四州，鸡犬桑麻，撑住东南半壁。

志在顺天，求真主迎周归宋；九十八年，象犀筐篚㊵，混同吴越一家。

[注释]

①骁勇：勇猛。②微：身份低下，微贱。③自活：养活自己。④梁开平元年：公元907年。⑤讽：用委婉的语言暗示或劝告。⑥省茔垄：扫祖墓。⑦延故老：延请故里的长辈。⑧韬：包裹，藏。⑨邻媪：邻居老妇。⑩巫拜：急忙下拜。⑪光怪：神奇怪异的现象。⑫牛酒：牛和酒，古代用来犒劳、祭祀。大陈：大肆铺张。⑬广幄：宽广的帐篷。⑭玉节：玉制的符节，古代官员所持有。⑮驷马：显贵的人所乘的四匹马拉的一辆车。⑯望气者：观测云气占卜的人。⑰因：凭借。故府：原来的府第。大：扩建。⑱真主：贤明的君主。⑲困：使穷尽，窘迫。⑳嘉靖三十九年：公元1560年。㉑胡宗宪：字汝贞，安徽绩溪人。明嘉靖进士，曾任浙江巡抚、兵部右侍郎、太子太保，谥号"襄懋"。㉒熙宁十年：公元1077年。㉓不治：没有修整。㉔破走：打败，使

逃走。黄巢：唐末枭雄，曾起兵取洛阳，攻下长安，自称齐帝，后失败被杀。㉕八都兵：晚唐以后军队千人为一都，八都为八千士兵。刘汉宏：唐代越州观察使，曾与钱镠交战，被杀。㉖董昌：临安人，曾镇压黄巢军，唐昭宗时叛唐称王，被钱镠所杀。㉗李景：南唐中主李璟，软弱无能，曾割地给后周并称臣，但擅长填词，留下许多名篇。㉘周世宗：柴荣，后周第二代皇帝。㉙入觐：入朝觐见帝王，表示归附。㉚盗名字：违制称帝。㉛覆：全部灭掉。㉜罔有孑遗：一个都没有留下。㉝贡献：献给朝廷的贡品。㉞兵革：兵器和甲胄，代指战争。㉟僭乱：超出礼法的叛乱。㊱以次：逐一，逐次。削平：平定。㊲西蜀：指后蜀。江南：即南唐。㊳河东刘氏：指刘崇建立的北汉政权。㊴克：战胜，攻克。㊵告命：帝王的诏命。㊶传舍：旅店。㊷窦融：字周公，陕西扶风人。新莽末期割据河西，后归汉光武帝。㊸光武：东汉光武帝刘秀。㊹太牢：古代祭祀时用牛羊豕三牲，谓之太牢。㊺行道：行人。伤嗟：哀伤嗟叹。㊻度：使人出家。㊼昧死：冒昧而犯死罪，大臣上书帝王时经常用此语，表示敬畏。㊽萃：萃集。㊾笃生：生而得天独厚。㊿奋挺：奋起。㊿誓江：见《晋书·祖逖传》："将本流徙部曲百余家渡江，中流击楫而誓曰：'祖逖不能清中原而复济者，有如大江！'"后以"誓江"为矢志收复失地、安邦定国的典故。㊿"强弩"句：后梁开平四年（910），钱镠筑海塘，为镇波涛，曾以强弩射潮。㊿金券：铁券的美称，是帝王赐给大臣的信物。册：帝王册立、封赠的诏书。㊿虎符：帝王授予兵权和调发军队的虎形信物，最初是玉制作的，后改铜制。背面有铭文，分为两半，右半留中央，左半下发。调发军队时，须持符验对。龙节：铸有铜龙的节杖，出使他国时所执信物。㊿控引：控制，掌握。岛蛮：海岛上的居民。㊿归休：回家休息。㊿晬：盛美，华美。㊿玉带：带玉的腰带。球马：打球时所乘的马。《新五代史》卷六十七："太祖尝问吴越进奏吏曰：'钱镠平生有所好乎？'吏曰：'好玉带名马。'太祖笑曰：'真英雄也。'乃以玉带一匣、打球御马十匹赐之。"㊿寅畏：敬畏。㊿篚（fěi）：盛物的竹器。㊿大贝：贝之一种，古代视为宝器。南金：南方出产的铜，也泛指贵重物品。后者多作贡品。㊿五胡：晋室内乱，北方匈奴族、羯族、鲜卑族、氐族、羌族相继在中原称帝，史称"五胡"。㊿罔堪：不能。㊿天祚：上天赐福。㊿毋俾：不让。樵牧：伐木，放牧。㊿后昆：后代。㊿带砺：衣带和砥石。《史记·高祖功臣侯者年表》："封爵之誓曰：'使黄河如带，泰山若砺。国以永宁，爰及苗裔。'"裴骃集解引汉应劭曰："封爵之誓，国家欲使功臣传祚无穷。带，衣带也；砺，砥石也。"后因以"带砺"为受皇家恩宠与国同休的典故。⑱百秋：百年。⑲分土：划分疆土。⑳象犀：象牙和犀牛角，代指贡品。

[评析]

本文虽以钱王祠为题，其实直接介绍钱王祠首建和重建、祭祀等状况的只有文末几句。文中大部分是记叙钱镠的生平，在事件中体现了钱镠的天生神异，以及骁勇善战、深谋远虑、体察时务、主动顺应的个性特征。衣锦还乡后，钱镠不听方士之言，不劳民力毁西湖以延续王脉，表现出体恤百姓、爱民如子的可贵品质。张岱通过对这些历史事件的描写，充分表达了对这位贤王的崇敬之心。

净慈寺

净慈寺，周显德元年钱王俶建①，号慧日永明院，迎衢州道潜禅师居之。潜尝欲向王求金铸十八阿罗汉②，未白也。王忽夜梦十八巨人随行。翌日，道潜以请，王异而许之，始作罗汉堂。宋建隆初③，禅师延寿以佛祖大意，经纶正宗④，撰《宗镜录》一百卷，遂作宗镜堂。熙宁中⑤，郡守陈襄延僧宗本居之⑥。岁旱，湖水尽涸。寺西隅甘泉出，有金色鳗鱼游焉，因凿井，寺僧千余人饮之不竭，名曰圆照井。南渡时，毁而复建，僧道容鸠工五岁始成⑦。塑五百阿罗汉，以田字殿贮之。绍兴九年⑧，改赐净慈报恩光化寺额。复毁。孝宗时，一僧募缘修殿⑨，日餍酒肉而返⑩，寺僧问其所募钱几何，曰："尽饱腹中矣。"募化三年⑪，簿上布施金钱，一一开载明白⑫。一日，大喊街头曰："吾造殿矣。"复置酒肴，大醉市中，搦喉大呕⑬，撒地皆成黄金，众缘自是毕集，而寺遂落成。僧名济颠。识者曰："是即永明后身也。"嘉泰间[14]，复毁，再建于嘉定三年[15]。寺故闳大[16]，甲于湖山。翰林程珌记之[17]，有"湿红映地，飞翠侵霄[18]，檐转鸾翎，阶排雁齿[19]。星垂珠网，宝殿洞乎琉璃；日耀璇题[20]，金椽耸乎玳瑁"之语。时宰官建议，以京辅佛寺推次甲乙[21]，尊表五山[22]，为诸刹纲领，而净慈与焉。先是，寺僧艰汲[23]，担水湖滨。绍定四年[24]，僧法熏以锡杖扣殿前地，出泉二派，锹为双井，水得无缺。淳祐十年[25]，建千佛阁，理宗书"华严法界正偏知阁"八字赐之。元季，湖寺尽毁，而兹寺独存。明洪武间毁，僧法净重建。正统间复毁，僧宗妙复建。万历二十年[26]，司礼监孙隆重修，铸铁鼎，葺钟楼，构井亭，架掉楔[27]。永乐间，建文帝隐遁于此[28]，寺中有其遗像，状貌魁伟，迥异常人。

袁宏道《莲花洞小记》：

　　莲花洞之前为居然亭。亭轩豁可望，每一登览，则湖光献碧，须眉形影，如落镜中。六桥杨柳一络，牵风引浪，萧疏可爱。晴雨烟月，风景互异，净慈之绝胜处也。洞石玲珑若生，巧逾雕镂。余常谓吴山南屏一派皆石骨土肤，中空四达，愈搜愈出。近若宋氏园亭，皆搜得者。又紫阳宫石，为孙内使搜出者甚多[29]。噫，安得五丁神将，挽钱塘江水，将尘泥洗尽，出其奇奥，当何如哉！

王思任《净慈寺》诗：

　　净寺何年出，西湖长翠微。佛雄香较细，云饱绿交肥[30]。岩竹支僧阁，泉花蹴客衣。酒家莲叶上，鸥鹭往来飞。

[注释]

①周显德元年：公元954年。显德，后周世宗柴荣年号。②阿罗汉：断绝嗜欲，解脱了烦恼的僧人。③宋建隆：宋太祖赵匡胤年号，公元960至963年。④经纶：整理，统筹。⑤熙宁：宋神宗赵顼年号，公元1068至1077年。⑥陈襄：字述古，曾任杭州知州，时苏轼任杭州通判。⑦鸠工：聚集工匠。⑧绍兴九年：公元1139年。⑨募缘：化缘。⑩餍：吃饱。⑪募化：化缘。⑫开载：逐一记载。⑬摳喉：抠喉咙。⑭嘉泰：南宋宁宗年号，公元1201至1204年。⑮嘉定三年：公元1210年。⑯闳大：宏大，宽广。⑰程珌：字怀古，徽州休宁人。南宋绍熙进士，官至礼部尚书。⑱侵霄：插入云霄。⑲雁齿：比喻排列整齐之物。⑳璇题：玉饰的椽头。㉑京辅：国都及其附近地区。㉒推次：推列次第。㉓尊表：推尊，显扬。五山：五座寺庙，指钱塘灵隐寺、净慈寺、宁波七塔寺、鄞县天童寺、阿育王寺，称作禅院五山。㉔艰汲：打水困难。㉔绍定四年：公元1231年。㉕淳祐十年：公元1250年。㉖万历二十年：公元1592年。㉗掉楔：掉下来的楔子。楔子是插入榫缝或空隙中起固定作用的竹木片。㉘建文帝：朱元璋之孙明惠帝朱允炆，年号建文，颇有惠政。朱棣兵入南京，建文帝不知去向。㉙孙内使：太监孙隆。㉚绿交肥：绿植重叠在一起，使绿色显得更深。

[评析]

本文记载了净慈寺的建造、名称沿革变化和被尊为五山之一的历史。中间插入了许多异闻，如钱俶夜梦十八巨人随行，第二日正逢释道潜请建十八罗汉堂；净慈寺在南朝宋和南宋时两次出奇泉；僧济颠化缘三年，口吐黄金；建文帝避难隐遁于此，等等，使散文兼具文史色彩，声情并茂。

小蓬莱

小蓬莱在雷峰塔右，宋内侍甘升园也①。奇峰如云，古木蓊蔚，理宗常临幸。有御爱松，盖数百年物也。自古称为小蓬莱。

石上有宋刻"青云岩""鳌峰"等字。今为黄贞父先生读书之地②，改名"寓林"，题其石为"奔云"。余谓"奔云"得其情，未得其理。石如滇茶一朵，风雨落之，半入泥土，花瓣棱棱，三四层折。人走其中，如蝶入花心，无须不缀。色黝黑如英石③，而苔藓之古，如商彝周鼎入土千年，青绿彻骨也。贞父先生为文章宗匠④，门人数百人⑤。一时知名士，无不出其门下者。余幼时从大父访先生⑥。先生面鹢黑，多髭须，毛颊，河目海口，眉棱鼻梁，张口多笑。交际酬酢，八面应之。耳聆客言，目睹来牍⑦，手书回札，口嘱傒奴，杂沓于前，未尝少错。客至，无贵贱，便肉、便饭食之，夜即与同榻。余一书记往，颇秽恶，先生寝食之无异也⑧。天启丙寅⑨，余至寓林，亭榭倾圮，堂中窀先生遗蜕⑩，不胜人琴之感。今当丁酉⑪，再至其地，墙围俱倒，竟成瓦砾之场。余欲筑室于此，以为东坡先生专祠，往鬻其地⑫，而主人不肯。但林木俱无，苔藓尽剥。"奔云"一石，亦残缺失次，十去其五。数年之后，必鞠为茂草⑬，荡为冷烟矣⑭。菊水桃源，付之一想。

张岱《小蓬莱奔云石》诗：
　　滇茶初着花⑮，忽为风雨落。簇簇起波棱，层层界轮廓。如蝶缀花心，步步堪咀嚼。薜萝杂松楸，阴翳罩轻幕。色同黑漆古，苔斑解竹箨⑯。土绣鼎彝文，翡翠兼丹腹⑰。雕琢真鬼工，仍然归浑朴。须得十年许，解衣恣盘礴⑱。况遇主人贤，胸中有丘壑。此石是寒山，吾语尔能诺。

[注释]
①内侍：宦官。甘升：宋孝宗时太监，任内侍省押班。②黄贞父：即黄汝亨，字贞父。③英石：广东英德县所产的石头，形如峰峦，千姿百态，有微青、灰黑、浅绿、灰白等数种颜色。④宗匠：技艺高超的匠人，常用来指政治

或学问等方面有重大成就和威望的人。⑤门人：弟子。⑥从：跟随。⑦来牍：来信。⑧无异：没什么两样。⑨天启丙寅：天启六年，公元1626年。⑩窀(zhūn)：埋葬。⑪丁酉：顺治十四年，公元1657年。⑫鬻：购买。⑬鞠：尽，完全。⑭荡：破坏，荡平。⑮着花：长出花蕾或花朵。⑯竹箓：竹笋。⑰丹膔：上等的红颜料。⑱盘礴：箕踞，伸开两腿坐，是比较随意的坐姿。宋苏轼《和〈饮酒〉》序："在扬州时，饮酒过午辄罢，客去，解衣盘礴终日，欢不足，而适有余。"

[评析]

本文从追溯小蓬莱园亭在宋代的历史和故事入手，记叙了明末小蓬莱主人黄贞父的读书教授生活与豁达开明的气质风度，再转至乱后黄先生弃世、园亭狼藉的情形，表达了对黄先生和昔日平静美好生活的怀念。

雷峰塔

雷峰者，南屏山之支麓也①。穹窿回映②，旧名中峰，亦名回峰。宋有雷就者居之，故名雷峰。吴越王于此建塔，始以十三级为准，拟高千尺。后财力不敷③，止建七级。古称王妃塔。元末失火，仅存塔心。雷峰夕照，遂为西湖十景之一。曾见李长蘅题画有云："吾友闻子将尝言：'湖上两浮屠，保俶如美人，雷峰如老衲。'予极赏之。辛亥在小筑④，与沈方回池上看荷花，辄作一诗，中有句云：'雷峰倚天如醉翁。'严印持见之，跃然曰⑤：'子将老衲不如子醉翁，尤得其情态也。'盖余在湖上山楼，朝夕与雷峰相对，而暮山紫气，此翁颓然其间⑥，尤为醉心。然予诗落句云⑦：'此翁情淡如烟水。'则未尝不以子将老衲之言为宗耳。癸丑十月醉后题⑧。"

林逋《雷峰》诗：

中峰一径分，盘折上幽云。夕照前林见，秋涛隔岸闻。长松标古翠，疏竹动微熏。自爱苏门啸⑨，怀贤事不群。

张岱《雷峰塔》诗：

闻子状雷峰，老僧挂偏裰⑩。日日看西湖，一生看不足。

时有熏风至，西湖是酒床⑪。醉翁潦倒立，一口吸西江。

惨淡一雷峰，如何擅夕照⑫。遍体是烟霞，掀髯复长啸⑬。

怪石集南屏，寓林为其窟。岂是米襄阳，端严具袍笏。

[注释]

①支麓：支脉。②穹窿：高大长曲的样子。③不数：不足。④辛亥：康熙十年，公元1671年。⑤跃然：欣然。清邵长蘅《夜游孤山记》："余游兴跃然，偕学士呼小艇，渡孤山麓。"⑥颓然：颓放不羁，酒酣的样子。宋欧阳修《醉翁亭记》："苍颜白发，颓然乎其间者，太守醉也。"⑦落句：律诗的尾联，绝句。⑧癸丑：康熙十二年，公元1673年。⑨苏门啸：《晋书·阮籍传》："籍尝于苏门山遇孙登，与商略终古及栖神导气之术。登皆不应，籍因长啸而退。至半岭，闻有声若鸾凤之音，响乎岩谷，乃登之啸也。"后以"苏门啸"指啸咏，亦比喻高士的情趣。⑩偏裰（dū）：衣服背上的中缝偏了，指僧衣。⑪酒床：饮酒用的几案。⑫擅：独特，出群。⑬掀髯：笑时胡须张开的样子，表示兴奋激动。宋苏轼《次韵刘景文兄见寄》："细看落墨皆松瘦，想见掀髯正鹤孤。"

[评析]

本文简略介绍了雷峰塔的地理位置、命名变化与缘由、从五代到元末的建毁情况，而重点记载了与雷峰塔相关的一则论诗趣闻。从雷峰似老衲还是似醉翁的评论和分析中，展现了古代文人作诗与论诗的高雅情趣。

包衙庄①

西湖之船有楼,实包副使涵所创为之。大小三号:头号置歌筵,储歌童;次载书画;再次俟美人。涵老以声伎非侍妾比,仿石季伦、宋子京家法,都令见客。常靓妆走马,嫛姍勃窣,穿柳过之,以为笑乐。明槛绮疏,曼讴其下,撅簖弹筝,声如莺试。客至,则歌僮演剧,队舞鼓吹,无不绝伦。乘兴一出,住必浃旬,观者相逐,问其所之。南园在雷峰塔下,北园在飞来峰下。两地皆石薮,积牒磊砢,无非奇峭。但亦借作溪涧桥梁,不于山上叠山,大有文理。大厅以拱斗抬梁,偸其中间四柱,队舞狮子甚畅。北园作八卦房,园亭如规,分作八格,形如扇面。当其狭处,横亘一床,帐前后开合,下里帐则床向外,下外帐则床向内。涵老据其中,肩上开明窗,焚香倚枕,则八床面面皆出。穷奢极欲,老于西湖者二十年。金谷、郿坞,着一毫寒俭不得,索性繁华到底,亦杭州人所谓"左右是左右"也。西湖大家何所不有,西子有时亦贮金屋。咄咄书空,则穷措大耳。

陈函辉《南屏包庄》诗②:
独创楼船水上行,一天夜气识金银③。歌喉裂石惊鱼鸟,灯火分光入藻蘋。潇洒西园出声伎④,豪华金谷集文人⑤。自来寂寞皆唐突,虽是逋仙亦恨贫⑥。

[注释]

①此篇与《陶庵梦忆》卷三《包涵所》内容相同,注释详见前文。②陈函辉:原名炜,字木叔,号小寒山子、寒椒道人,浙江临海人。崇祯七年进士,明亡殉国。③"一天"句:唐杜甫《题张氏隐居二首》之一有句"不贪

夜识金银气",此谓包涵所之富奢。④西园:指曹操在邺都所建之园墅,为君臣宴游之所。⑤"豪华"句:晋石崇曾邀集众多文人墨客在金谷园中诗酒作乐。⑥逋仙:指宋代著名隐士林逋。

[评析]

本文记载了明末官僚文人包涵所在西湖的退隐生活,奢华侈靡却又精巧细致、不同凡俗,如此多面性让张岱对包涵所难置可否,故散文在情感上较为复杂,表现出艳羡多于慨叹的特征。

南高峰

南高峰在南北诸山之界①,羊肠佶屈②,松篁葱蒨,非芒鞋布袜③,努策支筇④,不可陟也⑤。塔居峰顶,晋天福间建,崇宁、乾道两度重修。元季毁。旧七级,今存三级。塔中四望,则东瞰平芜⑥,烟销日出,尽湖中之景。南俯大江,波涛泂洑⑦,舟楫隐见杳霭间⑧。西接岩窦⑨,怪石翔舞,洞穴邃密⑩。其侧有瑞应像⑪,巧若鬼工。北瞩陵阜⑫,陂陀曼延⑬,箭栝丛出⑭,麰麦连云⑮。山椒巨石⑯,屹如峨冠者⑰,名先照坛,相传道者镇魔处。峰顶有钵盂潭、颖川泉,大旱不涸,大雨不盈。潭侧有白龙洞。

道隐《南高峰》诗:

南北高峰两郁葱,朝朝滃浡海烟封。极颠螺髻飞云栈,半岭峨冠怪石供。三级浮屠巢老鹳,一泓清水蟄痴龙。倘思济胜烦携具,布袜芒鞋策短筇。

[注释]

①界:交界处。②羊肠佶屈:山路狭窄盘曲,像羊肠一样。③芒鞋:芒的外皮编成的鞋,泛指草鞋。④努策支筇:用力撑着拐棍。⑤陟:登上。⑥平

芜：平原。⑦洄洑：湍急回旋。⑧杳霭：缥缈的云雾。⑨岩窦：岩穴。⑩邃密：幽深。⑪瑞应：古人认为帝王治国好德，社会清平，就有祥瑞之物出现，谓之瑞应。⑫陵阜：丘陵。⑬陂陀：参差峥嵘的样子。⑭箭栃：箭竹和栃树。⑮麰（móu）麦：大麦。⑯山椒：山顶。⑰峨冠：高高的帽子。

[评析]

　　本文写南高峰和四围风景，写作手法巧妙。先写南高峰的所在和险峻的整体风格，然后简写峰顶塔的现状，再以定点换景的手法，以塔中四望的形式，按照从高到低，东南西北的次序，将四周的湖、江、岩、陵、坛等景致一一呈现，语言精练，比喻恰切，构思巧妙。

烟霞石屋

　　由太子湾南折而上，为石屋岭。过岭为大仁禅寺，寺左为烟霞石屋。屋高厂虚明，行迤二丈六尺，状如轩榭，可布几筵。洞上周镌罗汉五百十六身。其底邃窄通幽，阴翳杳霭。侧有蝙蝠洞，蝙蝠大者如鸦，挂搭连牵，互衔其尾。粪作奇臭，古庙高梁，多受其累。会稽禹庙亦然。由山椒右旋为新庵，王子安亶①、陈章侯洪绶尝读书其中。余往访之，见石如飞来峰，初经洗出，洁不去肤，隽不伤骨，一洗杨髡凿佛之惨。峭壁奇峰，忽露生面，为之大快。建炎间，里人避兵其内，数千人皆获免。岭下有水乐洞，嘉泰间为杨郡王别圃②。垒石筑亭，结构精雅。年久芜秽不治，水乐绝响③。贾秋壑以厚直得之④，命寺僧深求水乐所以兴废者，不得其说。一日，秋壑往游，俯睨旁听，悠然有会，曰："谷虚而后能应，水激而后能响，今水潴其中，土壅其外，欲其发响，得乎？"亟命疏壅导潴，有声从洞涧出，节奏自然。二百年胜概，一日始复。乃筑亭，以所得东坡真迹，刻置其上。

苏轼《水乐洞小记》：

钱塘东南有水乐洞，泉流岩中，皆自然宫商⑤。又自灵隐、下天竺而上，至上天竺，溪行两山间，巨石磊磊如牛羊，其声空砻然，真若钟鼓，乃知庄生所谓天籁，盖无在不有也。

袁宏道《烟霞洞小记》：

烟霞洞，亦古亦幽，凉沁入骨，乳汁涔涔下。石屋虚明开朗，如一片云，欹侧而立，又如轩榭，可布几筵。余凡两过石屋，为佣奴所据，嘈杂若市，俱不得意而归。

张京元《石屋小记》：

石屋寺，寺卑下无可观。岩下石龛，方广十笏，遂以屋称。屋内，好事者置一石榻，可坐。四旁刻石像如傀儡，殊不雅驯。想以幽僻得名耳。出石屋西，上下山坡夹道皆丛桂，秋时着花，香闻数十里，堪称金粟世界。

又《烟霞寺小记》：

烟霞寺在山上，亦荒落，系中贵孙隆易创，颇新整。殿后开宕取土，石骨尽出，巉峭可观。由殿右稍上两三盘，经象鼻峰东折数十武，为烟霞洞。洞外小亭踞之，望钱塘如带。

李流芳《题烟霞春洞画》：

从烟霞寺山门下眺，林壑窈窕，非复人境。李花时尤奇，真琼林瑶岛也。犹记与闲孟、无际，自法相寺至烟霞洞，小憩亭子，渴甚，无从得酒。见两伧父携榼至，闲孟口流涎，遽从乞饮，伧父不顾。予辈大怪。偶见梁间恶诗书一板上，乃抉而掷之。伧父跄踉而走。念此辄喷饭不已也。

[注释]

①王子安叇（wěi）：王叇，字子安，晚明绍兴文士。②杨郡王：指杨存中，字正甫。南宋初年将领，因功封同安郡王。③水乐：流泉发出的悦耳的声响。④贾秋壑：即贾似道。厚直：高价钱。⑤宫商：古代的五音为宫、商、角、徵、羽，故宫商代指音乐。

[评析]

本文以烟霞石屋为题，其实是以石屋为中心，网罗了临近的数处景点，特别是水乐洞，所占篇幅竟达全文一半，理由是它与南宋奸臣贾似道有渊源。贾似道虽然奸佞，却文人气十足，与山水亲厚，他也能够像张岱一样，仔细推究物理，使废泉得以重见天日，再奏天籁之音，这个故事使人体会到对历史人物的品评真的难以一锤定音。

高丽寺

高丽寺本名慧因寺，后唐天成二年①，吴越钱武肃王建也。宋元丰八年②，高丽国王子僧统义天入贡，因请净源法师学贤首教③。元祐二年④，以金书汉译《华严经》三百部入寺，施金建华严大阁藏塔以尊崇之⑤。元祐四年，统义天以祭奠净源为名，兼进金塔二座。杭州刺史苏轼疏言："外夷不可使屡入中国，以疏边防，金塔宜却弗受⑥。"神宗从之。元延祐四年⑦，高丽沈王奉诏进香幡经于此。至正末毁。洪武初重葺。俗称高丽寺。础石精工，藏轮宏丽⑧，两山所无。万历间，僧如通重修。余少时从先宜人至寺烧香，出钱三百，命舆人推转轮藏，轮转呀呀，如鼓吹初作。后旋转熟滑，藏轮如飞，推者莫及。

[注释]

①后唐天成二年：公元927年。后唐，李存勖建立的政权。②宋元丰八年：公元1085年。③贤首教：佛教华严宗。唐武则天在位时，贤首国师在宫中讲华严经，感动神佛，有五云凝空、四华垂地的异象，因赐以贤首之号。④元祐二年：公元1087年。⑤施金：施舍钱财。尊崇：推尊崇敬。⑥宜却弗受：应该推却不接受。⑦延祐四年：公元1317年。⑧藏轮：藏佛经的可旋转书架。

[评析]

本文记载了后唐至明代高丽寺的建造历史，对北宋与高丽在佛教方面的交流和外交策略叙述很细，这大概是因为苏轼曾进言，而张岱非常崇拜苏轼的缘故。本文写作平实，语言通俗流畅，文末融自身经历入其中，给人以亲切、自然、真实之感。

法相寺

法相寺俗称长耳相①。后唐时，有僧法真，有异相，耳长九寸，上过于顶，下可结颐②，号长耳和尚。天成二年③，自天台国清寒岩来游，钱武肃王待以宾礼，居法相院。至宋乾祐四年正月六日④，无疾，坐方丈⑤，集徒众，沐浴，趺跏而逝。弟子辈漆其真身⑥，供佛龛，谓是定光佛后身。妇女祈求子嗣者，悬幡设供无虚日。以此法相名著一时。寺后有锡杖泉，水盆活石。僧厨香洁，斋供精良。寺前茭白笋，其嫩如玉，其香如兰，入口甘芳，天下无比。然须在新秋八月，余时不能也。

袁宏道《法相寺拜长耳和尚肉身戏题》：

轮相居然足⑦，漆光与鉴新⑧。神魂知也未，爪齿幻耶真。古董休疑容⑨，庄严不待人⑩。饶他金与石⑪，到此亦成尘。

徐渭《法相寺看活石》：

莲花不在水，分叶簇青山。径折虽能入⑫，峰迷不待还。取蒲量石长，问竹到溪湾。莫怪掩斜日，明朝恐未闲。

张京元《法相寺小记》：

法相寺不甚丽，而香火骈集⑬。定光禅师，长耳遗蜕，妇人谒之，以为宜男⑭，争摩顶腹，漆光可鉴。寺右数十武，度小桥，折而上，为锡杖泉。涓涓细流，虽大旱不竭。经流处，僧置一砂缸，挹注供爨⑮。久之，水土锈结，蒲生其上，厚几数寸，竟不见缸质，因名蒲缸。倘可铲置研池炉足⑯，古董家不秦汉不道矣。

李流芳《题法相山亭画》：

去年在法相，有送友人诗云："十年法相松间寺，此日淹留却共君。忽忽送君无长物，半间亭子一溪云。"时与方回、孟旸避暑竹阁，连夜风雨，泉声轰轰不绝。又有题扇头小景一诗："夜半溪阁响，不知风雨歇。起视杳霭间，悠然见微月。"一时会心，不知作何语。今日展此，亦自可思也。壬子十月大佛寺倚醉楼灯下题⑰。

[注释]

①长耳相：应作"长耳寺"。②结颐：连上下巴。③天成二年：公元927年。④乾祐四年：乾祐疑为"乾德"之误，因宋无乾祐年号。乾德四年即966年。⑤方丈：长老、住持的居室。⑥真身：肉身，佛教认为人体是为度脱众生而化现的世间色身。⑦轮相：佛足和掌有千辐轮形印纹，是三十二相之一。⑧与：如同，好像。鉴新：新镜子。⑨古董：稀奇少见。⑩不待人：不和人相处，不接待人。⑪饶：任凭，不管。唐杜牧《猿》诗："三声欲断疑肠断，饶是少年今白头。"⑫径折：山路曲折。⑬骈集：凑集，聚会。⑭宜男：多子。⑮挹注：从一个容器倒入另一个容器。供爨：供做饭用。⑯研池：砚台的中

心。⑰壬子：康熙十一年，公元1672年。

[评析]

古人对异相充满好奇和迷信，帝王贵族也不例外，这是法相寺名声大噪的本质原因。张岱乐于搜奇，当然也对这类事尤感兴趣，故对异僧的相貌和传奇人生做了一个完整描写和概括。但好奇最终没有胜过"清馋"之癖，张岱从寺中泉水想到厨房，又从厨房想到寺前的美味茭白，而且连茭白最好吃的时节也没有忘记，真是美食家的本色。

于 坟

于坟，于少保公以再造功①，受冤身死，被刑之日②，阴霾翳天，行路踊叹③。夫人流山海关，梦公曰："吾形殊而魂不乱④，独目无光明，借汝眼光见形于皇帝⑤。"翌日，夫人丧其明。会奉天门灾，英庙临视⑥，公形见火光中。上悯然念其忠⑦，乃诏贷夫人归⑧。又梦公还眼光，目复明也。公遗骸⑨，都督陈逵密嘱瘗藏⑩。继子冕请葬钱塘祖茔，得旨奉葬于此⑪。成化二年⑫，廷议始白⑬。上遣行人马璇谕祭⑭。其词略曰："当国家之多难，保社稷以无虞⑮；惟公道以自持⑯，为权奸之所害。先帝已知其枉⑰，而朕心实怜其忠。"弘治七年赐谥曰"肃愍"⑱，建祠曰"旌功"。万历十八年⑲，改谥"忠肃"。四十二年，御使杨鹤为公增廓祠宇⑳，庙貌巍焕㉑，属云间陈继儒作碑记之。碑曰："大抵忠臣为国，不惜死，亦不惜名㉒。不惜死，然后有豪杰之敢㉓；不惜名，然后有圣贤之闷㉔。黄河之排山倒海，是其敢也；既能伏流地中万三千里，又能千里一曲，是其闷也。昔者土木之变，裕陵北狩㉕，公痛哭抗疏，止南迁之议，召勤王之师㉖。卤拥帝至大同[27]，至宣府，至京城下，皆登城谢曰[28]：'赖天地宗社之灵，国有君矣。'此一见《左传》：楚人伏兵车[29]，执宋公以伐宋[30]。公子目夷令宋人应之曰[31]：赖社稷之灵，国已有君矣。楚人知虽执宋公，犹不得宋国，于是释宋公。又一见《廉颇传》：秦王逼赵王会渑池。廉颇送至境曰：'王行，度道里会遇礼毕还[32]，不过三十日，不还，则请立太子为王，以绝秦望[33]。'又再见《王旦传》：契丹犯边，帝幸澶州。旦曰：'十日之内，未有捷报，当何如？'帝默然良久，曰：'立皇太子。'三者，公读书得力处也。由前言之，公为宋之目夷；由后言之，公不为廉颇、旦，何也？呜呼！茂陵之立而复废[34]，废而后当立，谁不知之？公之识，岂出王直、李侃、朱英下[35]？又岂出钟同、章纶下[36]？盖公相时度势[37]，有不当言者，有不必言者。当裕陵在卤[38]，茂陵在储[39]，拒父则卫辄[40]，迎父则高宗[41]，战不可，和不可，无一而可。为制卤地，此不当言也。裕陵既返，见济薨，郕王病，天人攸归，非裕陵而谁？又非茂陵而谁？明率百官[42]，朝请复辟，直以遵晦待时耳[43]，此不必言也。若徐有贞、曹、石夺门之举[44]，乃变局，非正局；乃劫局[45]，非迟局[46]；乃纵横家局，非社稷大臣局也。或曰：盍去诸？呜呼！公何可去也。公在则裕陵安，而茂陵亦安。若公诤之[47]，而公去之，则南宫之锢，不将烛影斧声乎[48]？东宫之废后，不将宋之德昭乎[49]？公虽欲调郕王之兄弟[50]，而实密护吾君之父子[51]，乃知回銮[52]，公功；其他日得以复辟，公功也；复储亦公功也。人能见所见，而不能见所不见。能见者，豪杰之敢；不能见者，圣贤之闷。敢于任死[53]，而闷于暴君，公真古大臣之用心也哉！"公祠既盛，而四方之祈梦至者接踵，而答如响[54]。

王思任《吊于忠肃祠》诗:

涕割西湖水,于坟望岳坟。孤烟埋碧血,太白黯妖氛⑤⑤。社稷留还我,头颅掷与君。南城得意骨,何处暮杨闻。

一派笙歌地,千秋寒食朝。白云心浩浩,黄叶泪萧萧。天柱擎鸿社⑤⑥,人生付鹿蕉⑤⑦。北邙今古讳⑤⑧,几突丽山椒⑤⑨。

张溥《吊于忠肃》诗:

栝柏风严辞月明⑥⑥,至今两袖识书生⑥⑥。青山魂魄分夷夏⑥②,白日须眉见太平。一死钱塘潮尚怒,孤坟岳渚水同清。莫言软美人如土⑥③,夜夜天河望帝京。

张岱《于少保祠》诗:

平生有力济危川⑥④,百二山河去复旋。宗泽死心援北狩⑥⑤,李纲痛哭止南迁⑥⑥。渑池立子还无日,社稷呼君别有天。复辟南宫岂是夺,借公一死取貂蝉⑥⑦。

社稷存亡股掌中,反因罪案见精忠。以君孤注忧王旦⑥⑧,分我杯羹归太公⑥⑨。但使庐陵存外邸⑦⑩,自知冕服返桐宫⑦①。属镂赐死非君意⑦②,曾道于谦实有功。

杨鹤《于坟华表柱铭》⑦③:

赤手挽银河,君自大名垂宇宙。青山埋白骨,我来何处哭英雄。

又《正祠柱铭》:

千古痛钱塘,并楚国孤臣⑦④,白马江边,怒卷千堆夜雪⑦⑤。

两朝冤少保⑦⑥,同岳家父子,夕阳亭里,伤心两地风波。

董其昌《于少保祠柱铭》：

赖社稷之灵，国已有君，自分一腔抛热血。竭股肱之力，继之以死，独留青白在人间。

张岱《于少保柱铭》：

宋室无谋，岁输卤数万币[77]，和议既成，安得两宫归朔漠[78]。

汉家斗智，幸分我一杯羹，挟求非计，不劳三寸返新丰。

张岱《定香桥小记》[79]：

甲戌十月，携楚生住不系园看红叶。至定香桥，客不期而至者八人：南京曾波臣，东阳赵纯卿，金坛彭天锡，诸暨陈章侯，杭州杨与民、陆九、罗三，女伶陈素芝。余留饮。章侯携缣素为纯卿画古佛，波臣为纯卿写照，杨与民弹三弦子，罗三唱曲，陆九吹箫。与民复出寸许紫檀界尺，据小梧，用北调说《金瓶梅》一剧，使人绝倒。是夜，彭天锡与罗三、与民串本腔戏，妙绝；与楚生、素芝串调腔戏，又复妙绝。章侯唱村落小歌，余取琴和之，牙牙如语。纯卿笑曰："恨弟无一长，以侑兄辈酒。"余曰："唐裴将军旻居丧，请吴道子画天宫壁度亡母。道子曰：'将军为我舞剑一回，庶因猛厉，以通幽冥。'旻脱缞衣，缠结，上马驰骤，挥剑入云，高十数丈，若电光下射，执鞘承之，剑透室而入，观者惊栗。道子奋袂如风，画壁立就。章侯为纯卿画佛，而纯卿舞剑，正今日事也。"纯卿跳身起，取其竹节鞭，重三十斤，作胡旋舞数缠，大噱而罢。

[注释]

①于少保公：于谦，字廷益，杭州人。明英宗在土木堡被瓦剌族兵俘虏，

于谦建议以国家社稷为重,立英宗长子为帝,以断绝瓦剌族以英宗要挟明朝的意图。英宗复位,于谦被诬杀。②被刑:行刑。③行路:路人,指百姓。④形殊:身体死亡。⑤见形:现出原形。⑥英庙:明英宗。⑦悯然:怜惜的样子。⑧贳:赦免。⑨遗骸:尸体。⑩密嘱瘗(yì)藏:偷偷地嘱托人埋葬。⑪奉:敬辞。⑫成化二年:公元1466年。⑬廷议:朝廷上商议。白:昭雪,辩白。⑭行人:掌管朝觐聘问的礼官。谕祭:天子下旨祭祀臣子。⑮无虞:平安无事。⑯自持:自我坚守。⑰先帝:死去的皇帝。⑱弘治七年:公元1494年。⑲万历十八年:公元1590年。⑳增廓:增建,扩建。㉑巍焕:高大光彩。㉒惜名:好名,爱惜名声。㉓敢:胆量,勇气。㉔闷:苦闷,烦恼。㉕裕陵北狩:裕陵指明英宗,北狩是被北兵俘虏的委婉说法。㉖勤王:君主受到威胁时,臣子起兵援救。㉗卤拥:"卤"通"虏",少数民族。拥,簇拥,这里是押解的委婉说法。㉘谢:告知。㉙伏兵车:身体前倾靠在战车上。㉚执:捉住,带着。伐:征伐,征战。㉛应:回答。㉜道里:路途,路程。㉝秦望:秦人的企图。㉞茂陵:明宪宗朱见深,英宗长子,曾因英宗被俘而废皇太子位。㉟王直、李侃、朱英:王直,吏部尚书。李侃,曾任户科给事中。朱英,正统年间任御史。三人在景泰年间都在力主迎还英宗、谏阻废除太子朱见深之列。㊱钟同、章纶:钟同,字世京,吉安永丰人。明景泰二年举进士,次年授御史,曾上书请复朱见深太子位,被杖毙。章纶,字大经,乐清人,正统四年进士,任礼部郎中,因上书请立朱见深下狱。㊲相时度势:揣测时机和形势。㊳在卤:"卤"通"虏",在少数民族所居地。㊴在储:在储君之位,指太子。㊵拒父则卫辄:春秋时,卫灵公三十九年,太子蒯聩欲谋杀灵公夫人南子,被卫灵公发觉,逃到了晋国。灵公死后,蒯聩之子辄被立为国君,即卫出公,晋国赵简子护送蒯聩回国。至边境,卫出公发兵阻止他的父亲。㊶迎父则高宗:宋高宗赵构谋求从金国迎还父亲宋徽宗和兄长钦宗,每月率百官遥拜二帝,而实际并非真心。㊷明率:公然地率领。㊸遵晦待时:退避等待时机。㊹徐有贞、曹、石夺门之举:景泰八年正月十六日夜,左副都御史徐有贞联合右都督石亨、宦官曹吉祥等,趁景帝病重,带兵抢占了宫城长安门,同时将被软禁的英宗接至奉先殿,使其复位。㊺劫局:强取的手段、局面。㊻迟局:等待时机成熟,自然的局面。㊼诤:直言规劝。㊽烛影斧声:宋释文莹《续湘山野录》

记载宋太祖"急传宫钥开端门,召开封王即太宗也,延入大寝,酌酒对饮。宦官、宫妾悉屏之,但遥见烛影下,太宗时或避席有不可胜之状。饮讫,禁漏三鼓,殿雪已数寸。帝引柱斧戳雪,顾太宗曰:'好做!好做!'遂解带就寝,鼻息如雷霆。是夕,太宗留宿禁内,将五鼓,周庐者寂无所闻,帝已崩矣"。后人于是以烛影斧声作为传位疑案的代称。㊾不将宋之德昭:赵德昭是宋太祖赵匡胤之子,《宋史·燕王德昭传》记载太平兴国四年,宋太宗赵光义亲征灭北汉,但接着又败于契丹,因而没封赏灭北汉的有功将士。赵德昭曾随同征伐,认为不赏不妥,太宗大怒,说等你当了皇帝再赏不迟。赵德昭惊恐万状,自刎而死。㊾郕王:明景帝朱祁钰,称帝前为郕王。㊿密护:谨慎地保护。㊼回銮:使被俘的皇帝回来。㊽任:承当,禁受。㊾如响:像回声一样。㊿妖氛:不祥的云气。㊾天柱:三台星,于谦墓在杭州三台山。鸿社:宏伟的祠堂。㊾鹿蕉:比喻梦。典出《列子·蕉鹿梦》:"郑人有薪于野者,遇骇鹿,御而击之,毙之。恐人见之也,遽而藏诸隍中,覆之以蕉,不胜其喜。俄而遗其所藏之处,遂以为梦焉。"㊾北邙:墓地,坟墓。㊾山椒:山顶。㊿严:凛冽。㊶"至今"句:化用于谦诗句:"清风两袖朝天去,免得闾阎话短长。"㊷夷夏:夷狄和华夏民族。㊸软美:温顺。㊹危川:比喻处于危急中的国家。㊺"宗泽"句:宗泽,字汝霖,浙江义乌人,是抗金名臣。多次上书高宗赵构,力主还都东京,收复中原,均未被采纳,最终忧愤成疾,三呼"渡河"而卒。㊻"李纲"句:李纲,字伯纪,江苏无锡人,谏阻钦宗南迁,力图抗金,然而壮志难酬,抑郁而死。㊼貂蝉:汉代高官的一种冠饰,借指权势。㊽"以君"句:《宋史·寇准传》载:"准颇自矜澶渊之功,虽帝亦以此待准甚厚,王钦若深嫉之。一日会期,准先退,帝目送之。钦若因进曰:'陛下敬寇准,为其有社稷功邪?'帝曰:'然。'钦若曰:'澶渊之役,陛下不以为耻,而谓准有社稷功何也?'帝愕然曰:'何故?'钦若曰:'城下之盟,春秋耻之。澶渊之举,是城下之盟也。以万乘之贵而为城下之盟,其何耻如之?'帝愀然为之不悦。钦若曰:'陛下闻博乎?博者输钱欲尽,乃罄所有出之,谓之孤注。陛下,寇准之孤注也,斯亦危矣。'由是帝顾准寖衰。"张岱以此代指太监王振怂恿英宗亲征为孤注一掷。㊾"分我"句:《史记·项羽本纪》载楚汉相争时,项羽抓了刘邦的父亲,扬言不投降就把他父亲煮成肉羹吃。刘邦回答:"吾与项羽俱北面受命怀王,约为兄弟。吾翁即若翁,必欲烹而翁,即幸分我一杯羹。"项羽大怒,但在项伯劝说下没有杀刘邦的父亲,后来刘邦派陆贾等人来谈判,最终刘邦父母平安返回。⑦庐陵存外邸:《旧唐书·则天皇后本纪》记载武则天曾废唐中宗李显为庐陵王,幽居于外,迁徙多处,后来又召回立为太子,再次即位。⑦冕服返桐宫:《史记·殷本纪》记载成汤长孙太甲即位三年,为政暴虐,被伊尹放逐到桐宫三年,醒悟悔过后,伊尹又把他迎接回来,重理朝政。⑦属镂赐死:《春秋左传注疏》卷五十八记载吴国将对齐发动战争,越人来献礼物,吴国君臣都很高兴,只有伍子胥认为不妥,但吴王不听伍子胥的建议,伍子胥为避祸,将儿子送到齐国抚养,并改姓王孙。吴王听说此事,赐属镂剑,命伍子胥自刎。非君意:据说英宗曾言"于谦曾有功"的话,并不想杀他,但在左右小人的撺掇下,终杀之。⑦杨鹤:字修龄,武陵人。万历三十二年进士。累官至兵部右侍郎,总督陕西三边军务,素有清望。⑦楚国孤臣:指伍子胥。⑦"白马"二句:用伍子胥乘素车白马怒卷钱塘潮事。⑦"两朝"句:宋代岳飞,明代于谦,均封太子少保而被谗害。⑦"宋室"二句:南宋绍兴十一年宋金和议成,宋称臣纳贡,岁贡银绢二十五万两四。⑦"和议"二句:宋金和议成,金只归还了宋徽宗的灵柩和韦皇后,钦宗仍然囚居在北方,两宫未生还。⑦《定香桥小记》:本文已见于《陶庵梦忆》,注释详见前。

[评析]

本文记载了明代忠臣于谦受刑之日的凄惨情形和修建于坟、建祠庙、为于谦平反和追赠谥号等事件的过程,将祠庙碑文也全篇录下,并以于谦祠庙灵应结尾。全篇文字平正,情感庄严,体现了张岱对一代忠良的敬仰和冤情昭雪的快意。

风篁岭

风篁岭,多苍筤筱荡①,风韵凄清。至此,林壑深沉,迥出尘表。流淙活活②,自龙井而下,四时不绝。岭故丛薄荒密③。

元丰中，僧辨才淬治洁楚④，名曰"风篁岭"。苏子瞻访辨才于龙井，送至岭上，左右惊曰："远公过虎溪矣。"辨才笑曰："杜子有云：与子成二老，来往亦风流⑤。"遂造亭岭上，名曰"过溪"，亦曰"二老"。子瞻记之，诗云："日月转双毂，古今同一丘⑥。惟此鹤骨老⑦，凛然不知秋。去住两无碍，人士争挽留。去如龙出水，雷雨卷潭秋。来如珠还浦⑧，鱼鳖争骈头⑨。此生暂寄寓，常恐名实浮。我比陶令愧⑩，师为远公优。送我过虎溪，溪水当逆流。聊使此山人，永记二老游。"

李流芳《风篁岭》诗：
　　林壑深沉处，全凭筱荡迷。片云藏屋里，二老到云栖。学士留龙井，远公过虎溪。烹来石岩白，翠色映玻璃。

[注释]

①苍筤：青翠的竹子。筱（xiǎo）：小竹。荡（dàng）：大竹。②流淙：流动的水。活（guō）活：水流的声音。③丛薄：茂密的草丛。荒密：昏暗稠密。④淬治：磨炼整理。⑤"与子"二句：出自杜甫《寄赞上人》诗。⑥古今同一丘：《汉书·杨恽传》："古与今如一丘之貉。"⑦鹤骨：修道者的骨相。⑧"来如"句：《后汉书·孟尝传》记载孟尝为合浦太守，合浦不产谷物而产珠宝，之前的太守多贪，"珠遂渐徙于交址郡界，于是行旅不至，人物无资，贫者死饿于道。尝到官，革易前敝，求民病利，曾未逾岁，去珠复还，百姓皆反其业，商货流通，称为神明"。这里指辨才一度移居南屏，后仍归龙井。⑨骈头：头部聚集在一起，形容争抢的样子。⑩陶令：指东晋陶渊明，曾任彭泽令。一日，慧远送陶渊明等，不觉过溪，虎大吼，主客笑别。

[评析]

　　本文记叙了风篁岭的风景由来与历史掌故。顾名思义，风篁岭必然多竹，张岱开篇"多苍筤筱荡"，说的就是各种大片竹林。因龙井泉终年不息地流经风篁岭，岭上草木因而茂密，但从文中知，从前草木杂生，不免芜秽，直到北宋元丰时僧人辨才修治整理，才有后来风篁岭之貌之名。文中接下来就自然过渡到了辨才和苏轼交往的故事，重在体现两人的精辞妙句，以文人雅事突出了风篁岭的特点与历史韵味。

龙　井

南山上下有两龙井。上为老龙井，一泓寒碧[1]，清洌异常，弃之丛薄间，无有过而问之者。其地产茶，遂为两山绝品。再上为天门，可通三竺。南为九溪，路通徐村，水出江干[2]。其西为十八涧，路通月轮山，水出六和塔。下龙井本名延恩衍庆寺。唐乾祐二年[3]，居民募缘改造为报国看经院。宋熙宁中，改寿圣院，东坡书额。绍兴三十一年[4]，改广福院。淳祐六年[5]，改龙井寺。元丰二年[6]，辨才师自天竺归老于此，不复出，与苏子瞻、赵阅道友善。后人建三贤阁祀之，岁久寺圮。万历二十三年[7]，司礼孙公重修，构亭轩，筑桥，锹浴龙池，创霖雨阁，焕然一新，游人骈集。

[注释]

[1]寒碧：给人以清冷感觉的碧色。[2]江干：江边，江岸。[3]唐乾祐二年：疑为"唐乾封二年"，即667年。[4]绍兴三十一年：公元1161年。[5]淳祐六年：公元1246年。[6]元丰二年：公元1079年。[7]万历二十三年：公元1595年。

[评析]

本文以龙井为起点，连续介绍了其上、其南、其西的众多山、水、塔、村等，接下来介绍了龙井寺的历史变迁，三贤阁的来历和万历年间重修时的构造及游人盛况等，内容十分丰富，而文字尤为简练，有条不紊，思路清晰，风格稳健成熟，体现了张岱的深厚文学功力。

一片云

神运石在龙井寺中,高六尺许,奇怪突兀,特立檐下①。有木香一架②,穿绕窈窔③,蟠若龙蛇。正统十三年④,中贵李德驻龙井。天旱,令力士淘之。初得铁牌二十四、玉佛一座、金银一锭,凿大宋元丰年号。后得此石,以八十人舁起之。上有"神运"二字,旁多款识,漶漫不可读⑤,不知何代所镌,大约皆投龙以祈雨者也⑥。风篁岭上有一片云石,高可丈许,青润玲珑,巧若镂刻。松磴盘屈⑦,草莽间有石洞,堆砌工致巉岩⑧。石后有片云亭,司礼孙公所构,设石棋枰于前⑨,上镌"兴来临水敲残月,谈罢吟风倚片云"之句。游人倚徙⑩,不忍遽去。

秦观《龙井题名记》:

　　元丰二年⑪,中秋后一日,余自吴兴来杭,东还会稽。龙井有辨才大师,以书邀余入山。比出郭⑫,日已夕,航湖至普宁,遇道人参寥,问龙井所遣篮舆⑬,则曰:"以不时至,去矣。"是夕,天宇开霁⑭,林间月明,可数毫发。遂弃舟,从参寥策杖并湖而行⑮。出雷峰,度南屏,濯足于惠因涧,入灵石坞,得支径上风篁岭⑯,憩于龙井亭,酌泉据石而饮之⑰。自普宁凡经佛寺十五,皆寂不闻人声。道旁庐舍,灯火隐显,草木深郁,流水激激悲鸣,殆非人间之境。行二鼓,始至寿圣院,谒辨才于朝音堂,明日乃还。

张京元《龙井小记》:

　　过风篁岭,是为龙井,即苏端明、米海岳与辨才往来处也⑱。寺北向，门内外修竹琅琅⑲。并在殿左，泉出石罅，贮小园池，下复为方池承之。池中各有巨鱼，而水无腥气。池淙淙下泻，绕寺门而出。小坐，与楷亭玩一片云石。山僧汲水供茗，泉味色俱清。僧容亦枯寂，视诸山迥异。

王稚登《龙井诗》：

深谷盘回入，灵泉觱沸流⑳。隔林先作雨，到寺不胜秋。古殿龙王在，空林鹿女游㉑。一尊斜日下，独为古人留。

袁宏道《龙井》诗：

都说今龙井，幽奇逾昔时。路迂迷旧处，树古失名儿。渴仰鸡苏佛㉒，乱参玉版师㉓。破筒分谷水，芝草出秦碑㉔。数盘行井上，百计引泉飞。画壁屯云簇㉕，红栏蚀水衣㉖。路香茶叶长，畦小药苗肥。宏也学苏子，辨才君是非。

张岱《龙井柱铭》：

夜壑泉归，渥洼能致千岩雨。晓堂龙出，崖石皆为一片云。

[注释]

①特立：独立，挺立。②木香：荼蘼花，开白色或黄色花，略有香气。③窈窔：孔洞。④正统十三年：公元1448年。⑤漶漫：模糊不可读。⑥投龙：投给井中的龙。⑦松磴：有松树的坂道。⑧巉岩：险峻。⑨棋枰：唐司空图《丁巳元日》诗："移居荒药圃，耗志在棋枰。"⑩倚徙：逗留徘徊。⑪元丰二年：公元1079年。⑫郭：外城。⑬篮舆：类似轿子的交通工具。⑭开霁：放晴。⑮并：一起，一同。⑯支径：小路。⑰据石：靠着石头。⑱苏端明：苏轼，曾任端明殿学士。米海岳：即米芾，号海岳外史。⑲修竹琅琅：长长的竹子高洁清朗。⑳觱（bì）沸：泉水涌出的样子。㉑鹿女：佛经中的仙女。见《杂宝藏经·鹿女夫人缘》："有国名婆罗奈国中有山，名曰仙山。时有梵志，在彼山住，大小便利恒于石上。后有精气，堕小行处，雌鹿来舐，即便有娠。

日月满足,来至仙人所,生一女子,端正殊妙,唯脚似鹿,梵志取之养育长成……此女足迹,皆生莲华。"㉒鸡苏佛:茶的别称。㉓玉版师:北宋惠洪《冷斋夜话》卷七《东坡戏作偈语》:"尝要刘器之同参玉版和尚。器之每倦山行,闻见'玉版',欣然从之。至廉泉寺,烧笋而食,器之觉笋味胜,问:'此笋何名?'东坡曰:'即玉版也。此老师善说法,要能令人得禅悦之味。'于是器之乃悟其戏,为大笑,东坡亦悦。"㉔秦碑:秦代的石碑。㉕云族:云层。㉖水衣:苍苔。

[评析]

此文记载的是两块奇石。一块是龙井寺中的神运石,原是明代太监李德意外地从井中得到,不知何年入井,外貌奇特,可堪玩赏。另一块是凤篁岭上的一片云石,也是奇巧天成,旁边有亭,亭有联,也都值得品味,令人流连忘返。奇石本在两处,而文中按照回忆的思维,很自然地由此及彼,体现了明末小品文创作上的自由随意性。

九溪十八涧

九溪在烟霞岭西,龙井山南。其水屈曲洄环,九折而出,故称九溪。其地径路崎岖,草木蔚秀①,人烟旷绝②,幽闃静悄,别有天地,自非人间③。溪下为十八涧,地故深邃④,即缁流非遗世绝俗者,不能久居。按志,涧内有李岩寺、宋阳和王梅园、梅花径等迹,今都湮没无存。而地复辽远,僻处江干,老于西湖者,各名胜地寻讨无遗,问及九溪十八涧,皆茫然不能置对⑤。

李流芳《十八涧》诗:

己酉始至十八涧⑥,与孟旸、无际同到徐村第一桥,饭于桥上。溪流淙然,山势回合,坐久不能去。予有诗云:

"溪九涧十八，到处流活活。我来三月中，春山雨初歇。奔雷与飞霰，耳目两奇绝。悠然向溪坐，况对山嶭嶭⑦。我欲参云栖，此中解脱法。善哉汪子言，闲心随水灭。"无际亦有和余诗，忘之矣。

[注释]

①蔚秀：茂盛清丽。②旷绝：稀少。③"别有"二句：唐李白《山中答问》："问余何意栖碧山，笑而不答心自闲。桃花流水窅然去，别有天地非人间。"④故：本来。⑤置对：对答，答辩。⑥己酉：公元1645年。⑦嶭嶭(niè)：山势峥嵘高峻。

[评析]

本文主要凸显了九溪的僻静特色。九溪风景秀美，但地远路崎，就连僧人都不能久居。张岱翻阅地志，知晓这里曾有一些前代名人遗迹，可惜都不存在了。到了明末，连在西湖生活多少年的老人都不知道九溪这个地方，可见九溪的幽僻。张岱喜欢幽静之处，从文中的描述可见他对九溪的爱恋。而探求人迹罕至的九溪，又到文献中寻找蛛丝马迹，体现了张岱敢于冒险、勤于考索的学者精神。

卷　五

西湖外景

西　溪

粟山高六十二丈，周回十八里二百步。山下有石人岭，峭拔凝立①，形如人状，双髻耸然。过岭为西溪，居民数百家，聚为村市。相传宋南渡时，高宗初至武林，以其地丰厚，欲都之。后得凤凰山，乃云："西溪且留下。"后人遂以名。地甚幽僻，多古梅，梅格短小②，屈曲槎枒，大似黄山松。好事者至其地，买得极小者，列之盆池，以作小景。其地有秋雪庵，一片芦花，明月映之，白如积雪，大是奇景。余谓西湖真江南锦绣之地，入其中者，目厌绮丽③，耳厌笙歌，欲寻深溪盘谷④，可以避世如桃源、菊水者，当以西溪为最。余友江道闇有精舍在西溪⑤，招余同隐。余以鹿鹿风尘⑥，未能赴之，至今犹有遗恨。

王稚登《西溪寄彭钦之书》：

　　留武林十日许，未尝一至湖上，然遂穷西溪之胜⑦。舟车程并十八里⑧，皆行山云竹霭中，衣袂尽绿。桂树大者，两人围之不尽。树下花覆地如黄金，山中人缚帚扫花售市上，每担仅当脱粟之半耳⑨。往岁行山阴道上，大叹其佳，此行似胜。

李流芳《题西溪画》：

　　壬子正月晦日⑩，同仲锡、子与自云栖翻白沙岭至西溪。夹路修篁⑪，行两山间，凡十里，至永兴寺。永兴山下夷旷⑫，平畴远村⑬，幽泉老树，点缀各各成致⑭。自永兴至岳庙又十里，梅花绵亘村落⑮，弥望如雪⑯，一似余家西碛山中。是日，饭永兴，登楼啸咏⑰。夜还湖上小筑，同孟旸、印持、子将痛饮。翼日出册子画此⑱。癸丑十月乌镇舟中题⑲。

杨蟠《西溪》诗：

　　为爱西溪好，长忧溪水穷⑳。山源春更落㉑，散入野田中㉒。

王思任《西溪》诗：

　　一岭透天目，千溪叫雨头。石云开绣壁㉓，山骨洗寒流。鸟道苔衣滑㉔，人家竹语幽。此行不作路，半武百年游㉕。

张岱《秋雪庵诗》：

　　古宕西溪天下闻，辋川诗是记游文。庵前老荻飞秋雪，林外奇峰耸夏云。怪石棱层皆露骨，古梅结屈止留筋。溪山步步堪盘礴，植杖听泉到夕曛。

[注释]

①峭拔：陡峭挺拔。凝立：伫立。②格：风格，特点。③厌：满足。④盘谷：迂回曲折的山谷。⑤精舍：精致的房屋。⑥鹿鹿风尘：平庸的世俗之事。⑦穷：穷尽，看尽。⑧并：总共。⑨脱粟：去掉皮壳的小米。⑩壬子：康熙十一年，公元1672年。晦日：农历每月的最后一天。⑪修篁：高高的竹子。⑫夷旷：平坦宽阔。⑬平畴：平坦的原野。⑭各各：个个，每一个。⑮绵亘：连续不断。⑯弥望：充满视野，满眼都是。⑰啸咏：歌咏。⑱翼日：明日，次日。⑲癸丑：康熙十二年，公元1673年。⑳穷：尽。㉑山源：大山深处。㉒野田：田野。㉓石云：山石间涌起的云气。㉔苔衣：苔藓。㉕半武：半步。

[评析]

本文记载了西溪的方位与命名传说，西溪的特色古梅和秋雪庵的漫天芦花，力图展现西溪的幽静秀美，表达了未能在西溪隐居的遗憾之情。

虎跑泉

虎跑寺本名定慧寺，唐元和十四年性空师所建①。宪宗赐号曰广福院。大中八年改大慈寺②，僖宗乾符三年加"定慧"二字③。宋末毁。元大德七年重建④。又毁。明正德十四年⑤，宝掌禅师重建。嘉靖十九年又毁⑥。二十四年，山西僧永果再造。今人皆以泉名其寺云。先是，性空师为蒲坂卢氏子，得法于百丈海，来游此山，乐其灵气郁盘⑦，栖禅其中⑧。苦于无水，意欲他徙。梦神人语曰："师毋患水⑨，南岳有童子泉，当遣二虎驱来。"翼日，果见二虎跑地出泉，清香甘冽。大师遂留。明洪武十一年⑩，学士宋濂朝京，道山下。主僧邀濂观泉，寺僧披衣同举梵咒，泉鬐沸而出，空中雪舞。濂心异之，为作铭以记。城中好事者取以烹茶，日去千担。寺中有调水符，取以为验。

苏轼《虎跑泉》诗：

亭亭石榴东峰上，此老初来百神仰。虎移泉眼趋行脚，龙作浪花供抚掌。至今游人灌濯罢，卧听空阶环玦响⑪。故知此老如此泉，莫作人间去来想。

袁宏道《虎跑泉》诗：

竹林松涧净无尘，僧老当知寺亦贫。饥鸟共分香积米⑫，枯枝常足道人薪⑬。碑头字识开山偈⑭，炉里灰寒护法神。汲取清泉三四盏，芽茶烹得与尝新。

[注释]

①唐元和十四年：公元819年。②大中八年：公元854年。③乾符三年：公元876年。④元大德七年：公元1303年。⑤明正德十四年：公元1519年。⑥嘉靖十九年：公元1540年。⑦郁盘：郁勃旺盛。⑧栖禅：坐禅。⑨患：担心。⑩明洪武十一年：公元1378年。⑪环玦：玉环和玉玦。⑫香积：僧人的厨房称香积厨，简称香积。⑬道人：僧人。⑭开山偈：寺院初创时的偈文。

[评析]

本文简要介绍了虎跑寺的历史，重在叙述虎跑泉的神奇传说。这一传说与两位名人有关，一是道行高深的性空大师，神人怕他因缺水离去，派两只老虎从南岳驱赶泉水而来。二是明初开国功臣、著名文学家宋濂，众僧作法，使他观赏到泉水异象，留下铭文。虎跑泉因此名声大振，成为茶饮上品。本文涉及两件神异事，而张岱寥寥数语就叙述得非常清楚，可谓文字简练，无冗赘之感。

凤凰山

唐宋以来，州治皆在凤凰山麓。南渡驻跸①，遂为行宫。东坡云："龙飞凤舞入钱塘"，兹盖其右翅也。自吴越以逮南宋②，俱于此建都，佳气扶舆③，萃于一脉。元时惑于杨髡之说，即故宫建立五寺，筑镇南塔以厌之④，而兹山到今落寞。今之州治，即宋之开元故宫⑤，乃凤凰之左翅也。明朝因之⑥，而官司藩臬皆列左方⑦，为东南雄会⑧。岂非王气移易，发泄有时也。故山川坛、八卦田、御教场、万松书院、天真书院，皆在凤凰山之左右焉。

苏轼《题万松岭惠明院壁》：

　　余去此十七年，复与彭城张圣途、丹阳陈辅之同来。院僧梵英，葺治堂宇，比旧加严洁。茗饮芳烈⑨，问："此新茶耶？"英曰："茶性，新旧交则香味复⑩。"余尝见知琴者⑪，言琴不百年，则桐之生意不尽⑫，缓急清浊，常与雨旸寒暑相应⑬。此理与茶相近，故并记之。

徐渭《八仙台》诗：

　　南山佳处有仙台，台畔风光绝素埃⑭。嬴女只教迎凤入⑮，桃花莫去引人来。能令大药飞鸡犬⑯，欲傍中央剪草莱。旧伴自应寻不见，湖中无此最深隈。

袁宏道《天真书院》诗：

　　百尺颓墙在⑰，三千旧事闻⑱。野花粘壁粉，山鸟煽炉温。江亦学之字，田犹画卦文⑲。儿孙空满眼，谁与荐荒芹⑳。

[注释]

①驻跸：皇帝和后妃所乘的车临时停驻。②逮：及，到。③扶舆：扶摇，盘旋升腾的样子。④厌（yā）：用迷信的方法镇服或驱避可能出现的灾祸。⑤开元：开国，开始新的纪元。⑥因：效仿，延续。⑦官司藩臬：泛指政府部门。藩臬，藩司和臬司，明清两代的布政使和按察使。⑧雄会：大都会。⑨芳烈：香气浓烈。⑩香味复：更加香。⑪知琴者：懂琴的人。⑫生意：生机，生

命力。⑬旸（yáng）：晴天。⑭绝素埃：没有一点儿尘埃。⑮嬴女：传说中的秦穆公的女儿弄玉，长于吹箫，引来了凤凰。秦为嬴姓，故称弄玉为嬴女。唐李白《凤凰曲》："嬴女吹玉箫，吟弄天上春。"⑯"能令"句：宋乐史《太平寰宇记》卷一百二十九："淮南王与八公登山埋金于此，白日升天。余药在器，鸡犬舐之皆仙。"⑰百尺颓墙：指衰破的书院。⑱三千：指孔子的三千弟子。⑲田犹画卦文：田地还是八卦田那个样子，表示没有变化。八卦田是南宋年间开辟的"籍田"，呈八卦状，九宫八格，把田分成八丘。种上八种不同的庄稼，呈现出八种不同的颜色，中间有圆土墩，构成半阴半阳的太极图。⑳荐荒芹：即献芹，典出《列子·杨朱》，说有人吹嘘芹菜如何好吃，豪绅尝了之后却觉得很难受。后来就用献芹谦称进献礼品、供品或所提的建议。

[评析]

本文引苏轼的诗句作比喻，总结了凤凰山一带宫廷和官署等建筑的历史变迁，以古代的风水神话即王气所在与转移等理论来附会现实，体现了凤凰山古老神奇、深厚丰富的历史底蕴。

宋大内

《宋元拾遗记》：高宗好耽山水，于大内中更造别院，曰小西湖。自逊位后，退居是地，奇花异卉，金碧辉煌，妇寺宫娥充斥其内，享年八十有一。按钱武肃王年亦八十一，而高宗与之同寿，或曰高宗即武肃后身也。《南渡史》又云：徽宗在汴时，梦钱王索还其地，是日即生高宗，后果南渡，钱王所辖之地，尽属版图。畴昔之梦①，盖不爽矣。元兴，杨琏真伽坏大内以建五寺，曰报国，曰兴元，曰般若，曰仙林，曰尊胜，皆元时所建。按志，报国寺即垂拱殿，兴元即芙蓉殿，般若即和宁门，仙林即延和殿，尊胜即福宁殿。雕梁画栋，尚有存者。白塔计高二百丈，内藏佛经数十万卷，佛像数千，整饰华靡。取宋南渡诸宗骨殖，杂以牛马之骼，压于塔下，名以镇南。未几，为雷所击，张士诚寻毁之②。

谢皋羽《吊宋内》诗③：

复道垂杨草乱交④，武林无树是前朝。野猿引子移来宿，搅尽花间翡翠巢⑤。

隔江风雨动诸陵，无主园林草自春。闻说光尧皆堕泪，女官犹是旧宫人⑥。

紫宫楼阁逼流霞⑦，今日凄凉佛子家⑧。寒照下山花雾散，万年枝上挂袈裟⑨。

禾黍何人为守闾⑩，落花台殿暗销魂。朝元阁下归来燕⑪，不见当时鹦鹉言。

黄晋卿《吊宋内》诗⑫：

沧海桑田事渺茫，行逢遗老叹荒凉。为言故国游麋鹿⑬，漫指空山号凤凰⑭。春尽绿莎迷辇道，雨多苍翠上宫墙。遥知汴水东流畔，更有平芜与夕阳。

赵孟𬱟《宋内》诗：

东南都会帝王州，三月莺花非旧游。故国金人愁别汉，当年玉马去朝周⑮。湖山靡靡今犹在，江水茫茫只自流。千古兴亡尽如此，春风麦秀使人愁。

刘基《宋大内》诗⑯：

泽国繁华地，前朝此建都。青山弥百粤⑰，白水入三吴。艮岳销王气⑱，坤灵肇帝图⑲。两宫千里恨，九子一身孤。设险凭天堑，偷安负海隅。云霞行殿起⑳，荆棘寝园芜。币帛敦和议，弓刀抑武夫。但闻当伫奏，不见立廷呼。鬼蜮昭华衮㉑，忠良赐属镂。何劳问社稷，且自作欢娱。亢稻来吴会，龟鼋出巨区㉒。至尊危北阙，多士乐西湖。鹢首驰文舫，龙鳞舞绣襦。暖波摇甓积，凉月浸氍毹。紫桂秋风老，红莲晓露濡。巨螯擎拥剑，香饭漉雕胡。蜗角乾坤大㉓，鳌头气势殊。秦庭迷指鹿㉔，周室叹瞻乌㉕。玉马违京辇，铜驼掷路衢。含容天地广，养育羽毛俱。橘柚驰包贡㉖，涂泥赋上腴㉗。断犀埋越棘，照乘走隋珠㉘。吊古江山在，怀今岁月逾。鲸鲵空渤澥㉙，歌咏已唐虞㉚。鸱革愁何极㉛，羊裘钓不迂㉜。征鸿暮南去，回首忆莼鲈㉝。

[注释]

①畴昔：平昔，昔日。②张士诚：元末群雄之一，泰州人，贩盐出身，后来占据苏州、杭州、嘉兴一带，自称吴王。元亡前夕被朱元璋军攻下，自缢而死。③谢皋羽：南宋遗民诗人谢翱，号宋累、晞发子，宋亡，与方凤、吴思齐、邓牧等结月泉吟社，抒写亡国之痛。④复道：楼阁、悬崖等有上下两重通道，称复道。⑤翡翠：鸟名，雄名翡，雌为翠，嘴长而直，生活在水边，以鱼虾为食物。羽毛亮丽，可做装饰。⑥女官：在宫中掌管事务、有品阶的宫女。⑦逼：逼近，靠近。⑧佛子家：佛寺。⑨万年：木名，冬青树。⑩禾黍：指亡国。《诗经·黍离》序曰："周大夫行役至于宗周，过故宗庙宫室，尽为禾黍。"下文"麦秀"意同。⑪朝元阁：唐代阁名，在陕西临潼骊山上，唐玄宗时改名降圣阁。⑫黄晋卿：黄溍，字晋卿，浙江义乌人，累官翰林侍讲学士。好学博览，文章议论谨严。⑬游麋鹿：司马迁《史记·淮南衡山列传》记伍被引伍子胥谏吴王语："臣今见麋鹿游姑苏之台也。"喻亡国之兆。⑭号凤凰：宫中亭台楼阁及池台。《三辅黄图·未央宫》："武帝时，后宫八区，有昭阳、飞翔、增城、合欢、兰林、披香、凤凰、鸳鸯等殿。"⑮"当年"句：玉马指商贤臣微子启。纣王昏乱，启数谏不听，乃去殷而朝周。比喻贤臣另事明主。⑯刘基：字伯温，谥曰文成，明代开国功臣，洪武三年封诚意伯，后被宰相胡惟庸所忌，去官。⑰百粤：即百越，泛指江浙闽粤之地。⑱艮岳：艮为东北方，宋徽宗在汴京东北堆砌土山，因名。⑲肇：创立，开创。帝图：帝业。⑳行殿：行宫。㉑华衮：华丽的袍子。㉒巨区：太湖的别称。㉓蜗角乾坤大：

极小的地方有极大的矛盾争端。见《庄子·则阳》:"有国于蜗之左角者,曰触氏,有国于蜗之右角者,曰蛮氏,时相与争地而战,伏尸数万,逐北,旬有五日而后反。"㉔秦庭迷指鹿:用《史记·秦始皇本纪》中赵高指鹿为马事,喻南宋朝廷的昏暗。㉕周室叹瞻乌:《诗经·正月》:"哀我人斯,于何从禄?瞻乌爰止,于谁之屋?"这是周末无所归依之民的哀叹。㉖包贡:出自《尚书·禹贡》:"厥包橘柚锡贡。"包裹橘柚进贡天子,后以"包贡"指进贡。㉗上腴:最肥沃的土地。㉘照乘走隋珠:照乘,指珠宝所发之光能照亮车子。隋珠,是指珍贵的珠宝。《墨子》记载:"和氏之璧、隋侯之珠……此诸侯之良宝也。"此句写珠宝散佚,暗寓国亡。㉙鲸鲵:比喻凶险之人。渤澥:渤海。㉚唐虞:唐尧与虞舜,也指上古尧与舜的时代,古人以为那时是太平盛世。㉛鸱革:吴越争霸时,吴王杀死了伍子胥,命人用革囊盛尸浮之于江。㉜羊裘:羊皮。汉代严光年少有名,和光武帝刘秀是同学,刘秀当皇帝以后,严光变名隐身,披着羊皮隐居垂钓。㉝回首忆莼鲈:《世说新语·识鉴》:"张季鹰辟齐王东曹掾,在洛见秋风起,因思吴中莼菜羹、鲈鱼脍,曰:'人生贵得适意尔,何能羁宦数千里以要名爵!'遂命驾便归。俄而齐王败,时人皆谓为见机。"

[评析]

本文引用了《宋元拾遗记》《南渡史》等史料,记叙了南宋高宗时宫廷的奢华,高宗与吴越王钱镠转世轮回的故事,接下来转入元初南宋故宫被恶僧杨琏真伽毁坏之事,张岱显然对此极感兴趣,利用方志了解了新建的五寺与南宋故宫遗址的关系,最后又讲述了建立在南宋帝王遗骨上的镇南塔遭天灾、遭人毁的事实。本文全面展现了南宋宫廷兴亡的过程,表达了深沉的历史苍茫感及对恶僧杨琏真伽的深切憎恶之情。

梵天寺

梵天寺在山川坛后,宋乾德四年钱吴越王建①,名南塔。治平十年②,改梵天寺。元元统中毁,明永乐十五年重建③。有石塔二、灵鳗井、金井。先是,四明阿育王寺有灵鳗井④。武肃王迎阿育王舍利归梵天寺奉之,凿井南廊,灵鳗忽见,僧赞有记。东坡倅杭时,寺僧守诠住此。东坡过访,见其壁间诗有:"落日寒蝉鸣,独归林下寺。柴扉夜未掩,片月随行履。惟闻犬吠声,又入青萝去。"东坡援笔和之曰:"但闻烟外钟,不见烟中寺。幽人行未已,草露湿芒履。惟应山头月,夜夜照来去。"清远幽深,其气味自合。

苏轼《梵天寺题名》:

余十五年前,杖藜芒履,往来南北山。此间鱼鸟皆相识,况诸道人乎!再至悯然,皆晚生相对,但有怆恨。子瞻书。

元祐四年十月十七日⑤,与曹晦之、晁子庄、徐得之、王元直、秦少章同来,时主僧皆出,庭户寂然,徙倚久之。东坡书。

[注释]

①乾德四年:公元966年,宋太祖在位。②治平十年:按,治平为北宋英宗赵曙的年号,自公元1064至1067年,共计四年,文中治平十年有误。③永乐十五年:公元1417年。④四明:山名,在今浙江宁波西南。阿育王寺:在浙江鄞县,晋人得古印度王阿育王舍利,建塔于此,并建广利寺,至梁武帝改名阿育王寺。⑤元祐四年:公元1089年。

[评析]

本文记载了梵天寺的历史和两则文学故实。一是五代时吴越王钱镠迎舍利,凿井见鳗鱼;一是苏轼在杭州做官时,和寺僧诗。搜罗相关文学逸闻是张岱常用的写作方法,但本文不同的是末尾对唱和诗加以评论,僧守诠和苏轼写的都是静夜独行、以月为伴的情景，意境孤清，张岱所云"清远幽深，其气味自合"恰到好处地道出了二诗的品味与共同之处。

胜果寺

　　胜果寺，唐乾宁间，无著禅师建。其地松径盘纡，涧淙潺潺①。罗刹石在其前，凤凰山列其后，江景之胜无过此。出南塔而上，即其地也。宋熙宁间，在寺僧清顺住此。顺约介寡交②，无大故不入城市。士夫有以米粟馈者，受不过数斗，盎贮几上，日取二三合啖之，蔬笋之供，恒缺乏也。一日，东坡至胜果，见壁间有小诗云："竹暗不通日，泉声落如雨。春风自有期，桃李乱深坞。"问谁所作，或以清顺对。东坡即与接谈，声名顿起。

　　僧圆净《胜果寺》诗：
　　　　深林容鸟道，古洞隐春萝。天迥闻潮早③，江空得月多。冰霜丛草木，舟楫玩风波。岩下幽栖处，时闻白石歌④。
　　僧处默《胜果寺》诗：
　　　　路自中峰上，盘回出薜萝。到江吴地尽，隔岸越山多。古木丛青霭，遥天浸白波。下方城郭近，钟磬杂笙歌。

[注释]
①潺潺（zhuó）：流水声。②约介寡交：节俭孤高，与人交往很少。③天迥：天高。④白石歌：即春秋时宁戚《饭牛歌》。见《史记·鲁仲连邹阳列传》集解。这里借指农人的歌。

[评析]
　　文中虽说从胜果寺眺望，"江景之胜无过此"，但并未对江景作任何其他描述，当是前面诸篇风景描写过多，为避冗赘之嫌，所以

并未再谈。不过缺乏风景描写并未减少文章的趣味性，文中记叙了一位狷介高洁的北宋名僧清顺，以苏轼发现诗作大为惊奇，急寻作者之事，彰显他的文学天才。文人与释子以诗定交，文坛视为雅事，由此给本文带来了亮丽的风采。

五云山

五云山去城南二十里①，冈阜深秀②，林峦蔚起，高千丈，周回十五里。沿江自徐村进路，绕山盘曲而上，凡六里，有七十二湾，石磴千级。山中有伏虎亭，梯以石城③，以便往来。至顶半，冈名月轮山，上有天井，大旱不竭。东为大湾，北为马鞍，西为云坞，南为高丽，又东为排山。五峰森列，驾轶云霞④，俯视南北两峰，若锥朋立⑤。长江带绕，西湖镜开，江上帆樯，小若鸥凫，出没烟波，真奇观也。宋时每岁腊前，僧必捧雪表进⑥，黎明入城中，霰犹未集，盖其地高寒，见雪独早也。山顶有真际寺，供五福神，贸易者必到神前借本，持其所挂楮锭去⑦，获利则加倍还之。借乞甚多，楮锭恒缺。即尊神放债，亦未免穷愁。为之掀髯一笑。

袁宏道《御教场小记》：

余始慕五云之胜，刻期欲登，将以次登南高峰。及一观御教场，游心顿尽。石篑尝以余不登保俶塔为笑。余谓西湖之景，愈下愈胜，高则树薄山瘦，草髡石秃⑧，千顷湖光，缩为杯子。北高峰、御教场是其例也。虽眼界稍阔，然此躯长不逾六尺，穷目不见十里⑨，安用许大地方为哉！石篑无以难⑩。

[注释]

①去：距离。②冈阜：山岗。深秀：深幽秀美。③石城（cè）：石阶。④驾轶：凌越，超过。⑤朋立：并立。⑥雪表：臣民向皇帝庆贺瑞雪的表文。⑦楮镪（qiǎng）：纸币和成串的钱。⑧髡：光秃。⑨穷目：最大的视野。⑩难：非难。

[评析]

此文采取的是自下而上的描写方式，先写五云山峰峦山林的整体面貌、宽广度，然后写进山，沿路盘绕上山，山中间、半山腰、山顶的井亭等，接下来是在山顶俯视东南西北五峰的景象，再形容南北高峰和长江、西湖水面景色，"南北两峰，若锥朋立"，"江上帆樯，小若鸥凫"，都绝妙地形容出了登高俯瞰时山峰和帆船又细又小的状态。末尾写山顶寺神借贷给商人，开玩笑说神仙借出的钱多了也会穷，使散文更加生动活泼。

云　栖

云栖，宋熙宁间有僧志逢者居此，能伏虎，世称伏虎禅师。天僖中，赐真济院额。明弘治间为洪水所圮。隆庆五年①，莲池大师名袾宏，字佛慧，仁和沈氏子，为博士弟子，试必高等，性好清净，出入二氏②。子殇妇殁。一日阅《慧灯集》，失手碎茶瓯，有省③，乃视妻子为鹘臭布衫④，于世相一笔尽勾。作歌寄意，弃而专事佛，虽学使者屠公力挽之⑤，不回也。从蜀师剃度受具⑥，游方至伏牛，坐炼呓语，忽现旧习，而所谓一笔勾者，更隐隐现。去经东昌府谢居士家，乃更释然，作偈曰："二十年前事可疑，三千里外遇何奇。焚香执戟浑如梦，魔佛空争是与非。"当是时，似已惑破心空⑦，然终不自以为悟。归得古云栖寺旧址，结茅默坐，悬铛煮糜⑧，日仅一食。胸挂铁牌，题曰：

"铁若开花,方与人说。"久之,檀越争为构室⑨,渐成丛林⑩,弟子日进。其说主南山戒律,东林净土,先行《戒疏发隐》,后行《弥陀疏钞》。一时江左诸儒皆来就正。王侍郎宗沐问:"夜来老鼠唧唧,说尽一部《华严经》?"师云:"猫儿突出时⑪,如何自代?"云:"走却法师,留下讲案。"又书颂云:"老鼠唧唧,《华严》历历⑫。奇哉王侍郎,却被畜生惑。猫儿突出画堂前,床头说法无消息⑬。大方广佛《华严经》,世主妙严品第一⑭。"其持论严正,诘解精微⑮。监司守相下车就语⑯,侃侃略无屈⑰。海内名贤,望而心折⑱。孝定皇太后绘像宫中礼焉,赐蟒袈裟,不敢服,被衲敝帏⑲,终身无改。斋惟蔬菜。有至寺者,高官舆从⑳,一概平等,几无加豆㉑。仁和樊令问:"心杂乱,何时得静?"师曰:"置之一处,无事不办。"坐中一士人曰:"专格一物㉒,是置之一处,办得何事?"师曰:"论格物,只当依朱子豁然贯通去㉓,何事不办得?"或问:"何不贵前知㉔?"师曰:"譬如两人观《琵琶记》,一人不曾见,一人见而预道之㉕,毕竟同看终场㉖,能增减一出否耶?"甬东屠隆于净慈寺迎师观所著《昙花传奇》,虞淳熙以师梵行素严阻之㉗。师竟偕诸绅衿临场谛观讫㉘,无所忤。寺必设戒,绝钗钏声,而时抚琴弄箫,以乐其脾神。晚著《禅关策进》。其所述,峭似高峰、冷似冰者,庶几似之矣。喜乐天之达,选行其诗。平居笑谈谐谑,洒脱委蛇㉙,有永公清散之风㉚。未尝一味槁木死灰,若宋旭所议担板汉㉛,真不可思议人也。出家五十年,种种具嘱语中。万历乙卯六月晦日㉜,书辞诸友,还山设斋,分表施衬㉝,若将远行者。七月三日,卒仆不语㉞,次日复醒。弟子辈问后事,举嘱语对。四日之午,命移面西向,循首开目㉟,同无疾时,哆哪念佛,趺坐而逝。往吴有神李昙降毗山,谓师是古佛。而杨靖安万春尝见师现佛身，施食吴中。一信士窥空室，四鬼持灯至，忽列三莲座，师坐其一，佛像也。乩仙之灵者云，张果听师说《心赋》于永明。李屯部妇素不信佛，偏受师戒，逾年屈三指化㊱，云身是梵僧阿那吉多。而僧俗将坐脱时㊲，多请说戒、说法。然师自名凡夫，诸事恐呵责，不敢以闻。化前一日，漏语见一大莲华盖，不复能秘其往生之奇云。

袁宏道《云栖小记》：

云栖在五云山下，篮舆行竹树中，七八里始到，奥僻非常㊳，莲池和尚栖止处也㊴。莲池戒律精严，于道虽不大彻㊵，然不为无所见者。至于单提念佛一门，则尤为直捷简要，六个字中㊶，旋天转地，何劳捏目㊷，更趋狂解㊸，然则虽谓莲池一无所悟可也。一无所悟，是真阿弥㊹，请急着眼㊺。

李流芳《云栖春雪图跋》：

余春夏秋常在西湖，但未见寒山而归。甲辰㊻，同二王参云栖㊼。时已二月，大雪盈尺。出赤山步，一路琼枝玉干，披拂照曜。望江南诸山，皑皑云端㊽，尤可爱也。庚戌秋㊾，与白民看雪两堤。余既归，白民独留，迟雪至腊尽㊿。是岁竟无雪，怏怏而返。世间事各有缘，固不可以意求也。癸丑阳月题㉛。

又《题雪山图》：

甲子嘉平月九日大雪㉜，泊舟阊门，作此图。忆往岁在西湖遇雪，雪后两山出云，上下一白，不辩其为云为雪也。余画时目中有雪，而意中有云，观者指为云山图，不知乃画雪山耳。放笔一笑。

张岱《赠莲池大师柱对》：

说法平台，生公一语石一语。栖真斗室㊼，老僧半间云半间。

[注释]

①隆庆五年：公元1571年。②二氏：指佛、道二教。③省：醒悟，领悟。④鹳臭：狐臭。⑤学使者：提督学政的官员。⑥受具：佛教"受具足戒"或"受具戒"的略语，比丘受二百五十戒，比丘尼受五百戒。⑦惑破心空：困惑消解，内心空静。⑧铛：古代有耳和足的锅，用金属或陶瓷制成，可煮饭。糜（mí）：粥。⑨檀越：施主。⑩丛林：僧人聚集的地方，泛指寺院。⑪突出：窜出，奔出。⑫历历：象声词。⑬消息：征兆，端倪。⑭品第：评定次序。⑮诘解：解释。⑯监司：负有督查之责的官吏。守相：郡守和行省丞相。⑰略无屈：没有一点儿卑下的样子。⑱心折：内心折服。⑲被衲敝帏：被子有补丁，帷帐破旧。⑳高官舆从：高级官员和车马随从。㉑豆：盛食物的器皿。㉒专格一物：专门推究一种事物的道理。㉓朱子：朱熹，字元晦、仲晦，号晦庵、晦翁、考亭、云谷老人等，江西婺源人，官至宝文阁待制，是南宋著名理学家、教育家、诗人，世称朱子，是孔、孟以来最显赫的儒学大师。㉔前知：有预见，事先知道。㉕预道：提前说出，讲出。㉖终场：最后一场，结局。㉗梵行：清静除欲之行。素严：向来很严。㉘绅衿：泛指地方上有体面的人。绅，指有官职而退居乡里的绅士。衿，指穿青衿的生员。㉙委蛇：自得之貌。㉚永公：晋代庐山僧人慧永。《莲社高僧传》记载镇南将军何无忌到虎溪，"师衲衣半胫，荷锡捉钵，自松下飘然而止。无忌谓众曰：'永公清散之风乃多于远师也。'"㉛宋旭：早年为儒生，后出家，法名祖玄，又号天池发僧、景西居士。画学沈周，长于描绘山水，万历时名重海内。担板汉：呆板的汉子。㉜万历乙卯：公元1615年。㉝分表施衬：把外衣和财物分给别人。㉞卒仆：突然倒下。㉟循首：头来回转动。㊱屈三指化：死时有三个指头弯曲，据说是表示信佛。㊲坐脱：死亡的委婉说法。㊳奥僻：深奥偏僻。㊴栖止：居住修行。㊵大彻：领悟非常透彻。㊶六个字：佛教净土宗称只须念"南无阿弥陀佛"六字便可往生。㊷捏目：闭眼。㊸狂解：胡乱地解释。㊹阿弥：即阿弥陀佛，无量寿佛，西方极乐世界的教主。㊺着眼：入眼。㊻甲辰：

康熙三年，公元1664年。㊼参：参拜。㊽皑皑：雪白的样子。㊾庚戌：康熙九年，公元1670年。㊿迟：等候。51癸丑：康熙十二年，公元1673年。52甲子：康熙二十三年，公元1684年。53栖真：坐禅。

[评析]

本文记载的是明代云栖寺莲池大师的一生。莲池大师本是聪颖书生，因为受到妻亡子夭的打击，读佛经而有感悟，决心出家。修行刻苦，终成一代名僧。文中通过他与诸儒和官僚贵族的对话，点拨辩论，及临终表征等事迹的铺叙，展现了莲池大师道行高深、持论严正、设戒严肃，又亲切和蔼、洒脱旷达、乐天知命的性格和品质，表达了崇敬仰慕之情。

六和塔

月轮峰在龙山之南。月轮者，肖其形也。宋张君房为钱塘令①，宿月轮山，夜见桂子下塔，雾旋穗散坠如牵牛子。峰旁有六和塔，宋开宝三年②，智觉禅师筑之以镇江潮。塔九级，高五十余丈，撑空突兀，跨陆府川。海船方泛者，以塔灯为之向导。宣和中，毁于方腊之乱③。绍兴二十三年④，僧智昙改造七级。明嘉靖十二年毁⑤。中有汤思退等汇写佛说四十二章⑥、李伯时石刻观音大士像⑦。塔下为渡鱼山，隔岸剡中诸山，历历可数也。

李流芳《题六和塔晓骑图》：

　　燕子矶上台，龙潭驿口路。昔时并马行，梦中亦同趣。后来五云山，遥对西兴渡。绝壁瞰江立，恍与此境遇。人生能几何，江山幸如故。重来复相携，此乐不可喻。置身画图中，那复言归去。行当寻云栖，云栖渺何处。

此予甲辰与王淑士平仲参云栖舟中为题画诗⑧，今日展予所画《六和塔晓骑图》，此境恍然，重为题此。壬子十月六日⑨，定香桥舟中。

吴琚《六和塔应制》词⑩：

玉虹遥挂，望青山、隐隐如一抹。忽觉天风吹海立，好似春雷初发。白马凌空，琼鳌驾水，日夜朝天阙。飞龙舞凤，郁葱环拱吴越。此景天下应无，东南形胜，伟观真奇绝。好似吴儿飞彩帜，蹴起一江秋雪。黄屋天临，水犀云拥，看击中流楫。晚来波静，海门飞上明月⑪。（右调《酹江月》）

杨维桢《观潮》诗：

八月十八睡龙死⑫，海龟夜食罗刹水⑬。须臾海辟鼋鼍门⑭，地卷银龙薄于纸。艮山移来天子宫，宫前一箭随西风。劫灰欲洗蛇鬼穴⑮，婆留折铁犹争雄⑯。望海楼头夸景好，断鳌已走金银岛。天吴一夜海水移，马蹀沙田食沙草⑰。崖山楼船归不归⑱，七岁呱呱啼轵道⑲。

徐渭《映江楼看潮》诗：

鱼鳞金甲屯牙帐⑳，翻身却指潮头上。秋风吹雪下江门，万里琼花卷层浪。传道吴王渡越时，三千强弩射潮低㉑。今朝筵上看传令，暂放胥涛掣水犀㉒。

[注释]

①张君房：宋代安乐人，曾任集贤校理等职务，辑道教精华，主编了《云笈七签》。②开宝三年：公元970年。③方腊：睦州青溪人，北宋末年起兵，攻下杭州等地，后被童贯率军镇压。④绍兴二十三年：公元1153年。⑤嘉靖十二年：公元1533年。⑥汤思退：字进之，处州人，南宋时趋附秦桧，官至参知政事。⑦李伯时：名公麟，号龙眠山人，元祐进士，擅长画山水人物。⑧甲辰：康熙三年，公元1664年。⑨壬子：康熙十年，公元1671年。

⑩吴琚：字居父，号云壑，开封人，宋高宗吴皇后之侄。曾任临安通判、尚书郎，位至少师，世称"吴七郡王"，卒谥忠惠。⑪海门：钱塘江两岸有龛山、赭山相对，状如海上之门。⑫睡龙：潜伏水底的蛟龙。⑬罗刹水：钱塘江。⑭龛赭：山名，在浙江萧山东。宋姚宽《西溪丛语》卷上："夹岸有山，南曰龛，北曰赭。二山相对，谓之海门。"⑮劫灰：劫火的余灰。《释门正统》："汉武掘昆明池，得黑灰。以问东方朔，朔曰：'可问西域胡道人。'摩腾且至，或以问之，曰：'劫灰也。'"⑯婆留：五代吴越王钱镠小名。镠刚出生时，有奇异现象，他的父亲要把他扔到井里去，被邻居老妇救下，故名"婆留"。⑰马踥(dié)：马行。⑱崖山楼船：指崖山海战，元至正十六年，宋军与元军在广东崖山进行大规模海战，宋左丞相陆秀夫背着幼主赵昺投海自尽，南宋彻底灭亡。⑲"七岁"句：指德祐二年，南宋恭帝赵㬎向元朝投降。轵(zhǐ)道，亭名，在西安东北。《史记·秦始皇本纪》："子婴即系颈以组，白马素车，奉天子玺符，降轵道旁。"借指亡国投降。⑳牙帐：有牙旗的营帐，是将帅所居。㉑"传道"二句：宋范坰、林禹《吴越备史·武肃王》："八月，始筑捍海塘。王因江涛冲激，命强弩以射涛头，遂定基；复建候潮通江等城门。"㉒胥涛：春秋时伍子胥被吴王杀掉，尸体投入钱塘江成为涛神，后人因称钱塘江大潮为胥涛。挚：牵制，控制。水犀：披着犀甲的强大水军。

[评析]

本文篇幅十分短小，不足二百字，但是容量颇多。从月轮山的位置、形状、传说到六和塔建造的原因、层级、高度、功用、毁建、内部收藏、塔下山光等，娓娓道来，清晰流畅，使人有历历在目之感。

镇海楼

镇海楼旧名朝天门，吴越王钱氏建。规石为门①，上架危楼②。楼基垒石高四丈四尺，东西五十六步，南北半之。左右石级登楼，楼连基高十有一丈。元至正中，改拱北楼。明洪武八年③,更名来远楼,后以字画不祥,乃更名镇海。火于成化十年④,再造于嘉靖三十五年⑤,是年九月又火,总制胡宗宪重建。楼成,进幕士徐渭曰:"是当记,子为我草。"草就以进,公赏之,曰:"闻子久侉矣⑥。"趋召掌计⑦,廪银之两百二十为秀才庐⑧。渭谢侈不敢⑨。公曰:"我愧晋公,子于是文,乃遂能愧湜⑩,倘用福先寺事数字以责我酬⑪,我其薄矣⑫,何侈为!"渭感公语,乃拜赐持归。尽橐中卖文物如公数⑬,买城东南地十亩,有屋二十有二间,小池二,以鱼以荷;木之类,果木材三种,凡数十株;长篱亘亩⑭,护以枸杞,外有竹数十个,笋进云⑮。客至,网鱼烧笋,佐以落果,醉而咏歌。始屋陈而无次⑯,稍序新之⑰,遂颜其堂曰"酬字"。

徐渭《镇海楼记》:

镇海楼相传为吴越钱氏所建,用以朝望汴京,表臣服之意。其基址楼台,门户栏槛,极高广壮丽,具载别志中。楼在钱氏时,名朝天门。元至正中,更名拱北楼。皇明洪武八年,更名来远。时有术者⑱,病其名之书画不祥⑲,后果验,乃更今名。火于成化十年,再建于嘉靖三十五年,九月又火。予奉命总督直浙闽军务,开府于杭⑳,而方移师治寇,驻嘉兴,比归㉑,始与某官某等谋复之。人有以不急病者。予曰:"镇海楼建当府城之中,跨通衢㉒,截吴山麓,其四面有名山大海、江湖潮汐之胜,一望苍茫,可数百里。民庐舍百万户,其间村市官私之景,不可亿计,而可以指顾得者㉓,惟此楼为杰特之观。至于岛屿浩渺,亦宛在吾掌股间。高甍长鹜,有俯压百蛮气。而东夷之以贡献过此者㉔,亦往往瞻拜低回而始去。故四方来者,无不趋仰以为观游的。如此者累数百年,而一旦废之,使民若失所归,非所以昭太平,悦远迩。非特如此已也,其所贮钟鼓刻漏之具,四时气候之榜,令民知昏晓,时作息,寒暑启闭,桑麻种植渔佃,诸如此类,是居者之指南也。而一旦废之,使民憒然迷所往,非所以示节序,全利用。且人传钱氏以臣服宋而建,此事昭著已久。至方国珍时[25],求缓死于我高皇,犹知借镠事以请。诚使今海上群丑而亦得知钱氏事,其祈款如珍之初词[26],则有补于臣道不细,顾可使其迹湮没而不章耶?予职清海徼[27],视今日务,莫有急于此者。公等第营之,毋浚征于民,而务先以己。"于是予与某官某等,捐于公者计银凡若干,募于民者若干。遂集工材,始事于某年月日。计所构,甃石为门,上架楼,楼基垒石,高若干丈尺。东西若干步,南北半之。左右级曲而达于楼,楼之高又若干丈。凡七楹,础百。巨钟一,鼓大小九,时序榜各有差,贮其中,悉如成化时制。盖历几年月而成。始楼未成时,剧寇满海上,予移师往讨,日不暇至。于今五年,寇剧者禽,来者遁,居者慴不敢来,海始晏然,而楼适成,故从其旧名"镇海"。

张岱《镇海楼》诗:

钱氏称臣历数传,危楼突兀署朝天。越山吴地方隅尽,大海长江指顾连。使到百蛮皆礼拜,潮来九折自盘旋。成嘉到此经三火,皆值王师靖海年。都护当年筑废楼,文长作记此中游。适逢困鳄来投辖[28],正值饥鹰自下鞲[29]。严武题诗属杜甫[30],曹瞒拆字忌杨修[31]。而今纵有青藤笔,更讨何人数字酬[32]!

[注释]

①规石为门:用石头规划成门。②危楼:高楼。③洪武八年:公元1375

年。④成化十年：公元1474年。⑤嘉靖三十五年：公元1556年。⑥久侨：侨居很久。⑦掌计：掌管计簿的事情。⑧廪银：在学府学习的生员向官府领取的折算成银两的伙食补贴。⑨谢侈：以财物太多推辞。⑩"我愧"三句：用裴度与皇甫湜事。《新唐书》卷一百六十七："裴度辟为判官，度修福先寺，将立碑，求文于白居易。湜怒曰：'近舍湜而远取居易，请从此辞。'度谢之，湜即请斗酒，饮酣，援笔立就。度赠以车马、缯彩甚厚。湜大怒曰：'自吾为《顾况集序》，未常许人，今碑字三千，字三缣，何遇我薄耶？'度笑曰：'不羁之才也。'从而酬之。"⑪责：索要。⑫薄：不多。⑬卖文物：为人写文章所得的报酬。⑭长篱亘亩：长长的篱笆贯穿农田。⑮笋迸：竹笋钻出地面。⑯陈：陈旧。⑰序：整顿次序。⑱术者：从事方术的人。⑲书画：笔画。不祥：据说"来""远"二字包含"丧""哀"等字形，故曰不祥。⑳开府：高级官员成立府署，选置僚属。㉑比归：近日归来。㉒通衢：四通八达的大路。㉓指顾：手指目视。㉔贡献：进贡。过此：经过这里。㉕方国珍：浙江黄岩人，元末曾起事，后效法钱镠，归降朱元璋并守土一方。㉖祈款：请求归顺。如珍之初词：像方国珍那时的言辞一样，方国珍屡次投降元朝，又屡次叛变。㉗职清海徼（jiào）：职务是理清近海的事务。㉘困鳄：困顿中的鳄鱼，比喻凶猛又陷入窘境中的海寇。投辖：辖是车轴两端的键，投辖即留下不走，这里是指海寇投降。㉙下鞲（gōu）：鹰停落在人的皮革制作的臂套上，比喻海寇归顺。㉚"严武"句：杜甫谪居成都时，他的好友严武写诗劝他担任自己的幕僚，即《寄题杜拾遗锦江野亭》。㉛"曹瞒"句：《三国志通俗演义》载杨修机智过人，曹操选建花园，竣工时不置褒贬，取笔在门上书一"活"字，别人都不明白，杨修说：门内添"活"字，乃"阔"字也，丞相嫌园门太宽了。于是改造停当，曹操大喜，但心里很妒忌杨修。又一天，曹操在糕点盒上写了"一合酥"三个字，杨修看见，就和大家分了。曹操问其故，杨修说：盒上写着"一人一口酥"，我们怎敢违抗丞相之命呢？曹操虽然脸上喜笑，而心里更厌恶他，后来终于找理由把他杀了。㉜"而今"二句：用胡宗宪重酬徐渭（号青藤）事，感叹自己怀才不遇。

[评析]

本文梳理了镇海楼从五代到明末的建造和更名历史，这一部分以时间为线索一一道来，平实稳健。接下来记载明总制胡宗宪重建楼成，徐渭为之作记事，文字风格转入生动流畅。徐渭是天生奇才，潇洒出尘，无奈生活贫寒，胡宗宪借作文之机表达了自己的惜才之意，厚赏银钱，使徐渭从此过上了悠游自在的生活，也可谓一则趣谈。

伍公祠

吴王既赐子胥死，乃取其尸盛以鸱夷之革，浮之江中。子胥因流扬波①，依潮来往，荡激堤岸，势不可御②。或有见其银铠雪狮，素车白马③，立在潮头者，遂为之立庙。每岁仲秋既望④，潮水极大，杭人以旗鼓迎之。弄潮之戏，盖始于此。宋大中祥符间，赐额曰"忠靖"，封英烈王。嘉、熙间，海潮大溢。京兆赵与权祷于神，水患顿息，乃奏建英卫阁于庙中。元末毁，明初重建。有唐卢元辅《胥山铭序》、宋王安石《庙碑铭》。

高启《伍公祠》诗：
　　地大天荒霸业空⑤，曾于青史叹遗功⑥。鞭尸楚墓生前孝⑦，抉眼吴门死后忠⑧。魂压怒涛翻白浪，剑埋冤血起腥风。我来无限伤心事，尽在吴山烟雨中。

徐渭《伍公庙》诗：
　　吴山东畔伍公祠，野史评多无定词。举族何辜同刘草⑨，后人却苦论鞭尸。退耕始觉投吴早，雪恨终嫌入郢迟。事到此公真不幸，镯镂依旧遇夫差⑩。

张岱《伍相国祠》诗：
　　突兀吴山云雾迷，潮来潮去大江西。两山吞吐成婚嫁，万马奔腾应鼓鼙。清浊溷淆天覆地，玄黄错杂血连泥。旌幢幡盖威灵远，檄到娥江取候齐⑪。

从来潮汐有神威，鬼气阴森白日微。隔岸越山遗恨在，到江吴地故都非。钱塘一臂鞭雷走，瓮赭双颐嗔雪飞。灯火满江风雨急，素车白马相君归⑫。

[注释]

①因流扬波：顺着水流激起波浪。②御：抵御，制服。③素车：用白土粉刷的车，用于凶事或丧事。④既望：阴历每月十六。⑤天荒：边远偏僻。⑥青史：古代用竹简记事，所以称为青史。⑦鞭尸楚墓：春秋时期，伍子胥的父兄均为楚平王所杀，子胥投奔吴国，助吴伐楚，五战而胜，进入楚都郢城。当时楚平王已死，伍子胥就掘开他的墓，鞭尸三百，以解心头之恨。⑧抉眼吴门：《史记·吴太伯世家》载春秋时，吴国大夫伍子胥劝吴王夫差拒绝越国求和。夫差听信谗言，赐子胥剑，令自尽。子胥临死时说："抉吾眼置之吴东门，以观越之灭吴也。"抉眼为挖眼的意思，后抉眼吴门成为忠臣被谗殉身的典故。⑨刈（yì）草：割草，这里指被杀害。⑩镯镂：宝剑名，借指赐死。明郑若庸《玉玦记·梦神》："我想子胥、文种这等忠贤，不免镯镂之厄，何况于我。"⑪"檄到"句：相传伍子胥死后为潮神，曾檄令曹娥江与钱塘江潮同涨同退。⑫相君：指伍子胥。

[评析]

本文记载了伍子胥死后化为潮神的传说和立庙缘由，杭州百姓弄潮的风俗，宋以来祠庙的沿革情况等。篇幅简短却无所不包，全面展现了伍子胥祠庙的历史面貌，给人以清晰完整之感。

城隍庙

吴山城隍庙①，宋以前在皇山②，旧名永固，绍兴九年徙建于此③。宋初，封其神，姓孙名本。永乐时，封其神，为周新。新，南海人，初名日新。文帝常呼"新"，遂为名。以举人为大理寺评事④,有疑狱,辄一语决白之。永乐初,拜监察御史,弹劾敢言,人目为"冷面寒铁"。长安中以其名止儿啼。转云南按察使,改浙江。至界,见群蚋飞马首,尾之蓁中,得一暴尸,身余一钥、一小铁识。新曰:"布贾也⑤。"收取之。既至,使人入市市中布⑥,一一验其端,与识同者皆留之⑦。鞫得盗⑧,召尸家人与布,而置盗法,家人大惊。新坐堂,有旋风吹叶至,异之。左右曰:"此本城中所无,一寺去城差远,独有之。"新曰:"其寺僧杀人乎?而冤也。"往树下,发得一妇人尸。他日,有商人自远方夜归,将抵舍⑨,潜置金丛祠石罅中⑩,旦取无有⑪。商白新⑫。新曰:"有同行者乎?"曰:"无有。""语人乎?"曰:"不也,仅语小人妻。"新立命械其妻⑬,考之⑭,得其盗,则其私也⑮。则客暴至⑯,私者在伏匿听取之者也⑰。凡新为政,多类此。新行部,微服视属县,县官触之,收系狱⑱,遂尽知其县中疾苦。明日,县人闻按察使来,共迓不得⑲。新出狱曰:"我是。"县官大惊。当是时,周廉使名闻天下。锦衣卫指挥纪纲者最用事⑳,使千户探事浙中,千户作威福受赇㉑。会新入京,遇诸涿,即捕千户系涿狱。千户逸出㉒,诉纲,纲更诬奏新。上怒,逮之,即至,抗严陛前曰㉓:"按察使擒治奸恶,与在内都察院同,陛下所命也,臣奉诏书死,死不憾矣。"上愈怒,命戮之。临刑大呼曰:"生作直臣,死作直鬼!"是夕,太史奏文星坠,上不怿㉔,问左右周新何许人。对曰:"南海。"上曰:"岭外乃有此人。"一日,上见绯而立者,叱之,问为谁。对曰:"臣新也。上帝谓臣刚直,使臣城隍浙江㉕,为陛下治奸贪吏。"言已不见。遂封新为浙江都城隍,立庙吴山。

张岱《吴山城隍庙》诗:

宣室殷勤问贾生[26],鬼神情状不能名。见形白日天颜动[27],浴血黄泉御座惊。革伴鸱夷犹有气,身殉豺虎岂无灵[28]。只愁地下龙逢笑[29],笑尔奇冤遇圣明。

尚方特地出枫宸[30],反向西郊斩直臣。思以鬼言回圣主,还将尸谏退金人[31]。血诚无藉丹为色[32],寒铁应教金铸身。坐对江潮多冷面,至今冤气未曾伸。

又《城隍庙柱铭》:

厉鬼张巡[33],敢以血身污白日。阎罗包老[34],原将铁面比黄河。

[注释]

①吴山:又名胥山,在杭州城南。②皇山:又名凤篁岭。③绍兴九年:公元1139年。④大理寺评事:大理寺,官署名,古代掌刑狱案件的最高机构,评事是其中官称之一。⑤布贾:贩卖布的商人。⑥入市市中布:到市场上买市面上的布。⑦识:指死者身上遗留的铁标识。⑧鞫:通"鞠",追究,审问。⑨抵舍:到家。⑩潜置金丛祠石罅:把钱偷偷放在建在丛林中的寺庙的石头缝里。⑪旦:早上,天亮。⑫白:告诉,诉说。⑬械:拘禁,拿来。⑭考:拷问。⑮私:私下相好的人。⑯暴至:突然到来。⑰伏匿:隐藏,暗处。⑱收系:囚禁。⑲共迓:一起去迎接。⑳最用事:最当权。㉑受赇(qiú):受贿赂。㉒逸出:逃出来。㉓抗严:敢于冒犯君主的威严。㉔不怿:不高兴。㉕城隍:守护城池的神灵,这里用作动词。㉖"宣室"句:指汉文帝曾在宣室接见贾谊问鬼神之事。贾生,即贾谊。㉗天颜:天子的脸色。动:变化。㉘豺虎:奸臣。㉙龙逢:即关龙逢。夏朝的忠臣,因进谏被暴君桀所杀。㉚枫宸:宫殿。宸是北辰所居,指帝王的宫殿。因汉代宫廷中多种植枫树,所以宫殿又有此称。㉛尸谏:《韩诗外传》卷七:"卫大夫史鱼病且死,谓其子曰:'我数言蘧伯玉之贤而不能进,弥子瑕不肖而不能退。为人臣,生不能进贤而退不肖,死不当治丧正堂,殡我于室足矣。'卫君问其故,子以父言闻,君造然召蘧伯玉而贵之,而退弥子瑕,从殡于正堂,成礼而后去。生以身谏,死以尸

谏，可谓直矣。"㉜无藉：不用衬垫。㉝张巡：河南邓州人，平定安史之乱的名将。至德二年在内无粮草、外无援兵的情况下死守睢阳，以几千人之力杀伤敌十二万，阻遏了叛军南犯之势。不幸最终寡不敌众，英勇就义。㉞阎罗包老：包拯字希仁，安徽合肥人。曾任监察御史、三司户部判官、龙图阁直学士、河北都转运使、权知开封府、权御史中丞、三司使等职。断狱英明刚直，执法不避亲党，卒谥"孝肃"。

[评析]

明代浙江城隍庙神改为周新，自有一番不凡的原因。张岱在文中介绍了忠臣周新的仕宦履历和断案事迹，对他含冤入狱，最终被刑的过程和场面也进行了详细描写，展现了周新刚直不阿、敢于犯颜、果决立断、断案如神、体恤百姓的英雄气概。本文事件的选取恰当典型，过渡自然，对话描写精练传神，达到了引人入胜、情感随之起伏的效果。

火德庙

火德祠在城隍庙右，内为道士精庐①。北眺西泠，湖中胜概，尽作盆池小景。南北两峰如研山在案，明圣二湖如水盂在几。窗棂门楔凡见湖者，皆为一幅图画。小则斗方，长则单条，阔则横披，纵则手卷，移步换影。若遇韵人，自当解衣盘礴。画家所谓水墨丹青，淡描浓抹，无所不有。昔人言"一粒粟中藏世界，半升铛里煮山川"，盖谓此也。火居道士能为阳羡书生，则六桥三竺，皆是其鹅笼中物矣②。

张岱《火德祠》诗：
　　中郎评看湖，登高不如下。千顷一湖光，缩为杯子大。余爱眼界宽，大地收隙罅。瓮牖与窗棂，到眼皆图画。

渐入亦渐佳，长康食甘蔗③。数笔倪云林④，居然胜荆夏⑤。刻画非不工，淡远长声价。余爱道士庐，宁受中郎骂。

[注释]

①精庐：道观。②鹅笼中物：见梁吴均《续齐谐记》："东晋阳羡许彦，于绥安山行，遇一书生，年十七八，卧路侧，云脚痛，求寄彦鹅笼中，彦以为戏言。书生便入笼。笼亦不更广，书生亦不更小，宛然与双鹅并坐，鹅亦不惊。彦负笼而去，都不觉重。"③"渐入"二句：大画家顾恺之，字长康，《晋书》卷九十二："恺之每食甘蔗，恒自尾至本，人或怪之，云：'渐入佳境。'"④倪云林：元代画家倪瓒，字元镇，号云林，擅长山水画，风格以清远萧疏见长。⑤荆夏：五代后梁荆浩和南宋夏圭。荆浩，字浩然，山西沁水人，山水画妙绝。夏圭，字禹玉，杭州人，南宋画院待诏，也以画山水著称。

[评析]

本文描写火德庙旁道士庐选址和构建的精巧，体现在从庐中观览到的湖景。张岱这次眺望，不仅是从敞开处，而且也从对着湖面、带有局限又形状各异的窗棂、门扇中间去欣赏，独特的角度使他眼中出现了一幅幅或长或短、或大或小、又可临时变换的优美山水画卷。文末以佛教名言和阳羡书生的典故作结语，点破了道士居处构建之巧，令人称奇。

芙蓉石

芙蓉石今为新安吴氏书屋。山多怪石危峦，缀以松柏，大皆合抱。阶前一石，状若芙蓉，为风雨所坠，半入泥沙。较之寓林奔云，尤为茁壮。但恨主人深爱此石，置之怀抱，半步不离，楼榭逼之，反多阨塞。若得础柱相让，脱离丈许，松石间意，以淡远取之，则妙不可言矣。吴氏世居上山，主人年十八，身无寸缕，人轻之，呼为吴正官①。一日早起，拾得银簪一枝，重二铢，即买牛血煮之以食破落户②。自此经营五十余年，由徽抵燕，为吴氏之典铺八十有三。东坡曰："一簪之资，可以致富。"观之吴氏，信有然矣。盖此地为某氏花园，先大夫以三百金折其华屋③，徙造寄园，而吴氏以厚值售其弃地，在当时以为得计。而今至吴园，见此怪石奇峰，古松茂柏，在怀之璧，得而复失，真一回相见，一回懊悔也。

张岱《芙蓉石》诗：

　　吴山为石窟，是石必玲珑。此石但浑朴，不复起奇峰。花瓣几层折，堕地一芙蓉。痴然在草际，上覆以长松。濯磨如结铁，苍翠有苔封。主人过珍惜，周护以墙墉。恨无舒展地，支鹤闭韬笼。仅堪留几席，聊为怪石供。

[注释]

①正官：官长，有正式编制的官员。②破落户：衰败的人家，穷人家。③先大夫：对人称死去的父亲。折：折价。

[评析]

本文由新安吴氏书屋中一块芙蓉石的描摹入手，回顾了吴氏从赤贫到偶然拾簪起家，辛苦经营至豪富，最终能够和张岱家相邻，买地建园的往事，对幸运降临和勤劳致富的吴氏表示慨叹。文末写再次见到芙蓉石的感觉，表达了不能拥有的遗憾，张岱石癖之深，于此可见。

云居庵

云居庵在吴山，居鄙①。宋元祐间，为佛印禅师所建。圣水寺，元元贞间，为中峰禅师所建。中峰又号幻住，祝发时②，有故宋宫人杨妙锡者，以香盒贮发③，而舍利丛生，遂建塔寺中，元末毁。明洪武二十四年④，并圣水于云居，赐额曰云居圣水禅寺。岁久殿圮，成化间僧文绅修复之。寺中有中峰自写小像⑤，上有赞云："幻人无此相，此相非幻人。若唤作中峰，镜面添埃尘。"向言六桥有千树桃柳，其红绿为春事浅深，云居有千树枫柏，其红黄为秋事浅深，今且以薪以楢，不可复问矣。曾见李长蘅题画曰："武林城中招提之胜⑥，当以云居为最。山门前后皆长松，参天蔽日，相传以为中峰手植，岁久浸淫⑦，为寺僧剪伐，什不存一，见之辄有老成凋谢之感。去年五月，自小筑至清波访友寺中，落日坐长廊，沽酒小饮已，裴回城上⑧，望凤凰、南屏诸山，沿月踏影而归。翌日，遂为孟旸画此，殊可思也。"

李流芳《云居山红叶记》：

余中秋看月于湖上者三，皆不及待红叶而归。前日舟过塘栖，见数树丹黄可爱，跃然思灵隐、莲峰之约，今日始得一践。及至湖上，霜气未遍，云居山头，千树枫柏尚未有酣意，岂余与红叶缘尚悭与⑨？因忆往岁忍公有代红叶招余诗，余亦率尔有答，聊记于此："二十日西湖，领略犹未了。一朝别尔归，此游殊草草。当我欲别时，千山秋已老。更得少日留，霜酣变林杪。子常为我言，灵隐枫叶好。千红与万紫，乱插向晴昊。烂然列锦绣，森然建旟旐⑩。一生未得见，何异说食饱。"

高启《宿幻住栖霞台》诗：

窗白鸟声晓，残钟渡溪水。此生幽梦回，独在空山里。松岩留佛灯，叶地响僧履⑪。予心方湛寂，闲卧白云起。

夏原吉《云居庵》诗⑫：

谁辟云居境，峨峨瞰古城。两湖晴送碧，三竺晓分青。经锁千函妙⑬，钟鸣万户惊。此中真可乐，何必访蓬瀛⑭。

徐渭《云居庵松下眺城南》诗：

夕照不曾残，城头月正团。霞光翻鸟堕，江色上松寒。市客屠俱集，高空醉屡看。何妨高渐离⑮，抱却筑来弹。（城下有瞽目者善弹词。）

[注释]

①鄙：边境。②祝发：削发出家。③贮发：储存头发。④洪武二十四年：公元1391年。⑤自写：自己给自己画的。⑥招提：本义为四方，北魏太武帝拓跋焘造伽蓝，创招提之名，招提于是成为寺院的别称。⑦浸淫：渐渐地。⑧裴回：徘徊。⑨缘尚悭：缘分尚浅。⑩旆旐（zhào）：旗帜。旆，画有两龙并在竿头悬挂铃铛的旗帜。旐，画有龟蛇图案的旗帜。⑪叶地：落了很多叶子的土地。僧履：僧人的鞋。⑫夏原吉：字维喆，早年丧父，勤学不辍，选书制诰，为明太祖朱元璋看重。前后历事五朝，政绩卓越，卒赠太师，谥忠靖。⑬函：装书的匣子或封套。⑭蓬瀛：蓬莱和瀛洲是仙人居住的地方，这里泛指仙境。⑮高渐离：战国末期燕国人，荆轲的好友，擅长击筑。荆轲刺秦王时，高渐离与太子丹送到易水河畔，高渐离击筑，高歌"风萧萧兮易水寒，壮士一去兮不复还"。

[评析]

此文先介绍了云居庵的成毁历史和庵中的著名高僧，接下来指出云居寺枫柏和六桥桃柳可相提并论。按照张岱一贯的写法，此处应该大量铺陈华辞丽句，可是仅以一句被砍作柴薪、不复存在带过。张岱为何惜墨如金？往下看就知道了，原来后文借李长蘅题画文展现了云居寺昔日的美好景象和参天巨松被无端砍伐的情形，故无须赘笔。

施公庙

施公庙在石乌龟巷,其神为施全,宋殿前小校也①。绍兴二十年二月朔,秦桧入朝,乘肩舆过望仙桥,全挟长刃遮道刺之,透革不中②,桧斩之于市,观者如堵墙,中有一人大言曰:"此不了汉,不斩何为③!"此语甚快④。秦桧奸恶,天下万世人皆欲杀之,施全刺之,亦天下万世中一人也。其心其事,原不为岳鄂王起见,今传奇以全为鄂王部将,而岳坟以全入之翊忠祠,则施全此举,反不公不大矣。后人祀公于此,而不配享岳坟,深得施公之心矣。

张岱《施公庙》诗:

施殿司⑤,不了汉,刺虎不伤蛇不断。受其反噬齿利剑,杀人媚人报可汗⑥。厉鬼街头白昼现,老奸至此掩其面⑦。邀呼簇拥遮车幔,弃尸漂泊钱塘岸。怒卷胥涛走雷电⑧,雪巘移来天地变。

[注释]

①殿前小校:宫中的低级武官。②透革:穿透了身上的皮革。③"此不"二句:暗指秦桧,秦曾言"某但欲了天下事耳"。④快:痛快。⑤殿司:在殿中任职的官员。⑥"杀人"句:金兀术曾谓秦桧:"必杀飞,始可和。"可汗,指金主。⑦掩(yǎn):遮蔽,掩盖。⑧胥涛:指钱塘江潮。相传伍子胥死后做钱塘江涛神,故称。

[评析]

本文记载了南宋施全刺杀秦桧,大义献身的忠勇事迹,以此说明了施公庙的立庙缘由。同时,对施全刺杀秦桧的动机做了辩证,认为是为全天下起见而不是为岳飞冤死一事,因而戏曲中对施全的形象塑造是不合理的。论证有理有力，使人信服，体现了张岱辩证严密和求真务实的思维方式。

三茅观

三茅观在吴山西南。三茅者，兄弟三人，长曰盈，次曰固，季曰衷，秦初咸阳人也。得道成仙，自汉以来，即崇祀之。第观中三像，一立、一坐、一卧，不知何说。以意度之，或以行立坐卧，皆是修炼功夫，教人不可蹉过耳①。宋绍兴二十年②，因东京旧名③，赐额曰宁寿观。元至元间毁，明洪武初重建。成化十年建昊天阁④。嘉靖三十五年⑤，总制胡宗宪以平岛夷功，奏建真武殿。万历二十一年⑥，司礼孙隆重修，并建钟翠亭、三义阁。相传观中有褚遂良小楷《阴符经》墨迹⑦。景定庚申，宋理宗以贾似道有江汉功⑧，赐金帛巨万，不受，诏就本观取《阴符经》，以酬其功⑨。此事殊韵⑩，第不应于贾似道当之耳⑪。余尝谓曹操、贾似道千古奸雄，乃诗文中之有曹孟德，书画中之有贾秋壑，觉其罪业滔天，减却一半。方晓诗文书画，乃能忏悔恶人如此。凡人一窍尚通，可不加意诗文，留心书画哉？

徐渭《三茅观观潮》诗：

黄幡绣字金铃重，仙人夜语骑青凤⑫。宝树攒攒摇绿波⑬，海门数点潮头动。海神罢舞回腰窄⑭，天地有身存不得。谁将练带括秋空⑮？谁将古概量春雪⑯？黑鳌载地几万年，昼夜一身神血干。升沉不守瞬息事，人间白浪今如此。白日高高惨不光，冷虹随身萦城隍。城中那得知城外，却疑寒色来何方。鹿苑草长文殊死⑰，狮子随人吼祇树。吴山石头坐秋风,带着高冠拂云雾。

又《三茅观眺雪》诗:

　　高会集黄冠[18],琳宫夜坐阑。梅芳成蕊易,雪谢作花难。檐月沉怀暖,江峰入坐寒。暮鸦惊炬火,飞去破烟岚。

[注释]

①蹉过:错过。②绍兴二十年:公元1150年。③因:沿袭。④成化十年:公元1474年。⑤嘉靖三十五年:公元1556年。⑥万历二十一年:公元1593年。⑦褚遂良:字登善,太宗时的重臣,著名书法家,与欧阳询、虞世南、薛稷并称四大家。⑧江汉:长江、汉水及附近地区。《宋史纪事本末》卷二十六记载贾似道督兵江汉,割地进贡求和,而对理宗谎称作战胜利,上表云:"诸路大捷,鄂围始解。江汉肃清,宗社危而复安,实万世无疆之休。"⑨酬:酬劳。⑩殊韵:很有韵味,很高雅。⑪第:只是。⑫青凤:青鸟,西王母的信使。⑬攒攒:丛集。绿波:树叶晃动像绿色的波涛。⑭回腰:旋转。⑮括:结扎,捆绑。⑯概:量谷物时刮平斗斛的器具。⑰鹿苑:即鹿野苑,在中天竺波罗奈国,释迦牟尼成道后来此讲说四谛之法。鹿苑也泛指佛寺。⑱高会:盛大的集会。黄冠:道士。

[评析]

本文力图探索三茅观中三座神像姿态的象征意义,同时梳理了南宋至明代重建、增建三茅观的历史,又记载了观中所藏唐代大书法家褚遂良《阴符经》墨迹的传说:南宋奸相贾似道不受金帛之赏,仅求此本。张岱借此大发议论,认为诗文书画可以减轻人的罪孽,平常人不可废此爱好,观点鲜明脱俗,由此可知张岱钟爱诗文书画也得益于历史经验。

紫阳庵

　　紫阳庵在瑞石山。其山秀石玲珑,岩窦窈窕①。宋嘉定间,邑人胡杰居此。元至元间，道士徐洞阳得之，改为紫阳庵。其徒丁野鹤修炼于此。一日，召其妻王守素入山，付偈云："懒散六十年，妙用无人识。顺逆俱两忘，虚空镇长寂。"遂抱膝而逝。守素乃奉尸而漆之，端坐如生。妻亦束发为女冠，不下山者二十年。今野鹤真身在殿亭之右。亭中名贤留题甚众。其庵久废，明正统甲子②，道士范应虚重建，聂大年为记③。万历三十一年④，布政史继辰⑤、范涞构空翠亭，撰《紫阳仙迹记》，绘其图景并名公诗，并勒石亭中。

李流芳《题紫阳庵画》：

　　南山自南高峰逦迤而至城中之吴山，石皆奇秀一色，如龙井、烟霞、南屏、万松、慈云、胜果、紫阳，一岩一壁，皆可累日盘桓。而紫阳精巧，俯仰位置，一一如人意中，尤奇也。余己亥岁与淑士同游⑥，后数至湖上，以畏入城市⑦，多放浪两山间，独与紫阳隔阔⑧。辛亥偕方回访友云居⑨，乃复一至，盖不见十余年，所往来于胸中者，竟失之矣。山水绝胜处，每恍惚不自持，强欲捉之，纵之旋去。此味不可与不知痛痒者道也。余画紫阳时，又失紫阳矣。岂独紫阳哉，凡山水皆不可画，然不可不画也，存其恍惚而已矣。书之以发孟旸一笑。

袁宏道《紫阳宫小记》：

　　余最怕入城。吴山在城内，以是不得遍观，仅匆匆一过紫阳宫耳。紫阳宫石，玲珑窈窕，变态横出，湖石不足方比，梅花道人一幅活水墨也⑩。奈何辱之郡郭之内，使山林懒僻之人亲近不得，可叹哉。

王稚登《紫阳庵丁真人祠》诗：

丹壑断人行，琪花洞里生⑪。乱崖兼地破，群象逐峰成。一石一云气，无松无水声。丁生化鹤处⑫，蜕骨不胜情。

董其昌《题紫阳庵》诗：

初邻尘市点灵峰，径转幽深绀殿重⑬。古洞经春犹闷雪，危厓百尺有欹松。清猿静叫空坛月，归鹤愁闻故国钟。石髓年来成汗漫⑭，登临须愧羽人踪⑮。

[注释]

①岩窦：岩洞。②正统甲子：正统九年，公元1444年。③聂大年：明代诗人，曾任杭州仁和县学训导、翰林编修等职务。④万历三十一年：公元1603年。⑤布政：布政使。史继辰：字应之，号念桥，江苏溧阳人，曾为浙江布政使。⑥己亥：顺治十六年，公元1659年。⑦畏入：害怕进入。⑧隔阔：分别很久。⑨辛亥：康熙十年，公元1671年。⑩梅花道人：元末大画家吴镇，字仲圭，号梅花道人，浙江嘉兴人。⑪琪花：光洁如玉的花。⑫丁生化鹤：丁生，丁令威，传说为汉辽东人，学道后化鹤归乡。见《搜神后记》。⑬绀殿：佛寺。⑭石髓：石钟乳，古人认为服之可以长生。⑮羽人：神话中的飞仙，也指道士。

[评析]

本文以时间为线索，记载了南宋到明代紫阳庵的历史与异闻。因殿亭中有元代道士丁野鹤真身，文人留墨颇多，影响很大，所以对丁野鹤夫妇入山修道的事情叙述较详。从整体来看，本文脉络清晰，详略得当，语言生动，内容真实，可作史料征引，因此具有文学和史学的双重价值。

图书在版编目(CIP)数据

陶庵梦忆　西湖梦寻/(明)张岱著;谷春侠,张立敏注析.—郑州:中州古籍出版社,2012.12(2014.2重印)
(国学经典)
ISBN 978-7-5348-4021-0

Ⅰ.①陶…Ⅱ.①张…②谷…③张…Ⅲ.①小品文—作品集—中国—明代　Ⅳ.①I264.8

中国版本图书馆 CIP 数据核字(2012)第 263851 号

书名:陶庵梦忆　西湖梦寻
　　　TAOAN MENGYI　XIHU MENGXUN
著者:(明)张　岱
注析者:谷春侠　张立敏
出版社:中州古籍出版社
　　　(地址:郑州市经五路66号　邮政编码:450002　电话:0371-65723280)
发行单位:新华书店
承印单位:河南大美印刷有限公司
开本:640mm×960mm　1/16　印张:24.25
字数:280千字　印数:5001-10 000 册
版次:2012年12月第1版　印次:2014年2月第2次印刷

定价:29.00元
本书如有印装质量问题,由承印厂负责调换。